# AGATHA CHRISTIE

*Œuvres complètes*

# AGATHA CHRISTIE

## La maison biscornue

## Meurtre en Mésopotamie

ILLUSTRATIONS ORIGINALES DE
SYLVIE DAUSSET

16 204 07 R3

# LA MAISON BISCORNUE

Crooked House
*Traduit de l'anglais par Michel Le Houbie*

# CHAPITRE PREMIER

C'est en Égypte, vers la fin de la guerre, que je fis la connaissance de Sophia Leonidès. Elle occupait là-bas un poste assez important dans les bureaux du Foreign Office et je n'eus d'abord avec elle que des relations de service. Je ne tardai pas à me rendre compte des qualités éminentes qui l'avaient portée, en dépit de sa jeunesse — elle avait juste vingt-deux ans — à un poste où les responsabilités ne manquaient pas.

Fort agréable à regarder, elle était aussi très intelligente, avec un sens de l'humour qui m'enchantait. Nous nous liâmes d'amitié. C'était une jeune personne avec qui l'on avait plaisir à parler et nous aimions beaucoup sortir ensemble pour dîner et, à l'occasion, pour danser.

Tout cela, je le savais. C'est seulement lorsque, les hostilités terminées en Europe, je fus muté en Extrême-Orient que je découvris le reste, à savoir que j'aimais Sophia et que je désirais qu'elle devînt ma femme.

Cette découverte, je la fis un soir que nous dînions ensemble au *Shepheard's*. Elle ne me surprit pas. Elle m'apparut plutôt comme la reconnaissance formelle d'un fait qui m'était depuis longtemps familier. Je regardais Sophia avec des yeux neufs, mais ce que je voyais m'était déjà bien connu. Tout en elle me plaisait, aussi bien les magnifiques cheveux noirs qui couronnaient son front que ses clairs yeux bleus, son petit nez droit ou son menton volontaire. Dans son tailleur gris, elle « faisait » terriblement anglais, et cela aussi m'était sympathique, après trois ans passés loin de mon pays natal. Et c'est comme je me disais qu'on ne pouvait avoir l'air plus anglais que je me demandai si elle était vraiment aussi Anglaise qu'il semblait.

Je m'apercevais que, si nous avions eu ensemble de longues conversations, parlant à cœur ouvert de nos idées, de nos goûts et dégoûts, de nos amis et de nos relations, Sophia n'avait jamais fait la moindre allusion à sa famille. Elle savait tout de moi et je ne savais rien d'elle. Jamais jusqu'alors cela ne m'avait frappé.

Elle me demanda à quoi je pensais.

— A vous! répondis-je sincère.

— Ah?

— Il se peut fort bien que nous ne nous revoyions pas d'ici deux ans, étant donné que j'ignore quand je rentrerai en Angleterre, et je songeais que mon premier soin, quand je serai de retour, sera d'aller vous trouver pour vous demander votre main.

Elle reçut cette déclaration sans ciller. Elle continuait à fumer, sans me regarder. Un instant, l'idée me tourmenta que, peut-être, elle ne m'avait pas compris.

— Je suis bien résolu, repris-je, à ne pas vous demander maintenant de devenir ma femme. Ce serait stupide. D'abord, parce que vous pourriez me répondre non, de sorte que je m'en irais très malheureux et capable, par dépit, de lier mon sort à celui de quelque créature impossible. Ensuite, parce que, si vous me disiez oui, je ne vois pas bien ce que nous pourrions faire. Nous marier tout de suite et nous séparer demain? Nous fiancer et commencer à nous attendre mutuellement pendant on ne sait combien de temps? C'est quelque chose que je ne pourrais supporter. Je ne veux pas, si vous rencontrez quelqu'un d'autre, que vous puissiez vous considérer comme tenue par un engagement envers moi. Nous vivons une époque de fièvre. On se marie très vite et on divorce de même. Je veux que vous rentriez chez vous, libre, indépendante, que vous regardiez autour de vous pour voir ce que sera le monde d'après-guerre et que vous preniez votre temps pour décider ensuite de ce que vous lui demanderez. Si nous devons nous marier, vous et moi, il faut que ce soit pour toujours! Un autre mariage, je n'en ai que faire!

— Moi non plus!

— Mais, cela dit, je tiens à ce que vous soyez au courant des... des sentiments que j'ai pour vous!

Elle murmura :

— Sans que vous mettiez, dans leur expression, un lyrisme hors de saison...

— Mais vous ne comprenez donc pas? Vous ne voyez donc pas que je fais tout ce que je peux pour ne pas vous dire que je vous aime et...

Elle m'interrompit.

— J'ai parfaitement compris, Charles, et votre façon comique de présenter les choses m'est très sympathique. Quand vous rentrerez en Angleterre, venez me voir, si vous êtes toujours dans les mêmes dispositions...

Ce fut à mon tour de lui couper la parole.

— Là-dessus, il n'y a pas de doute!

— Il ne faut jamais rien affirmer, Charles! Il suffit de si peu de chose pour bouleverser les plus beaux projets! Et puis, que savez-vous de moi? Presque rien. Ce n'est pas vrai?

— Je ne connais même pas votre adresse en Angleterre.

— J'habite Swinly Dean...

Je hochai la tête, indiquant par là que je n'ignorais pas ce lointain faubourg de Londres, qui tire un juste orgueil de trois excellents terrains de golf, fréquentés par les financiers de la Cité.

Elle ajouta, d'une voix rêveuse :

— Dans une petite maison biscornue...

Mon expression dut marquer quelque étonnement, car, amusée, elle m'expliqua qu'il s'agissait d'une citation.

— *Et ils vécurent tous les trois dans une petite maison biscornue!* Cette petite maison, c'est tout à fait la nôtre! Rien que des pignons!

— Votre famille est nombreuse?

— Nombreuse? Un frère, une sœur, une mère, un père, un oncle, une tante par alliance, un grand-père, une grand-tante et une grand-mère.

— Grands dieux! m'écriai-je, un peu abasourdi.

Riant, elle reprit :

— Naturellement, nous ne demeurons pas tous ensemble. La guerre et les bombardements ont apporté du changement. Pourtant, malgré ça...

Sa voix avait pris une sorte de gravité.

— Malgré ça, il est possible que, par l'esprit, la famille ait continué à vivre ensemble, sous l'œil du grand-père et sous sa protection. C'est un monsieur, vous savez, mon grand-père. Il a plus de quatre-vingts ans, il ne mesure guère qu'un mètre cinquante-cinq et, à côté de lui, tout le monde paraît terne!

— Il doit être intéressant.

— Il l'est. C'est un Grec de Smyrne. Aristide Leonidès.

Avec un clin d'œil, elle ajouta :

— Il est extrêmement riche.

— Y aura-t-il encore quelqu'un de riche quand cette guerre sera finie?

— Grand-père le sera toujours, dit-elle d'une voix assurée. On peut prendre toutes les mesures qu'on voudra contre le capital, elles demeureront sans effet en ce qui le concerne. Si on le plume, il plumera ceux qui l'auront plumé!

Après un court silence, elle dit encore :

— Je me demande si vous l'aimerez.

— L'aimez-vous, vous?

— Moi? Plus que n'importe qui au monde!


# CHAPITRE II


Deux années avaient passé quand je rentrai en Angleterre. Deux longues années. Durant ce temps, j'avais écrit à Sophia et elle m'avait donné de ses nouvelles assez souvent, mais nos lettres n'étaient pas des lettres d'amour. Notre correspondance était celle de deux amis très chers, qui prennent plaisir à échanger leurs idées et à se communiquer leurs impressions sur la vie de chaque jour. Malgré cela, je savais que mes sentiments n'avaient pas changé et j'avais de bonnes raisons de penser qu'il en allait de même des siens à mon endroit.

Je débarquai en Angleterre par une grise journée de septembre. L'air était doux et, dans la lumière de l'après-midi finissant, les feuilles des arbres prenaient des teintes mordorées. De l'aéroport, j'envoyai un télégramme à Sophia :

*Arrivé. Voulez-vous dîner avec moi, ce soir à neuf heures, chez* Mario? *Charles.*

Deux heures plus tard je lisais le *Times* quand mes yeux, parcourant distraitement la rubrique « Nécrologie », tombèrent en arrêt sur l'avis suivant :

*Le 19 septembre, à* Three Gables*, *Swinly Dean. Aristide Leonidès, époux de Brenda Leonidès, dans sa quatre-vingt-cinquième année. Regrets éternels.*

* « Les Trois Pigeons. »

Juste en dessous, cet autre avis :

*Aristide Leonidès, subitement décédé en sa résidence de* Three Gables, *Swinly Dean. De la part de ses enfants. Fleurs à l'église Saint-Eldred, Swinly Dean.*

Je trouvai ce « doublon » assez curieux, blâmai à part moi la rédaction négligente qui l'avait laissé passer, et, en toute hâte, adressai à Sophia un deuxième télégramme :

*Apprends à l'instant la nouvelle de la mort de votre grand-père. Condoléances sincères. Quand pourrai-je vous voir? Charles.*

La réponse de Sophia me parvint télégraphiquement, à six heures du soir, chez mon père :

*Serai chez* Mario *à neuf heures. Sophia.*

La pensée que j'allais la revoir m'empêchait de tenir en place. J'arrivai au restaurant vingt bonnes minutes en avance. Elle fut en retard d'autant.

Son apparition me donna un choc, assez différent de celui que j'attendais. Elle était en noir. La chose, pourtant toute naturelle, me surprit. Je n'imaginais pas Sophia en deuil, même pour un très proche parent!

Nous bûmes des cocktails avant de nous mettre à table et, tout de suite, nous parlâmes, l'un et l'autre, avec volubilité. Nous nous donnions des nouvelles des gens que nous avions connus au Caire, nous échangions des propos à peu près dépourvus d'intérêt, mais qui du moins nous permettaient de reprendre contact sans trop de gêne. Je lui dis toute la part que je prenais à sa douleur. Elle me répondit que la mort de son grand-père avait été « très inattendue » et se remit à parler du Caire. Je commençais à me sentir mal à l'aise. Notre conversation manquait de naturel, de sincérité. En devais-je conclure que Sophia avait rencontré un homme qu'elle me préférait et qu'elle avait découvert qu'elle s'était trompée quant aux sentiments qu'elle pouvait éprouver envers moi?

Je me posai ces questions jusqu'au moment où, brusquement, le café servi, une sorte de mise au point s'effectua, sans aucun effort de ma part. Le garçon s'était éloigné et je me retrouvais, comme autrefois, assis à une petite table, dans un restaurant, aux côtés de Sophia. Les années de séparation étaient comme effacés.

— Sophia! murmurai-je.

— Charles!

Le ton était exactement celui qui convenait. Je poussai un soupir de soulagement.

— Enfin, m'écriai-je. C'est passé! Mais qu'est-ce qu'il nous est donc arrivé?

— Ce doit être ma faute. J'ai été idiote.

— Mais ça va mieux?

— Ça va mieux.

Nous échangeâmes un sourire.

— Chérie!

J'ajoutai, très vite et très bas :

— Quand nous marions-nous?

Son sourire disparut.

— Je ne sais pas, Charles. Je ne suis même pas sûre de pouvoir jamais vous épouser...

— Sophia! Mais pourquoi? Vous trouvez que j'ai changé? Vous avez besoin de vous réhabituer à moi? Vous en aimez un autre?

Elle secoua la tête.

— Non.

J'attendais. Elle dit, dans un souffle :

— C'est à cause de la mort de mon grand-père.

Je me récriai.

— Qu'est-ce à dire? Ça ne change rien! Vous ne supposez pas qu'une question d'argent...

— Ce n'est pas ça!

Elle eut un pauvre sourire.

— Je sais très bien, poursuivit-elle, que vous m'épouseriez sans un sou. Grand-père, d'ailleurs, n'a jamais perdu d'argent et il en laisse beaucoup...

— Alors?

— Alors, il y a qu'il est mort... mais qu'il n'est pas mort comme tout le monde. Je crois qu'on l'a tué!

Je la regardai avec stupeur.

— Quelle idée! Qu'est-ce qui vous fait croire ça?

— Je ne suis pas seule à le penser. Le médecin ne voulait pas signer le certificat de décès et il y aura une autopsie. Il est évident que cette mort est suspecte.

Je n'avais point l'intention d'en discuter. Sophia était suffisamment intelligente pour que je pusse lui faire crédit.

— Ces soupçons, dis-je pourtant, ne reposent peut-être sur rien. Mais, en admettant même qu'ils soient justifiés, je ne vois pas pourquoi cela changerait quoi que ce fût en ce qui nous concerne!

— En êtes-vous bien sûr? Vous êtes dans la diplomatie et c'est une carrière où l'on fait très attention à la femme que vous épousez. Je sais ce que vous brûlez d'envie de me répliquer. Ne le dites pas! Ces choses-là, la politesse voudrait que vous les disiez, vous les pensez très certainement et, en principe, je suis d'accord avec vous. Seulement, je suis fière... Terriblement fière. Je veux un mariage qui ne prête pas à la médisance et il ne faut pas qu'il représente, de votre part, un demi-sacrifice. D'ailleurs, il est très possible que tout soit fort bien...

— Vous voulez dire que le médecin pourrait... s'être trompé?

— En admettant même qu'il ne se soit pas trompé, s'il a été tué par le bon assassin, tout va bien!

Je ne comprenais plus. Elle poursuivit :

— C'est odieux, ce que je viens de dire, n'est-ce pas? Mais ne vaut-il pas mieux être sincère?

Elle répondit à ma question avant que je ne l'eusse formulée.

— Non, Charles, je n'ajouterai rien... et peut-être en ai-je déjà trop dit! Si je suis venue ce soir, c'était parce que je tenais à vous déclarer moi-même que nous ne pouvions rien décider avant que cette affaire ne soit éclaircie.

— Expliquez-moi au moins de quoi il s'agit!

— Je n'y tiens pas!

— Mais...

— Non, Charles! Je ne veux pas que vous voyiez les choses de mon point de vue à moi. Je tiens à ce que vous *nous* considériez sans préjugé aucun, de l'extérieur, comme un étranger!

— Comment le pourrais-je?

Une lueur passa dans ses yeux bleus.

— Votre père vous le fera savoir!

J'avais dit à Sophia, au Caire, que mon père était commissaire adjoint à Scotland Yard. Il était toujours en fonctions. Ces derniers mots m'atterraient.

— Les choses, dis-je, se présentent si mal que ça?

— J'en ai peur. Vous voyez cet homme, assis tout seul à une table, près de la porte? Il a l'air d'un sous-officier...

— Oui.

— Eh bien! il était sur le quai de la gare de Swinly Dean quand je suis montée dans le train.

— Il vous a suivie?

— Oui. J'ai idée que nous sommes tous... comment dire?... en surveillance. On nous avait plus ou moins laissé entendre que nous ferions bien de ne pas quitter la maison. Seulement, j'étais décidée à vous voir.

Projetant en avant son petit menton volontaire, elle acheva :

— Je suis sortie par la fenêtre de la salle de bain, en me laissant glisser le long de la gouttière.

— Chérie !

— Mais la police ouvre l'œil... et il y avait ce télégramme que je vous avais envoyé ! Quoi qu'il en soit, nous sommes ici, tous les deux, et c'est le principal !... Malheureusement, à partir de maintenant, nous allons jouer notre partie, vous et moi, chacun de notre côté...

Sa main posée sur la mienne, elle poursuivit :

— Je dis « malheureusement », parce qu'il n'est pas douteux, je le crains, que nous nous aimions !

— C'est bien mon avis et il n'y a pas de quoi dire « malheureusement » ! Nous avons, vous et moi, survécu à une guerre mondiale, nous avons, vous et moi, vu la mort de près... et il n'y a aucune raison vraiment pour que le décès inopiné d'un vieillard... Au fait, quel âge avait-il ?

— Quatre-vingt-cinq ans.

— C'est juste ! C'était dans le *Times*. Entre nous soit dit, c'est un bel âge et il est tout simplement mort de vieillesse, ainsi qu'en aurait conclu tout médecin conscient de ses devoirs.

— Si vous aviez connu grand-père, vous seriez surpris qu'il ait pu mourir de quelque chose !

# CHAPITRE III

J'avais toujours pris un certain intérêt aux enquêtes policières de mon père mais je n'aurais jamais pensé que l'une d'elles me passionnerait pour des raisons directes et personnelles.

Je ne l'avais pas encore revu. Il n'était pas à la maison quand j'étais arrivé et, baigné, rasé, changé, j'étais tout de suite sorti pour aller rejoindre Sophia. Quand je revins, Glover me dit que mon père était dans son cabinet. Je le trouvai assis à son bureau, le nez plongé dans des papiers. Il se leva à mon entrée.

— Charles ! Un moment qu'on ne s'est vu !

Notre reprise de contact, après cinq ans de guerre, eût paru bien décevante à un Français. Pourtant, nous étions l'un et l'autre réellement émus. Le « pater » et moi, nous nous aimons bien et nous nous comprenons.

— J'ai un peu de whisky, dit-il, tout en emplissant un verre.

Arrête-moi quand tu en auras assez! Je suis désolé de n'avoir pas été à la maison pour t'accueillir à ton retour, mais j'ai du travail par-dessus la tête et je n'avais certes pas besoin de la fichue affaire qui me tombe dessus aujourd'hui!

Renversé dans un fauteuil, j'allumai une cigarette.

— Aristide Leonidès? demandai-je.

Il me dévisagea une seconde, sourcils froncés.

— Qu'est-ce qui te fait dire ça, Charles?

— Alors, je ne me trompe pas?

— Comment as-tu deviné?

— Un tuyau.

Il attendait. J'ajoutai :

— Et un tuyau sûr.

— Voyons ce que c'est!

— La chose ne va peut-être pas te plaire, repris-je. Quoi qu'il en soit, voici! J'ai fait la connaissance de Sophia Leonidès au Caire, nous nous aimons et j'ai l'intention de l'épouser. Je l'ai vue ce soir. Elle a dîné avec moi.

— Dîné avec toi? A Londres? Je me demande comment elle a fait. Toute la famille avait été priée — oh! très poliment — de ne pas bouger de chez elle!

— Je sais. Elle a filé par la fenêtre de la salle de bain, le long d'une descente d'eau.

Un sourire voleta sur les lèvres du « pater ».

— On dirait que c'est une femme de ressource!

— Mais ta police a l'œil et un de tes hommes l'a suivie jusqu'au restaurant. Je serai mentionné dans le rapport qui te sera remis : un mètre soixante-quinze, cheveux bruns, yeux bruns, complet rayé, etc.

Le regard de mon père se posa sur moi.

— Dis-moi, Charles... C'est sérieux, cette histoire-là?

— Oui, papa, répondis-je. C'est sérieux.

Il y eut un silence.

— Ça t'ennuie? demandai-je.

— Ça ne m'aurait pas ennuyé, il y a seulement huit jours. La famille est honorable, la fille aura de l'argent... et je te connais. Tu sais garder la tête froide. Mais, dans la situation actuelle...

— Dans la situation actuelle?

— Tout est peut-être on ne peut mieux, si...

— Si?

— Si l'assassin est le bon.

Cette phrase, c'était la seconde fois que je l'entendais ce soir-là. Elle commençait à m'intriguer.

— Que veux-tu dire par là?

Il m'examina du regard.

— Que sais-tu de l'affaire, exactement?

— Rien.

— Rien? La petite ne t'a rien raconté?

— Non. Elle prétend aimer mieux que je voie les choses avec des yeux non prévenus.

— Je serais curieux de savoir pourquoi.

— N'est-ce pas évident?

— Non, Charles, je ne crois pas.

Le front soucieux, mon père fit quelques pas dans la pièce. Il avait laissé son cigare s'éteindre, signe manifeste chez lui de préoccupation.

— Que sais-tu de la famille? me demanda-t-il soudain.

— De la famille? Je sais qu'il y avait le grand-père et toute une collection de fils, de petits-fils et de parents par alliance. Je n'ai pas très bien saisi ce qu'ils étaient les uns par rapport aux autres... et je serais sans doute plus renseigné si tu me mettais au courant!

— C'est mon avis.

S'asseyant, il poursuivit :

— Je commencerai par le commencement, c'est-à-dire par Aristide Leonidès. Il avait vingt-quatre ans à son arrivée en Angleterre...

— C'était un Grec de Smyrne.

— Ah! tu sais ça?

— Oui, mais c'est à peu près tout.

La porte s'ouvrit devant Glover, qui venait annoncer l'arrivée de l'inspecteur principal Taverner.

— C'est lui qui est chargé de l'enquête, m'expliqua mon père. Je vais le faire entrer. Il a pris des renseignements sur la famille et il en sait sur elle beaucoup plus long que moi.

Je demandai si c'était la police locale qui avait sollicité l'intervention du Yard.

— L'affaire est de notre ressort, Swinly Dean appartenant à la grande banlieue.

Je connaissais Taverner depuis des années. Il me serra les mains avec chaleur et me félicita de m'être tiré indemne de la grande bagarre.

— Je suis en train de mettre Charles au courant, lui dit mon père. Vous rectifierez, si je me trompe. Leonidès donc, arriva à Londres en 1884. Il ouvrit un petit restaurant dans le quartier de Soho, gagna de l'argent, en créa un second, puis un troisième, et bientôt en posséda sept ou huit, qui faisaient des affaires excellentes.

— Le bonhomme, fit remarquer Taverner, n'a jamais commis la moindre erreur.

— Il avait du flair, déclara le « pater ». Il finit par être intéressé dans tous les restaurants un peu connus de Londres. Il s'occupa alors d'alimentation sur une grande échelle.

— Il était derrière bien des affaires d'un tout autre genre, ajouta Taverner. Il y avait des tas de choses qui l'intéressaient : les vêtements d'occasion, la bijouterie « fantaisie », etc. Ah! il en a possédé, des gens!

— C'était un escroc? demandai-je.

L'inspecteur secoua la tête.

— Je ne dis pas ça. Rusé, finaud, mais pas escroc. Il ne se mettait jamais dans le cas d'être poursuivi, mais il était de ces malins qui pensent à toutes les façons de tourner la loi. C'est comme ça que, tout vieux qu'il était, il a ramassé un gros paquet durant la guerre. Il ne faisait rien d'illégal, mais, quand il mettait quelque chose en train, il devenait urgent de voter un texte comblant la lacune dont il avait trouvé moyen de tirer parti. Quand la nouvelle loi intervenait, il s'occupait déjà d'autre chose.

— Le personnage, dis-je, ne me paraît pas avoir été bien sympathique.

— Ne croyez pas ça! s'écria Taverner. Il l'était. Il avait de la personnalité et on était obligé de s'en apercevoir. Il n'avait l'air de rien. C'était un nabot, haut comme trois pommes et terriblement laid, mais d'un magnétisme extraordinaire. Les femmes l'adoraient.

— Il devait d'ailleurs, dit mon père, faire un mariage assez étonnant. Sa femme était la fille d'un *squire* campagnard, grand chasseur de renards devant l'Éternel.

Je plissai le front.

— Mariage d'argent?

— Du tout! Mariage d'amour. Elle l'avait rencontré un jour qu'elle s'occupait d'organiser le buffet pour les fiançailles d'une de ses amies. Elle tomba amoureuse de lui et l'épousa, malgré l'opposition de ses parents. Il avait du charme, je te le répète, et dans sa famille, elle s'ennuyait à mourir.

— Et le mariage fut heureux?

— Très heureux, si surprenant que cela paraisse! Évidemment, leurs amis respectifs ne frayèrent pas les uns avec les autres — en ce temps-là, l'argent n'avait pas encore aboli les distinctions de casses — mais la chose ne semble pas les avoir chagrinés. Ils se passaient d'amis. Ils firent construire à Swinly Dean une maison passablement ridicule, où ils vécurent et eurent beaucoup d'enfants.

— Comme dans les contes de fées!

— Le vieux Leonidès avait été bien inspiré en choisissant Swinly Dean. Il n'y avait encore qu'un golf et l'endroit commençait seulement à devenir chic. La population se composait d'une part, d'habitants qui étaient là depuis fort longtemps, qui adoraient leurs jardins et à qui Mrs. Leonidès fut de suite sympathique, et, d'autre part, de riches hommes d'affaires de la Cité, qui ne demandaient qu'à travailler avec Leonidès. Ils purent donc choisir leurs nouvelles relations. Leur union fut, je crois, parfaitement heureuse, jusqu'à la mort de Mrs. Leonidès, emportée en 1905 par une pneumonie.

— Elle le laissait avec huit enfants?

— L'un d'eux était mort en bas âge. Deux des fils furent tués au cours de la première guerre mondiale. Une fille se maria et alla se fixer en Australie, où elle mourut. Une autre, encore célibataire, périt dans un accident d'auto. Une autre, enfin, mourut, il y a un an ou deux. Restaient seuls vivants, le fils aîné, Roger, marié, sans enfant, et Philip, qui a épousé une actrice assez connue dont il a trois enfants, la Sophia dont tu m'as parlé, Eustache et Joséphine.

— Et tout ce monde vit à *Three Gables*?

— Oui. La maison des Roger Leonidès a été détruite par une bombe, tout au début de la guerre. Philip et sa famille vivent à *Three Gables* depuis 1938. Il y a aussi une vieille tante, Miss de Haviland, sœur de la première Mrs. Leonidès. Elle avait toujours détesté son beau-frère, mais, à la mort de sa sœur, elle considéra qu'il était de son devoir d'accepter l'invitation de Leonidès qui lui offrait de vivre chez lui et d'élever les enfants.

— Elle a un très vif sentiment de son devoir, fit observer l'inspecteur Taverner, mais elle n'est pas de celles qui changent d'avis sur les gens. Elle a continué à juger très sévèrement Leonidès et ses méthodes.

— Au total, dis-je, la maison est pleine. D'après vous, qui a tué? Taverner eut un geste d'ignorance.

— Trop tôt pour avoir une opinion! Bien trop tôt!

— Allons! répliquai-je. Je parie que vous connaissez le coupable. Dites-nous qui c'est, mon vieux! Nous ne sommes pas au tribunal.

— Non, reprit-il d'un air sombre. Nous ne sommes pas au tribunal et il est possible que nous n'y allions jamais!

— Vous voulez dire que le vieux Leonidès n'aurait pas été assassiné?

— Oh! assassiné, il l'a été! Mais il a été empoisonné et, les histoires de poison, c'est toujours pareil! On a un mal de chien à trouver une preuve. Tout semble désigner quelqu'un...

— Nous y sommes! m'écriai-je. Votre conviction est faite et, le coupable, vous le connaissez!

— Il y a une très forte présomption de culpabilité. Elle saute aux yeux. Seulement, je ne suis sûr de rien... et je me méfie.

Je me tournai vers le « pater », implorant des yeux son appui.

— Dans les affaires de meurtre, dit-il sans hâte, la solution qui paraît évidente est généralement la bonne. Leonidès, Charles, s'était remarié il y a dix ans.

— A soixante-quinze ans?

— Oui. Pour épouser une fille de vingt-quatre.

J'émis un petit sifflement.

— Quel genre de femme?

— Une petite qui travaillait dans un salon de thé. Fort respectable et jolie, dans le genre anémique et languissant.

— Et c'est elle, la très forte présomption?

— Dame! dit Taverner. Elle n'a que trente-quatre ans... et c'est un dâge angereux. Elle aime son confort... et il y a un homme jeune dans la maison, le précepteur des petits. Il n'a pas fait la guerre. Faiblesse cardiaque ou quelque chose comme ça... Il y a des réformés qui sont des roublards...

Je regardai Taverner. Des affaires comme ça, on en voit.

— Le poison, demandai-je, qu'était-ce? De l'arsenic?

— Non. Nous n'avons pas encore le rapport du toxicologue, mais le médecin croit qu'il s'agit d'ésérine.

— Un produit peu courant. Sans doute ne sera-t-il pas difficile de trouver qui l'a acheté?

— Le problème n'est pas là. Cette ésérine appartenait à Leonidès. Des gouttes pour les yeux...

— Leonidès avait du diabète, dit mon père. On lui faisait régulièrement des piqûres d'insuline. Le produit est vendu dans de petites fioles, fermées par une membrane de caoutchouc. Avec la seringue hypodermique, on prélève le liquide nécessaire pour l'injection...

Je devinais la suite.

— Et ce n'est pas de l'insuline qu'il y avait dans le flacon, mais de l'ésérine?

— Exactement.

— Et qui lui a fait la piqûre?

— Sa femme.

Je comprenais maintenant ce que Sophia avait voulu dire quand elle avait parlé du « bon assassin ».

— La famille s'entend-elle bien avec la seconde Mrs. Leonidès? demandai-je.

— Non. Ils se parlent à peine.

Tout semblait de plus en plus clair. Pourtant, l'inspecteur, on le voyait, n'était pas satisfait.

— Qu'est-ce qui vous chiffonne, là-dedans? dis-je.

— Simplement que je ne comprends pas, si elle est coupable, pourquoi elle n'a pas remplacé la fiole d'ésérine par une autre, contenant vraiment de l'insuline. Ça lui était tellement facile!

— Il y a de l'insuline dans la maison?

— Autant qu'on veut! Des fioles pleines... et des vides. Si elle avait fait la substitution, on peut parier à dix contre un que personne ne se serait aperçu de rien. On ne sait pas grand-chose de l'aspect du corps humain après empoisonnement par l'ésérine. Dans le cas présent, le médecin a vérifié le flacon, pour voir si la solution n'était pas trop concentrée, et, naturellement, il a tout de suite constaté qu'il contenait autre chose que de l'insuline.

— Il semble, dis-je pensivement, que Mrs. Leonidès a été ou bien sotte... ou bien forte.

— Vous voulez dire...

— Qu'elle a fort bien pu spéculer sur le fait que vous en viendriez à conclure que personne ne saurait avoir été d'une telle stupidité. Y a-t-il d'autres hypothèses? D'autres coupables possibles?

Ce fut mon père qui, d'un ton posé, répondit à ma question.

— Pratiquement, dit-il, tous les gens de la maison peuvent avoir fait le coup. Il y avait toujours, à *Three Gables*, des réserves d'insuline pour une quinzaine de jours. Il suffisait de préparer une fiole d'ésérine, de la mettre avec les autres et d'attendre. Fatalement, on devait l'utiliser un jour ou l'autre.

— Et tout le monde avait accès à la pharmacie?

— Les fioles n'étaient pas mises sous clé, mais rangées sur un rayon, dans la salle de bain. Tout le monde circulait dans cette partie de la maison.

— Mais le mobile?

Le « pater » soupira.

— Leonidès, mon cher Charles, était immensément riche. Il avait donné aux siens beaucoup d'argent, c'est vrai, mais peut-être l'un d'eux en voulait-il plus...

— Probabilité : celle qui est aujourd'hui sa veuve. Son... soupirant est-il riche?

— Lui? Il est pauvre comme une souris d'église!

La comparaison me frappa. Elle me rappelait la citation faite par Sophia et brusquement les vers de la ronde enfantine me revinrent en mémoire :

*Il y avait un petit homme biscornu, qui se promenait sur une route biscornue.*
*Il trouva une piécette biscornue, près d'une tuile biscornue.*
*Il y avait un chat biscornu, qui attrapa une souris biscornue.*
*Et ils vécurent tous les trois dans une petite maison biscornue.*

— Quelle impression vous donne Mrs. Leonidès? demandai-je à Taverner. Que diable pensez-vous d'elle?

Il prit son temps pour répondre.

— Pas facile à dire!... Pas du tout, même!... Allez déchiffrer une femme comme ça! Elle est très calme, très tranquille... et on ne sait pas ce qu'elle pense. Tout ce que je sais, c'est qu'elle aime se la couler douce, j'en mettrais ma main au feu!... Elle me fait songer à une grosse chatte paresseuse en train de ronronner... Notez que je n'ai rien contre les chats! Ils sont très bien, les chats...

Il soupira.

— Ce qu'il nous faudrait, c'est une preuve!

C'était bien mon avis. Il nous fallait une preuve. La preuve que Mrs. Leonidès avait empoisonné son mari. Cette preuve, Sophia la voulait, je la voulais, l'inspecteur principal Taverner la voulait.

Quand nous l'aurions, tout serait pour le mieux dans le meilleur des mondes.

Seulement, Sophia n'était sûre de rien, je n'étais sûr de rien et il me semblait que l'inspecteur principal Taverner, lui non plus, n'était sûr de rien...

CHAPITRE IV

Le lendemain, je me rendis à *Three Gables*, avec Taverner. Ma position personnelle ne laissait pas que d'être assez curieuse. Elle était, c'était le moins qu'on puisse dire, peu orthodoxe. Il est vrai que le « pater » n'avait jamais poussé à l'extrême le respect de l'orthodoxie.

Je n'étais pas n'importe qui. Au commencement de la guerre,

j'avais travaillé avec les services spéciaux de contre-espionnage de l'Intelligence Service. Je pouvais, à la rigueur, me prétendre policier.

Seulement, cette fois, il s'agissait de tout autre chose.

— Si nous venons jamais à bout de cette affaire-là, m'avait déclaré mon père, ce sera *de l'intérieur*. Il faut que nous sachions tout des gens qui habitent cette maison et, les renseignements que nous voulons, si quelqu'un peut les obtenir, c'est toi!

La chose ne me plaisait guère.

— Autrement dit, avais-je répliqué, je ferai l'espion? J'aime Sophia, elle m'aime — du moins, je veux le croire — et je vais profiter de ça pour me documenter sur les secrets de la famille!

Le « pater » avait haussé les épaules et répliqué avec mauvaise humeur :

— Ne vois donc pas les choses à la façon d'un petit boutiquier! Tu ne supposes pas, j'imagine, que la dame de tes pensées a tué son grand-père?

— Bien sûr que non!

— Je suis assez de ton avis là-dessus. Seulement, il y a une chose qui est sûre : c'est que cette jeune personne, tu ne l'épouseras pas aussi longtemps que cette affaire n'aura pas été tirée au clair, j'en ai l'absolue certitude. Or, prends-en bien note, ce crime est de ceux qui pourraient fort bien rester impunis. Il est parfaitement possible que tout en sachant pertinemment que c'est la veuve qui a fait le coup, avec la complicité de son... soupirant, nous nous trouvions dans l'incapacité de le prouver. Jusqu'à présent, nous ne pouvons retenir contre elle aucune charge. Tu t'en rends compte?

— Bien sûr, mais...

Le paternel ne m'écoutait pas et suivait son idée.

— Ne crois-tu pas, par conséquent, que ce serait une bonne idée que d'exposer clairement la situation à Sophia? Simplement, histoire de voir ce qu'elle en pense?

J'ergotai encore, mais le lendemain, comme je viens de le dire, je m'en allai à Swinly Dean, avec l'inspecteur principal Taverner et le sergent Lamb.

Un peu après le terrain de golf, nous engageâmes notre voiture dans une large allée qui, avant la guerre, avait dû être fermée par une grille imposante, laquelle avait vraisemblablement pris le chemin de la fonte au cours des hostilités. Nous roulâmes un instant entre deux haies de rhododendrons, pour nous arrêter enfin sur le vaste terre-plein qui s'étendait devant la villa.

Que cette maison s'appelât *Three Gables*, c'était proprement incroyable. Des pignons, j'en comptais onze, qui composaient un ensemble extraordinaire. Biscornu, Sophia avait dit le mot. Aucun n'eût pu être plus exact. C'était une villa, mais de proportions si exagérées qu'on avait l'impression de la voir sous le grossissement d'une loupe énorme, une villa qui avait l'air d'avoir poussé en vingt-quatre heures, comme un champignon, une invraisemblable construction, tourmentée à l'excès. C'était là, je le compris tout de suite, non pas une villa anglaise, mais l'*idée* qu'un restaurateur grec — et richissime — pouvait se faire d'une villa anglaise. Un château manqué, dont les plans n'avaient évidemment pas été soumis à la première Mrs. Leonidès. J'aurais aimé savoir si, la première fois qu'elle l'avait aperçu, l'ensemble l'avait amusée ou épouvantée.

— Plutôt époustouflant, hein? me dit l'inspecteur. Il paraît que l'intérieur est agencé comme le plus ultra-moderne des palaces, mais, du dehors, c'est une drôle de bicoque! Vous ne trouvez pas?

Je n'eus pas le temps de répondre : Sophia, en chemisette verte et jupe de tweed, apparaissait sous le porche de l'entrée principale. M'apercevant, elle s'immobilisa net.

— Vous? s'écria-t-elle.

— Eh! oui, dis-je. Il faut que je vous parle. Est-ce possible?

Elle hésita une seconde, puis, prenant son parti, me fit signe de la suivre. Nous traversâmes une pelouse et un petit bois de sapins. Elle m'invita à m'asseoir à côté d'elle, sur un banc rustique, assez peu confortable, mais heureusement situé. Le regard s'en allait très loin dans la campagne.

— Alors? me dit-elle.

Le ton n'avait rien d'encourageant.

Je m'expliquai. Longuement et complètement. Elle m'écouta avec attention. Quand j'eus terminé, elle poussa un long soupir.

— Votre père est un monsieur très fort, dit-elle ensuite sans ironie.

— Il a son idée. Personnellement, elle ne m'emballe pas, mais...

Elle me coupa la parole.

— A mon avis, elle est loin d'être mauvaise et c'est le seul moyen d'arriver à quelque chose. Votre père, Charles, comprend beaucoup mieux que vous mon état d'esprit!

Elle se tordait les mains.

— Il faut absolument que je sache la vérité!

— A cause de nous? dis-je. Mais, ma chérie, peu importe!

De nouveau, elle m'interrompit :

— Il ne s'agit pas seulement de nous, Charles! Je ne serai

tranquille que quand je saurai ce qui s'est passé, exactement.
Je n'ai pas osé vous le dire hier soir, mais, la vérité, c'est que j'ai peur !

— Peur ?

— Oui, peur. Terriblement peur. Pour la police, pour votre
père, pour vous, l'assassin, c'est Brenda !

— Les probabilités...

— Je ne prétends pas le contraire. Seulement, quand je dis :
« C'est Brenda qui l'a tué ! », je me rends compte que je ne dis
pas ce que je pense, mais ce que je souhaite.

— Vous croyez donc...

— Je ne crois rien du tout ! J'ai simplement l'impression que
Brenda n'est pas femme à risquer un coup pareil. Elle est bien
trop prudente !

— Soit ! Mais ce Laurence Brown avec qui elle est en si bons termes ?

— Laurence ? Il est peureux comme un lièvre ! Le cran lui
aurait manqué.

— Sait-on ?

— Évidemment, on ne peut rien affirmer ! On se fait une idée
des gens et, par la suite, on découvre qu'ils ne sont pas du tout
comme on les imaginait. Mais, malgré ça, je ne crois pas à la
culpabilité de Brenda. Elle était née, je ne saurais mieux dire,
pour vivre dans un harem. Rester assise toute la journée, manger
des bonbons, avoir de beaux vêtements, des bijoux, lire des romans
et aller au cinéma, voilà pour elle l'existence idéale ! J'ajoute, si
surprenant que cela puisse paraître, étant donné qu'il avait
quatre-vingt-cinq ans, qu'elle avait, je pense, beaucoup d'affection
pour mon grand-père. Ce n'était pas un homme banal, vous savez !
Il devait lui donner l'impression qu'elle était la favorite du sultan,
une jeune personne très romantique, qui voulait qu'on s'occupât
d'elle. Il avait toujours su manier les femmes et, même avec l'âge,
c'est un art qu'on ne perd pas !

Laissant Brenda de côté pour le moment, je revins sur un point
qui me tracassait.

— Vous avez dit tout à l'heure que vous aviez peur, Sophia.
Pourquoi ?

— Parce que c'est vrai, me répondit-elle, baissant la voix.
Ce qu'il faut que vous compreniez bien, c'est que nous formons
une famille assez étrange, composée de gens impitoyables, mais
qui ne sont pas tous impitoyables de la même façon.

Mon visage exprimant une incompréhension totale, elle poursuivit :

— Je vais essayer de vous expliquer ce que je veux dire. Prenons
grand-père, par exemple. Un jour, dans la conversation, il
racontait, comme si la chose avait été toute naturelle, que, dans

sa jeunesse, à Smyrne, il avait tué deux hommes à coups de poignard. Il croyait se rappeler qu'ils l'avaient insulté, mais il n'en était plus bien sûr. Il disait ça très simplement et je vous certifie que de tels propos sont assez déconcertants quand on vous les tient à Londres.

J'acquiesçai du chef. Elle reprit :

— Ma grand-mère était tout aussi insensible, mais dans un genre différent. Je l'ai à peine connue, mais on m'a beaucoup. parlé d'elle. J'ai idée qu'elle n'avait pas de cœur parce qu'elle manquait d'imagination. Elle avait été élevée parmi les chasseurs de renards, de vieux généraux, très chatouilleux sur le point d'honneur et toujours prêts à tirer un coup de fusil, toujours disposés à expédier leur prochain dans l'autre monde.

— Ne noircissez-vous pas un peu le tableau?

— Je ne crois pas. On peut être très droit et n'avoir de pitié pour personne. Ma mère, elle, c'est autre chose. Elle est adorable, mais terriblement égoïste, sans d'ailleurs s'en douter. Il y a des moments où elle m'effraie. Clemency, la femme de l'oncle Roger, est une scientifique, qui poursuit je ne sais quelles importantes recherches. Son sang-froid a quelque chose d'inhumain. Son mari, c'est le contraire : le meilleur garçon de la terre, un être charmant, avec des colères épouvantables. Dans ces moments-là, il ne sait plus ce qu'il fait. Quant à papa...

Elle se tut pendant quelques secondes.

— Quant à papa, il a presque trop d'empire sur lui-même. On ne sait jamais ce qu'il pense, il ne laisse jamais rien deviner de ses sentiments. C'est peut-être parce que maman laisse trop déborder les siens. De toute façon, quelquefois, il m'inquiète :

— J'ai l'impression, jeune personne, que vous vous faites bien du mauvais sang, et cela sans raison. Si j'ai bien compris, d'après vous, tous ces gens-là seraient capables d'un crime?

— Oui. Et moi aussi!

— Vous? allons donc!

— Et pourquoi ferais-je exception, Charles? Il me semble que je pourrais parfaitement assassiner quelqu'un.

Après un silence, elle ajouta :

— Seulement, il faudrait que cela en valût vraiment la peine.

J'éclatai de rire malgré moi. Sophia sourit.

— Je suis peut-être une sotte, reprit-elle. L'essentiel est que nous trouvions la vérité, que nous sachions qui a tué mon grand-père. Si seulement ce pouvait être Brenda!

Brusquement, je me mis à penser avec une sympathie apitoyée à Brenda Leonidès.

# CHAPITRE V

Suivant le sentier d'un pas rapide, une haute silhouette venait vers nous.

— La tante Edith, me souffla Sophia.

La tante approchait. Elle portait un chapeau de feutre informe, une vieille jupe et un chandail qui n'était plus neuf. Je me levai. Sophia fit les présentations.

— Charles Hayward, ma tante... Ma tante, Miss de Haviland.

Edith de Haviland devait avoir autour de soixante-dix ans. Ses cheveux gris étaient mal peignés et elle avait le teint hâlé des personnes qui aiment le grand air.

— Comment allez-vous? me demanda-t-elle, tout en me dévisageant avec curiosité. J'ai entendu parler de vous. Il paraît que vous arrivez d'Orient. Votre père va bien?

— Très bien, je vous remercie.

— Je l'ai connu quand il n'était encore qu'un enfant, reprit Miss de Haviland. Je connaissais très bien sa mère, à qui vous ressemblez d'ailleurs. Êtes-vous venu pour nous aider... ou est-ce le contraire?

Je me sentais mal à l'aise.

— J'espère, dis-je, que je vous serai de quelque utilité.

Elle approuva d'un mouvement de tête.

— Ça ne serait pas une mauvaise chose! La maison grouille de policemen. Ils fouinent partout et il y en a, dans le nombre, qui ont de bien vilaines figures. Je ne comprends pas qu'un garçon qui a reçu une éducation avouable entre dans la police. L'autre jour, j'ai aperçu le petit Moyra Kinoul qui réglait la circulation, à deux pas de Marble Arch*. Quand on voit ça, on se demande si le monde tourne toujours rond!

S'adressant à Sophia, elle ajouta :

— Nannie voudrait te voir. Pour le poisson...

— Zut! s'écria Sophia. J'y vais.

Elle partit en direction de la maison. La vieille demoiselle et moi, nous nous mîmes en route derrière elle.

— Sans cette brave Nannie, dit-elle, nous serions perdus. C'est la fidélité même... et elle fait tout : elle lave, elle repasse, elle cuisine, elle fait le ménage... Une servante comme on n'en voit plus! C'est moi-même qui l'ai choisie, il y a bien des années.

* Marble Arch, l'ancienne porte de Hyde Park, est l'un des plus célèbres monuments de Londres, inspiré de l'Arc de Constantin à Rome.

Elle se baissa pour arracher d'un geste énergique un liseron qui s'était accroché au bas de sa jupe. Se redressant, elle poursuivit :

— J'aime autant vous dire, Charles Hayward, que cette histoire me déplaît souverainement. Je ne vous demande pas ce qu'en pense la police, car vous n'avez sans doute pas le droit de me le dire, mais, pour ma part, j'ai peine à croire qu'Aristide a été empoisonné. J'ai même du mal à penser qu'il est mort. Je ne l'ai jamais aimé, jamais, mais je ne peux pas me faire à l'idée qu'il n'est plus. Lui parti, la maison est si... si vide!

Je me gardai d'ouvrir la bouche. Edith de Haviland semblait disposée à rappeler ses souvenirs.

— J'y songeais ce matin... Il y a des années que je vis ici. Quarante et plus... J'y suis venue à la mort de ma sœur, à la demande même d'Aristide. Elle lui laissait sept enfants, dont le plus jeune n'avait pas un an... Je n'allais pas abandonner l'éducation de ces petits à cet étranger, n'est-ce pas? Je vous accorde que Marcia avait fait un mariage impossible. J'ai toujours eu le sentiment qu'elle avait été ensorcelée par ce nabot, qui était aussi laid que vulgaire. Mais je dois reconnaître qu'il m'a laissé les mains libres. Les enfants ont eu des nurses, des gouvernantes, tout le nécessaire... et ils ont été nourris comme il convenait. On ne leur a pas donné de ces plats de riz, odieusement pimentés, dont il se régalait!

— Et vous êtes restée, même lorsqu'ils eurent grandi?

— Oui. C'est curieux, mais c'est comme ça. J'imagine que c'est sans doute parce que le jardin m'intéressait... Et puis, il y avait Philip. Quand un homme épouse une actrice, il ne peut guère compter qu'il aura un foyer. Pourquoi les comédiennes ont-elles des enfants? Elles les mettent au monde et elles s'en vont jouer leur répertoire à Edimbourg ou à l'autre bout du monde. Philip a pris une décision sensée : il s'est installé ici, avec ses livres.

— Que fait-il, dans la vie?

— Il écrit. Pourquoi? Je me le demande! Personne n'a envie de lire ses livres, qui mettent au point des détails historiques dont personne ne se soucie. Vous les avez lus?

Je confessai que non.

— Le fâcheux, pour lui, reprit-elle, c'est qu'il a trop d'argent. Les gens prennent du sérieux quand il faut qu'ils gagnent leur vie.

— Ses livres lui rapportent gros?

— Pensez-vous! Il passe pour faire autorité pour je ne sais

plus quel siècle, mais il n'a pas besoin de faire de l'argent avec ses bouquins. Aristide, pour éviter de payer des droits de succession, lui a fait une donation de quelque cent mille livres sterling. Une somme fantastique! Il tenait à ce que ses enfants fussent financièrement indépendants. Roger dirige l'Associated Catering, une affaire d'alimentation. Sophia a des revenus très coquets et l'avenir des petits est assuré.

— De sorte que la mort du grand-père ne profite à personne en particulier?

La vieille demoiselle s'arrêta et me considéra d'un regard surpris.

— Vous plaisantez! Elle profite à tout le monde. Ils auront, tous, plus d'argent encore! Il leur aurait, d'ailleurs, probablement suffi de demander pour obtenir tout ce qu'ils auraient voulu.

— A votre avis, Miss de Haviland, qui l'a empoisonné? Vous avez une idée?

Elle répondit sans hésiter :

— Pas la moindre! Ça m'ennuie, parce qu'il me déplaît de penser qu'il y a une espèce de Borgia dans la maison, mais j'imagine que la police mettra ça sur le dos de la pauvre Brenda.

— Vous dites ça comme si vous étiez sûre que, ce faisant, elle commettra une erreur!

— A franchement parler, je n'en sais rien. Je l'ai toujours tenue pour une femme passablement stupide, commune et très ordinaire. Ce n'est pas comme ça que je vois une empoisonneuse. Malgré ça, quand une personne de vingt-quatre ans épouse un monsieur qui en a soixante-quinze, on est en droit de penser qu'elle fait un mariage d'argent. Normalement, Brenda pouvait se dire, quand elle est devenue Mrs. Leonidès, qu'elle ne tarderait pas à faire une veuve bien rentée. Mais Aristide avait la vie dure, son diabète n'empirait pas et il avait l'air parti pour vivre cent ans. Elle s'est peut-être lassée d'attendre...

— Auquel cas...

Miss de Haviland ne me permit pas d'achever.

— Auquel cas, tout serait on ne peut mieux. On parlerait, bien sûr. Mais, après tout, elle ne fait pas partie de la famille!

— Vous ne voyez pas d'autres hypothèses?

— Ma foi non!

Était-ce bien certain? J'en doutais. Miss de Haviland en savait peut-être beaucoup plus long qu'elle ne l'admettait et je me demandais même s'il n'était pas possible qu'elle eût elle-même empoisonné Aristide Leonidès.

Pourquoi non? Ce liseron, tout à l'heure, elle l'avait arraché d'un geste net et décidé. Je pensais à ce que m'avait dit Sophia. Tous les hôtes de *Three Gables* étaient capables de tuer.

A condition d'avoir pour cela de bonnes et suffisantes raisons. Quelles auraient pu être celles d'Edith de Haviland?

Je me posai la question, mais, pour y répondre, il m'eût fallu mieux connaître la vieille demoiselle.

## CHAPITRE VI

La porte d'entrée était ouverte. Nous traversâmes un hall étonnamment vaste, meublé avec sobriété : chêne sombre et cuivres étincelants. Au fond, à l'endroit où normalement eût dû se trouver l'escalier, il y avait un mur, avec une porte au milieu.

— Par là, me dit Miss de Haviland, on va chez mon beau-frère. Le rez-de-chaussée est à Philip et à Magda.

Par un couloir ouvrant sur la gauche, nous gagnâmes un salon élégant et de belles dimensions : cloisons tapissées de bleu pâle, meubles cossus, et partout, des photographies d'acteurs. Il y avait des danseuses de Degas au-dessus de la cheminée et, dans tous les coins, des vases d'où jaillissaient des fleurs, d'énormes chrysanthèmes et des roses.

— J'imagine que vous désirez rencontrer Philip?

La question de la vieille demoiselle m'amena à me le demander. Tenais-je à le voir? Je n'en avais pas la moindre idée. J'étais venu pour voir Sophia. C'était fait. Elle avait hautement approuvé le plan du « pater », mais depuis elle avait disparu de la scène, pour se rendre à la cuisine où elle s'occupait du poisson! Elle ne m'avait donné aucune indication quant à la façon d'aborder le problème. Devais-je me présenter à Philip Leonidès comme un jeune homme amoureux de sa fille, comme un monsieur désireux de faire sa connaissance (pour quelque raison à inventer), ou, simplement, comme un collaborateur de la police?

Miss de Haviland ne me laissa pas le temps de réfléchir. Elle avait fait mine de m'interroger par politesse, mais ma réponse lui était inutile : elle avait déjà décidé pour moi.

— Allons à la bibliothèque! dit-elle.

Un nouveau couloir, une porte encore et nous nous trouvâmes dans une pièce immense, où les livres montaient jusqu'au plafond. Il y en avait partout, sur les tables, sur les fauteuils, et même par terre, mais ils ne donnaient point une impression de désordre.

L'endroit me parut froid : il y manquait une odeur que je m'attendais à y respirer. Celle du tabac. Très certainement, Philip Leonidès ne fumait pas.

Il était assis à son bureau. Il se leva à notre entrée. C'était un homme d'une cinquantaine d'années, grand et fort beau. On m'avait tellement répété qu'Aristide Leonidès était laid que je n'étais nullement préparé à trouver chez son fils des traits d'une telle perfection : un nez droit, un visage d'un ovale régulier, encadré de cheveux légèrement touchés de gris, coiffés en arrière, au-dessus d'un front intelligent.

Edith de Haviland nous ayant présentés l'un à l'autre, il me serra la main et me demanda, le plus banalement du monde, comment je me portais. Avait-il jamais entendu parler de moi? J'aurais été incapable de le dire. Il était clair que je ne l'intéressais pas. Ce qui m'agaçait un peu.

— Où sont donc les policiers? demanda Miss de Haviland. Ils sont venus vous voir?

Jetant un coup d'œil sur une carte de visite posée sur son bureau, il répondit :

— J'attends l'inspecteur principal... Taverner, d'un moment à l'autre.

— Où est-il pour l'instant?

— Je l'ignore, ma tante. Probablement en haut.

— Avec Brenda?

— J'avoue que je n'en sais rien.

Philip Leonidès ne donnait vraiment pas l'impression d'un monsieur qui pouvait avoir trempé dans un crime.

— Magda est debout?

— Je l'ignore. Il est rare qu'elle se lève avant onze heures.

— Il me semble que je l'entends.

Miss de Haviland avait perçu le son d'une voix haut perchée, qui se rapprochait rapidement. Bientôt, une femme entrait dans la pièce. Je devrais dire plutôt qu'elle « fit son entrée ».

Elle fumait, un long fume-cigarette entre les dents, et retenait de la main un négligé de satin qui avait la couleur de la pêche. Une cascade de cheveux d'un blond vénitien tombait sur ses épaules et son visage n'était pas encore maquillé. Elle avait des yeux très grands et très bleus. Elle parlait très vite, d'une voix un peu rauque, mais non dépourvue de charme. Son articulation était parfaite.

— Je n'en puis plus, mon cher, je n'en puis plus! Quand je pense à tout ce que la presse va raconter... Bien sûr, il n'y a encore rien dans les journaux, mais cela ne tardera plus maintenant... et je ne sais pas comment je devrai m'habiller pour l'enquête! Il faut quelque chose de discret, mais pas du noir... Une robe d'un pourpre un peu sombre, peut-être? Seulement, je n'ai plus un ticket de textile et j'ai égaré l'adresse de cet odieux bonhomme qui m'en vend... Tu sais, ce garagiste de Shaftesbury Avenue? Je pourrais aller le voir, mais, si je vais là-bas, la police me suivra et Dieu sait ce qu'elle imaginera!... J'admire ton calme, Philip. Mais comment peux-tu prendre les choses avec tant de flegme? Tu ne te rends donc pas compte que nous ne pouvons même plus sortir de la maison? N'est-ce pas une honte? Quand on songe à ce que le pauvre cher homme était pour nous et à l'affection qu'il nous portait, en dépit de tout ce que cette vilaine femme faisait pour nous brouiller! Car, si nous étions partis, elle serait parvenue à ses fins, l'horrible créature! Le pauvre cher homme allait sur ses quatre-vingt-dix ans et, à cet âge-là, quand une intrigante est sur place, la famille, si elle est loin, est en droit de tout redouter. A part ça, je crois que ce serait le moment de monter la pièce sur Edith Thompson. Ce meurtre va nous valoir une publicité formidable. Bildenstein m'a dit qu'il pourrait obtenir le Thespian Theatre, où cette tragédie en vers sur les mineurs ne saurait se maintenir à l'affiche longtemps encore. Le rôle est magnifique. Je sais bien qu'il y a des gens qui prétendent que je dois me cantonner dans la comédie, à cause de mon nez, mais je vois très bien les effets que je tirerais du texte... Des effets auxquels l'auteur n'a sans doute pas pensé. Je jouerais le personnage en le poussant vers le banal, vers le simple, jusqu'au moment où...

Brusquement, elle lança le bras. La secousse fit tomber sa cigarette sur l'acajou du bureau. Philip, très calme, la ramassa, l'éteignit et la jeta dans la corbeille à papiers.

— Jusqu'au moment, acheva-t-elle, où je ferai passer sur la salle un frisson de terreur...

Son visage avait pris une expression horrifiée et, durant quelques secondes, elle fut une autre femme, une créature épouvantée par le tragique destin qui l'accablait. Puis ses traits se détendirent et, se tournant vers moi, elle me demanda le plus simplement du monde si ce n'était pas comme cela qu'on devait comprendre le personnage.

Je répondis que j'en étais persuadé. Je ne connaissais rien de la pièce, je ne me rappelais que très vaguement qui était Edith Thompson, mais je tenais à gagner la sympathie de la mère de Sophia.

— Au fond, reprit-elle, cette femme ressemble assez à Brenda.

Je n'y avais jamais pensé, mais le point ne manque pas d'intérêt. Je ferai peut-être bien de le signaler à l'inspecteur.

Philip fronça le sourcil.

— Est-il bien indispensable que tu le voies, Magda? Tout ce qu'il a besoin de savoir, je puis le lui dire.

Elle protesta avec énergie.

— Mais il faut absolument que je lui parle, mon chéri! Tu manques d'imagination et l'importance des menus détails t'échappe complètement. Il importe qu'il soit renseigné de façon très précise, qu'il sache toutes ces petites choses que certains d'entre nous ont observées, qui nous ont paru sur le moment inexplicables et qui...

Sophia, qui entrait, coupa la parole à sa mère.

— Voyons, maman, tu ne vas pas raconter à l'inspecteur un tissu de mensonges!

— Mais, Sophia, mon amour...

— Je sais que tout est au point dans ton esprit, ma chère maman, et que tu lui donnerais un excellent spectacle, mais j'ai la conviction que tu te trompes du tout au tout.

— Allons donc! Tu ne sais pas...

— Je sais fort bien. Il faut jouer ça tout autrement. Parler peu, garder tout pour soi, rester sur ses gardes, protéger la famille...

Une perplexité enfantine se lisait sur le visage de Magda.

— Alors, tu crois vraiment...

— Aucun doute, maman. On ne sait rien, voilà le principe.

Sophia ajouta, cependant qu'un sourire détendait les traits maternels :

— Je t'ai fait du chocolat. Il t'attend sur la table du salon.

— Bonne idée, ma chérie. Je meurs de faim!

Sur le seuil, Magda se retourna pour prononcer une ultime réplique, dont je n'aurais su dire si elle s'adressait à moi ou aux rayons chargés de livres qui se trouvaient derrière mon dos :

— Vous ne sauriez imaginer quelle bénédiction c'est pour une maman que d'avoir une fille qui l'aime!

Elle sortit là-dessus.

— Dieu sait ce qu'elle racontera à la police! dit Miss de Haviland avec un soupir.

— Elle sera très bien, déclara Sophia.

— Elle est capable de dire n'importe quoi!

— Rassurez-vous, ma tante! répliqua Sophia. Elle suivra les instructions du metteur en scène et le metteur en scène, c'est moi!

Ayant dit, elle sortit, vraisemblablement pour aller rejoindre sa mère. Elle revint presque aussitôt pour annoncer à son père que l'inspecteur principal Taverner désirait le voir.

— J'espère, ajouta-t-elle, que tu ne vois pas d'inconvénient à ce que Charles assiste à l'entretien?

La requête me parut surprendre quelque peu Philip Leonidès — il y avait de quoi! — mais il n'en répondit pas moins, sincère d'ailleurs, que la chose lui était indifférente.

Un instant plus tard, l'inspecteur principal Taverner entrait. Solide, massif et rassurant. Il salua et ce fut Miss de Haviland qui parla la première.

— Avez-vous besoin de moi, monsieur l'inspecteur?

— Pas pour le moment, mademoiselle. Plus tard, si vous pouvez m'accorder quelques minutes...

— Mais certainement. Vous me trouverez en haut.

Elle sortit. Taverner s'assit dans un fauteuil. Philip Leonidès avait repris place derrière son bureau. L'inspecteur commença :

— Je sais, monsieur Leonidès, que vous êtes un homme très occupé et je ne vous dérangerai pas longtemps. Je dois cependant vous informer que nos soupçons se trouvent confirmés. Votre père n'est pas mort de mort naturelle, mais empoisonné par une dose excessive  de physostigmine, produit plus communément connu sous le nom d'ésérine.

Philip acquiesça de la tête. Il ne paraissait pas autrement ému.

— Ce que je viens de vous dire, poursuivit Taverner, vous suggère-t-il quelque réflexion particulière?

— Aucune. Pour moi, mon père a été victime d'un lamentable accident.

— Vous croyez?

— La chose me semble très possible. Il était plus qu'octogénaire, ne l'oublions pas, et sa vue était très mauvaise.

— De sorte que, confondant ses flacons d'ésérine et d'insuline, il aurait versé le contenu d'une fiole dans une autre? Ça vous paraît vraisemblable?

Philip Leonidès ne répondit pas.

— La fiole des gouttes pour les yeux, reprit Taverner, nous l'avons retrouvée dans une boîte à ordures. Elle ne porte aucune empreinte digitale, ce qui ne laisse pas que d'être en soi assez curieux. On devrait trouver dessus soit celles de votre père lui-même, soit celles de sa femme ou de son domestique.

Philip leva la tête.

— C'est vrai, au fait! Il y a le domestique. Vous vous êtes occupé de lui?

— Voulez-vous dire, monsieur Leonidès, que Johnson pourrait être le meurtrier? Il avait, je vous l'accorde, toutes facilités pour commettre le crime. Seulement, dans son cas, ce qu'on n'aperçoit pas, c'est le mobile. Votre père avait l'habitude de lui donner chaque année des étrennes, toujours de plus en plus importantes. Il lui avait bien précisé qu'elles remplaceraient le legs qu'il eût pu lui faire par testament. Ces étrennes, après sept ans, représentaient une somme considérable, qui allait toujours en augmentant. Johnson avait évidemment intérêt à ce que votre père vécût le plus longtemps possible. De plus, il s'entendait parfaitement avec lui et son passé était irréprochable. C'est un domestique dévoué et connaissant son affaire.

Après une pause, il conclut :

— Pour nous, Johnson n'est pas suspect.

— Je vois, murmura Philip d'une voix posée.

— Vous serait-il possible, monsieur Leonidès, reprit Taverner, de me dire ce que vous avez fait, le jour où votre père est mort?

— Très certainement, inspecteur. Je n'ai pas bougé de cette pièce, de toute la journée. Sauf, bien entendu, à l'heure des repas.

— Vous n'avez pas vu votre père?

— Je suis allé lui dire bonjour après le petit déjeuner, ainsi que j'en avais l'habitude.

— A ce moment-là, vous vous êtes trouvé seul avec lui?

— Ma... belle-mère était dans la pièce.

— Vous a-t-il paru tel qu'il était à l'ordinaire?

Avec une ironie à peine perceptible, Philip répondit que son père ne semblait pas le moindrement se douter qu'il serait assassiné dans la journée. Taverner posa une nouvelle question.

— Il vivait dans une partie de la maison complètement distincte de celle-ci?

— Oui. On ne peut y accéder que par la porte qui se trouve dans le hall d'entrée.

— Cette porte est fermée à clé?

— Non.

— Jamais?

— A ma connaissance, jamais.

— On peut donc passer librement de cette partie de la maison dans l'autre et inversement?

— Oui.

— Comment avez-vous appris la mort de votre père?

— Mon frère Roger, qui occupe l'aile ouest du premier étage, est arrivé, tout courant, dans mon bureau, pour me dire que notre père venait d'avoir une faiblesse, qu'il respirait avec peine et semblait très mal.

— Qu'avez-vous fait?

— J'ai téléphoné au médecin, nul ne paraissant avoir songé à le faire. Il n'était pas chez lui. J'ai laissé pour lui un message le priant de venir le plus tôt possible, puis je suis monté au premier étage. Mon père était effectivement au plus mal. Il est mort avant l'arrivée du médecin.

Il n'y avait pas la moindre trace d'émotion dans la voix de Philip. Il énonçait des faits, simplement.

— Où étaient les autres membres de votre famille?

— Ma femme était à Londres. Elle est rentrée peu après. Sophia, je crois, était absente, elle aussi. Les deux petits, Eustache et Joséphine, étaient à la maison.

— J'espère, monsieur Leonidès, que vous ne prendrez pas ma question en mauvaise part, si je vous demande dans quelle mesure la mort de votre père modifiera votre situation financière.

— Je me rends très bien compte, inspecteur, que ce sont là des choses que vous avez besoin de savoir. Mon père avait tenu, il y a bien des années déjà, à assurer à chacun de nous son indépendance financière. Il avait, à l'époque, fait de mon frère le directeur et le principal actionnaire de l'Associated Catering, la plus importante de ses sociétés. Il m'avait donné, à moi, ce qu'il considérait comme équivalent de ce qu'il donnait à mon frère, une très grosse somme, des valeurs diverses, représentant exactement un capital de cent cinquante mille livres, dont j'étais libre de disposer à mon gré. En même temps, il faisait de très généreuses donations à mes deux sœurs, qui sont mortes aujourd'hui.

— Sa fortune personnelle, cependant, restait considérable?

— Non, il n'avait gardé pour lui qu'un revenu relativement fort modeste. Afin, disait-il, de conserver un intérêt dans l'exis-tence...

Souriant pour la première fois, Philip ajouta :

— Depuis, il avait fait toutes sortes d'affaires et était redevenu plus riche qu'il ne l'avait jamais été.

— Vous avez décidé, votre frère et vous-même, de venir vivre ici. Était-ce à la suite de... difficultés financières?

— Nullement, mais simplement parce que cela nous plaisait. Mon père nous avait toujours répété qu'il serait heureux de nous voir nous installer sous son toit. Différentes considérations d'ordre domestique m'ont incité à le faire, indépendamment de l'affection très réelle que j'avais pour lui, et, en 1937, je me suis établi ici avec ma famille. Je ne paie pas de loyer, mais je prends ma part des charges, proportionnellement aux locaux que j'occupe. Il est venu ici en 1943, quand sa maison de Londres a été écrasée par une bombe.

— Puis-je vous demander, monsieur Leonidès, si vous avez une idée de ce que peuvent être les dispositions testamentaires de votre père?

— Je les connais fort bien. Il a refait son testament en 1945 dès la fin des hostilités. Il nous a réunis tous, en une sorte de conseil de famille et, à sa demande, son avoué nous a communiqué l'essentiel des dispositions contenues dans son testament. J'imagine que Mr. Gaitskill vous les a déjà fait connaître. En gros, il laissait à sa veuve une somme de cent mille livres, tous droits payés, qui venait s'ajouter à la très belle dot qu'il lui avait reconnue, lors de son mariage, le reliquat de sa fortune devant être partagé en trois parts égales, une pour moi, une pour mon frère et une pour les trois petits-enfants.

— Aucun legs aux domestiques ou à des fondations charitables?

— Aucun. Les gages des domestiques étaient augmentés chaque année, s'ils ne quittaient pas la maison.

— Actuellement, monsieur Leonidès, vous n'avez pas — je m'excuse de vous demander ça — particulièrement besoin d'argent?

— Les impôts sont lourds, inspecteur, vous le savez comme moi, mais mes revenus me suffisent amplement. Mon père, d'ailleurs, se montrait avec nous très généreux et, en cas de nécessité, il serait tout de suite venu à notre secours.

D'une voix très calme, Philip ajouta :

— Je puis vous certifier, inspecteur, que je n'avais aucun motif financier de souhaiter la mort de mon père.

— Je serais désolé, monsieur Leonidès, de vous avoir donné à penser que je supposais le contraire. Mon enquête m'oblige malheureusement à des questions indiscrètes, comme celles qu'il me reste à vous poser. Elles concernent les rapports de votre père avec son épouse. S'entendaient-ils bien?

— Autant que je sache, très bien.

— Ils ne se querellaient pas?

— Je ne crois pas.

— Il y avait entre eux une... grande différence d'âge?

— C'est exact.

— Aviez-vous... approuvé le second mariage de votre père?

— Il ne m'a pas consulté.

— Ce n'est pas une réponse, monsieur Leonidès.

— Puisque vous insistez, je vous avouerai que je tenais ce mariage pour... une erreur.

— Vous l'avez dit à votre père?

— Je n'ai appris son mariage qu'alors qu'il était déjà un fait accompli.

— J'imagine que la nouvelle vous a donné un coup?

Philip ne répondit pas. Taverner reprit :

— En avez-vous... voulu à votre père?

— Il était parfaitement libre d'agir comme il l'entendait.

— Vous avez toujours été en bons termes avec Mrs. Leonidès?

— Toujours.

— En termes... amicaux?

— Nous nous rencontrons rarement.

Taverner passa à un autre sujet.

— Pouvez-vous me parler de Mr. Laurence Brown?

— J'en doute. C'est mon père qui l'a engagé.

— Mais pour s'occuper de l'éducation de vos enfants, monsieur Leonidès.

— C'est exact. Mon fils a souffert de paralysie infantile. Le cas, heureusement, était bénin. On a pourtant estimé que mieux valait ne pas lui faire suivre les cours d'une école publique. Mon père pensa alors qu'on pourrait confier l'enfant et sa sœur Joséphine à un précepteur, lequel était assez difficile à trouver à l'époque, car il fallait qu'il fût dégagé de toute obligation militaire. Les références du jeune Brown étaient bonnes, elles donnaient satisfaction à mon père et à ma tante, qui s'est toujours occupée de l'éducation des petits, et il a été engagé avec mon assentiment. Je dois ajouter qu'il s'est toujours montré un professeur consciencieux et compétent.

— Il ne réside pas dans cette partie de la maison?

— Nous manquions de place.

— Avez-vous jamais remarqué — vous me pardonnerez de vous demander ça — quelque signe d'intimité entre Laurence Brown et votre belle-mère?

— Je n'en ai jamais eu l'occasion.

— Vous n'avez jamais rien entendu dire à ce sujet?

— Par principe, inspecteur, je n'écoute pas les ragots.

— Vous avez raison. Donc, vous ne savez rien là-dessus?

— Rien.

Taverner se leva.

— Eh bien, monsieur Leonidès, il ne me reste plus qu'à vous remercier.

Je sortis sur ses talons.

— Fichtre! dit-il, une fois dans le couloir. Voilà ce que j'appelle un client dur à manier!

# CHAPITRE VII

— Et maintenant, poursuivit Taverner, allons bavarder avec Mrs. Philip, au théâtre Magda West.

— Une bonne actrice? demandai-je.

— Une de celles qui pourraient avoir du succès, me répondit-il. Elle a paru en vedette une fois ou deux sur des scènes du West End, elle a un nom dans le répertoire classique et on pense beaucoup de bien d'elle dans les théâtres fréquentés par les snobs. A mon avis, le fâcheux, pour elle, c'est qu'elle n'a pas besoin de jouer la comédie pour vivre. Elle peut choisir les pièces qu'elle veut interpréter et, à l'occasion, mettre de l'argent dans une affaire pour paraître dans un rôle dont elle s'est toquée et qui, généralement, ne lui convient pas du tout. Conclusion : on la considère plutôt comme un amateur que comme une professionnelle. Elle a du talent, notez bien, mais les directeurs ne l'aiment pas. Ils prétendent qu'elle est trop indépendante et que c'est une faiseuse d'histoires, avec qui on n'en a jamais fini. Est-ce vrai? Je l'ignore, mais je sais que ses camarades artistes n'ont pas pour elle une sympathie exagérée.

Sortant du grand salon, Sophia venait informer l'inspecteur que Mrs. Leonidès était prête à le recevoir. Je pénétrai dans la pièce derrière lui et j'aperçus, trônant sur le vaste canapé, une femme que j'eus tout d'abord quelque peine à reconnaître. Elle portait un ensemble gris d'un goût parfait, dont la veste ouvrait sur un chemisier d'un mauve très pâle, orné d'une broche qui était un fort beau camée. Sa blonde chevelure s'enlevait au-dessus de sa tête en un échafaudage charmant et compliqué. Son nez, que je remarquais pour la première fois, était menu et spirituellement retroussé. Il me fallut un instant pour identifier cette femme pleine de grâce avec la tumultueuse créature que j'avais vue un peu plus tôt dans un négligé couleur de pêche que je n'oublierai jamais.

Déjà elle parlait, d'une voix dont le timbre me parut celui d'une personne résolue à garder son sang-froid à tout prix.

— Asseyez-vous, messieurs, je vous en prie! Vous fumez, inspecteur? Cette aventure me bouleverse. Il y a des moments où je me demande si je ne rêve pas! En quoi puis-je vous être utile?

— Pour commencer, répondit Taverner, vous pourriez peut-être, madame, me dire où vous étiez lorsque votre beau-père est mort...

— Je devais être sur la route, revenant de Londres en voiture.

J'avais déjeuné à l'*Ivy*, avec une amie, nous étions allées ensemble à une présentation de collection chez un couturier, nous avions passé quelques instants au *Berkeley*, avec des amis, puis j'avais quitté Londres. Quand je suis arrivée ici, j'ai appris que mon beau-père était... mort.

Sa voix avait tremblé juste ce qu'il fallait.

— Vous aviez beaucoup d'affection pour lui?

— J'avais pour lui de l'adoration...

Le ton s'élevait. Sophia, à petits coups légers du doigt, rectifiait la position du Degas qui se trouvait au-dessus du manteau de la cheminée. Madga poursuivit, retrouvant sa voix de tout à l'heure :

— Je l'aimais bien. Nous l'aimions tous. Il était si bon pour nous!

— Vous vous entendiez bien avec Mrs. Leonidès?

— Brenda? Nous ne la voyions guère.

— Et pourquoi donc?

— Manque d'affinités. Pauvre chère Brenda! Elle a dû, bien souvent, connaître des moments difficiles.

Sophia taquinait de nouveau le Degas.

— Ah! oui? Dans quel sens?

— Je n'en sais trop rien.

Magda hocha la tête, avec un petit sourire triste.

— Était-elle heureuse?

— Je le crois.

— Elle ne se querellait pas avec son mari?

— En toute sincérité, inspecteur, je n'en sais rien.

— Elle était, je crois, en excellents termes avec Mr. Laurence Brown?

Les traits de Magda Leonidès se firent sévères.

— Il ne me semble pas, dit-elle avec dignité, que vous soyez en droit de me poser de telles questions. Brenda était en excellents termes avec tout le monde. Elle est très sociable.

— Mr. Laurence Brown vous est sympathique?

— C'est un garçon qui ne fait pas de bruit. Aimable et effacé. A vrai dire, je l'ai peu vu.

— Comme professeur, il vous donne satisfaction?

— Je crois. Tout ce que je sais, c'est que Philip semble très content de lui.

Taverner essaya d'une tactique plus brutale.

— Je suis désolé de vous demander ça, mais, à votre avis, peut-on parler d'un... flirt entre Mr. Brown et Mrs. Brenda Leonidès?

Magda se leva, très grande dame.

— Je n'ai jamais rien remarqué et je tiens, inspecteur, que vous n'avez pas le droit de m'interroger là-dessus. Brenda était la femme de mon beau-père.

Je faillis applaudir. L'inspecteur s'était mis debout, lui aussi.

— C'est peut-être, dit-il, une question que je ferai mieux de poser aux domestiques?

Magda ne répondit pas. Taverner la remercia d'un mot, salua de la tête et se retira.

— Bravo, maman! s'écria Sophia. Tu as été magnifique.

Magda se regardait dans la glace et arrangeait une bouclette derrière son oreille droite.

— Oui, dit-elle. C'était bien ainsi qu'il fallait jouer ça...

Sophia me regardait.

— N'auriez-vous pas dû suivre l'inspecteur?

— Mais enfin, Sophia, quel doit donc...

Je m'interrompis : je ne pouvais décemment pas lui demander devant sa mère ce que devait être mon rôle à *Three Gables*. Magda Leonidès ne m'avait pas jusqu'à présent accordé la moindre attention. Que je fusse un reporter, le fiancé de sa fille, un obscur auxiliaire de la police ou même le représentant de l'entrepreneur des pompes funèbres, pour elle, c'était la même chose : j'étais le public.

Son regard se porta sur ses chaussures. Elle fit la moue.

— Ces souliers ne sont pas ceux que j'aurais dû mettre. Ils font frivole...

Obéissant à un impérieux signe de tête de Sophia, j'allai retrouver l'inspecteur Taverner, que je rejoignis dans le hall, au moment où il allait franchir la porte conduisant à l'escalier. Il me dit qu'il allait voir le frère aîné. Je décidai de lui soumettre, sans plus attendre, le problème qui me tracassait.

— Enfin, Taverner, lui demandai-je, qu'est-ce que je fais ici?

Il me regarda d'un air surpris.

— Qu'est-ce que vous faites?

— Oui. Si on me demande à quel titre je suis ici, qu'est-ce que je réponds?

— C'est ça qui vous préoccupe?

Après deux secondes de réflexion, il reprit :

— On vous a posé la question?

— Euh... non!

— Alors, ne vous en faites donc pas! Pas d'explications, c'est une excellente devise, surtout dans une maison comme celle-ci, où les gens ont suffisamment de soucis personnels pour ne pas avoir envie d'interroger les autres. On ne vous demandera rien aussi longtemps que vous aurez l'air d'avoir le droit d'être ici... et c'est toujours une erreur que de parler quand ce n'est pas indispensable! Cela dit, montons!

Le pied sur la première marche, il poursuivit :

— Naturellement, vous vous rendez compte que toutes ces questions que je leur pose n'ont absolument aucun intérêt et que je me moque éperdument de ce que ces gens-là faisaient quand le bonhomme est passé de vie à trépas?

— Alors, pourquoi les interroger?

— Parce que cela me permet de voir à quoi ils ressemblent et qu'il n'est pas impossible que, dans leur bavardage, ils me donnent quelques informations dont nous pourrons tirer parti.

Plus bas, il ajouta :

— J'ai idée que Magda Leonidès, si elle le voulait, pourrait nous dire des choses fort intéressantes.

— Vous lui feriez crédit?

— Bien sûr que non! Seulement, j'aurais peut-être un point de départ. Le chiendent, c'est que, dans cette sacrée maison, tout le monde avait l'occasion et le moyen de commettre le crime! Ce que je cherche, c'est le mobile.

En haut de l'escalier, une porte barrait le couloir de droite. Elle était fermée à clé. L'inspecteur manœuvra le marteau de cuivre. Un homme ouvrit presque aussitôt, une manière de géant aux puissantes épaules, avec des cheveux noirs mal peignés. Il me parut laid, mais d'une laideur sympathique. Taverner se nomma.

— Entrez! dit l'homme. J'allais sortir, mais ça n'a pas d'importance. Venez au petit salon! Je vais prévenir Clemency... Ah! tu es là, chérie? C'est l'inspecteur Taverner. Voyons... Y a-t-il ici des cigarettes? Je vais en chercher. J'en ai pour une seconde.

Il se heurta à un paravent, auquel j'eus bien l'impression qu'il bredouillait quelques paroles d'excuses, puis disparut. C'était comme la sortie d'un bourdon. Le silence qu'il laissait derrière lui était comme sensible.

Mrs. Roger Leonidès était debout près de la fenêtre. Tout de suite, sa personnalité m'intrigua, comme l'atmosphère même de la pièce où nous nous trouvions.

Nous étions « chez elle », la chose ne faisait aucun doute. Les murs, peints en blanc, étaient nus, exception faite d'une toile accrochée au-dessus du manteau de la cheminée, une fantaisie géométrique, réalisée en triangles gris, noir et outremer. Les meubles étaient peu nombreux : quelques sièges, une table à dessus de verre et une petite bibliothèque. Aucun bibelot. De la lumière, de l'espace et de l'air. Un contraste total avec le grand salon d'où nous sortions.

Il apparaissait de même que Mrs. Roger Leonidès était une tout autre femme que Mrs. Philip Leonidès. Magda possédait trente-six personnalités différentes. Clemency était elle-même et ne pouvait être qu'elle-même.

Elle devait avoir une cinquantaine d'années. Ses cheveux gris, coupés court, encadraient heureusement un visage agréable. Elle avait de très beaux yeux gris, au regard vif et intelligent. Elle portait une robe rouge, en laine, qui mettait en valeur la minceur de sa silhouette. Il y avait en elle quelque chose d'inquiétant. Du moins en jugeai-je ainsi, sans doute parce qu'il me semblait que cette femme ne devait pas considérer l'existence avec les yeux de tout le monde.

Nous ayant invités à nous asseoir, elle demanda à Taverner « s'il y avait du nouveau ».

— Oui, madame, reprit-il. La mort est due à un empoisonnement, causé par l'ésérine.

De la même voix posée, elle dit, pensive :

— Donc, il s'agit d'un meurtre. Il ne saurait être question d'un accident?

— Certainement pas.

— Puis-je, inspecteur, vous prier d'être très gentil avec mon mari? Cette nouvelle va le bouleverser. Il adorait son père et c'est un homme extrêmement sensible.

— Vous étiez en bons termes avec votre beau-père, madame?

— En excellents termes.

Très calme, elle ajouta :

— Je ne l'aimais pas beaucoup.

— Pourquoi donc?

— Je n'approuvais ni les buts qu'il donnait à son activité ni les méthodes qu'il employait pour les atteindre.

— Et Mrs. Brenda Leonidès?

— Brenda? Je ne l'ai jamais vue beaucoup.

— Croyez-vous qu'il soit possible qu'il y ait eu... quelque chose entre elle et Mr. Laurence Brown?

— Je ne le pense pas, mais, serait-ce, je ne le saurais vraisemblablement pas.

Le ton même de sa voix donnait à entendre que la chose ne l'intéressait pas. Roger Leonidès entrait en coup de vent.

— J'ai été retenu, expliqua-t-il. Le téléphone. Alors, inspecteur?

Vous nous apportez des nouvelles? On sait de quoi mon père est mort?

— Empoisonnement par l'ésérine.

— Mon Dieu!... Alors, c'était bien ça! C'est cette femme qui n'aura pas pu attendre! Il l'avait pratiquement tirée du ruisseau et voilà ce qu'aura été sa récompense! De sang-froid, elle l'a assassiné. Quand j'y pense...

— Avez-vous quelque raison particulière de l'accuser?

Fourrageant de ses deux mains dans ses cheveux, Roger arpentait la pièce de long en large.

— Une raison? Mais, si ce n'est pas elle, qui voulez-vous que ce soit? Moi, je ne lui ai jamais fait confiance et je n'ai jamais eu la moindre sympathie pour elle. Aucun de nous d'ailleurs ne l'aimait. Philip et moi, nous sommes restés atterrés le jour où papa nous a appris ce qu'il avait fait! A son âge! C'était de la folie!... Mon père, inspecteur, était un personnage étonnant. Son intelligence était restée aussi jeune, aussi alerte que celle d'un homme de quarante ans. Tout ce que j'ai en ce monde, je le lui dois. Il a tout fait pour moi et jamais son aide ne m'a manqué. La mienne, par contre, quand j'y réfléchis...

Il se laissa lourdement tomber dans un fauteuil. Sa femme lui posa la main sur l'épaule.

— Voyons, Roger, calme-toi!

— Je sais, chérie, je sais... Mais comment resterais-je calme quand je songe...

— Il faut pourtant que nous restions calmes, Roger, tous! L'inspecteur principal Taverner ne demande qu'à nous aider et...

Brusquement, Roger Leonidès s'était levé.

— Vous savez ce que je voudrais faire?... Eh bien! cette femme, j'aimerais l'étrangler de mes mains! Voler à un malheureux vieillard les dernières années qu'il lui reste à vivre... Si elle était ici, je lui tordrais le cou!

— Roger!

La voix était impérieuse. Il baissa la tête.

— Pardon, chérie!

Se tournant vers nous, il ajouta :

— Je m'excuse, messieurs. Je me laisse emporter... Pardonnez-moi!

Il sortit de nouveau. Clemency Leonidès dit, avec un vague sourire :

— Et c'est un homme qui ne ferait pas de mal à une mouche!

Taverner déclara fort courtoisement qu'il n'en doutait pas, puis entreprit de poser à Mrs. Leonidès des questions auxquelles

elle répondit avec autant de précision que de brièveté. Le jour
de la mort de son père, Roger Leonidès, après avoir passé la
matinée à Londres, à Box House, le siège social de l'Associated
Catering, était rentré au début de l'après-midi et avait passé
quelques instants avec son père, ainsi qu'il avait coutume de
faire chaque jour. Pour elle, elle était allée comme d'habitude
au Lambert Institute, dans Gower Street. Elle n'était revenue
à *Three Gables* qu'un peu avant six heures.

— Avez-vous vu votre beau-père?

— Non. C'est la veille que je l'ai vu pour la dernière fois.
Après le dîner, nous avions pris le café avec lui.

— Vous ne l'avez pas vu le jour de sa mort?

— Non. Je suis bien allée dans la partie de la maison qu'il
habitait, pour y chercher une pipe appartenant à Roger, mais,
l'ayant trouvée sur une table du vestibule, où il l'avait oubliée,
je n'ai pas eu besoin de déranger mon beau-père. Vers six heures,
il lui arrivait souvent de somnoler.

— Quand avez-vous appris qu'il était fort mal?

— C'est Brenda qui est venue nous prévenir. Il était un peu
plus de six heures et demie.

Taverner, dont le regard se détachait rarement de celui de
Clemency Leonidès, lui posa ensuite quelques questions sur la
nature de son travail au Lambert Institute. Il s'agissait de recherches sur la désintégration atomique.

— En somme, vous vous occupez de la bombe atomique.

— Pas précisément. Nos expériences intéressent le côté théra-
peutique de la désintégration atomique.

Quand Taverner se leva, il exprima le désir de jeter un coup
d'œil sur la partie de la maison habitée par le ménage. Encore
qu'assez surprise de la requête, Mrs. Roger Leonidès s'empressa
de lui donner satisfaction. La chambre à coucher, avec ses lits
jumeaux et leur courtepointe blanche, faisait vaguement songer à
quelque cellule monastique. La salle de bain n'était guère moins
sévère. La cuisine, d'une propreté immaculée, était magnifique-
ment agencée pour épargner du travail à la ménagère. Nous
arrivâmes à une dernière porte, que Clemency ouvrit en disant :

— Ici, vous pénétrez dans le domaine privé de mon époux.

— Entrez! dit la voix de Roger. Entrez!

Je poussai un discret soupir de soulagement. Après les pièces
austères que je venais de voir, j'étais heureux de découvrir enfin
un endroit qui reflétait la personnalité de l'occupant. Le bureau,
couvert de papiers, parmi lesquels traînaient de vieilles pipes,
était dans un sympathique désordre. Les fauteuils étaient vastes

et usagés, les murs ornés de photographies — des groupes d'étu-
diants, de joueurs de cricket et de militaires — et d'aquarelles,
représentant des minarets, des couchers de soleil ou des bateaux
à voiles. La chambre donnait l'impression d'être celle d'un
homme qu'on eût aimé compter au nombre de ses amis.

Roger, avec des gestes maladroits, débarrassait un coin du
bureau pour nous servir à boire.

— Tout est en l'air, dit-il. J'étais en train de mettre un peu
d'ordre dans mes paperasses...

J'acceptai le verre qu'il me présentait. L'inspecteur déclara
qu'il préférait ne rien prendre.

— Il ne faut pas m'en vouloir, poursuivit Roger. Je me laisse
emporter et...

Il jeta un coup d'œil craintif autour de lui. Mais Clemency
n'était pas entrée avec nous dans la pièce.

— C'est une femme magnifique, reprit-il. Vous savez de qui
je parle? Dans toute cette histoire, elle est splendide... et je ne
saurais dire combien je l'admire. Et elle a vécu des jours terribles,
je tiens à ce que vous le sachiez. Ça se passait avant notre mariage.
Son premier époux était un très chic type, mais malheureusement d'une santé fort délicate. En fait, il était tuberculeux. Il
faisait de très intéressantes recherches de cristallographie. Il
travaillait énormément, gagnait peu, mais refusait d'abandonner
son laboratoire. Elle l'aidait, se dépensant sans compter, s'épui-
sant pour lui épargner de la peine, tout en comprenant parfaitement qu'il était en train de se tuer. Jamais elle n'a eu un mot
pour se plaindre, jamais elle n'a admis qu'elle était fatiguée
et jusqu'au bout elle lui a dit qu'elle était heureuse. Quand il est
mort, elle s'est trouvée désemparée. Elle a fini par m'épouser.
J'aurais voulu qu'elle se reposât, qu'elle cessât de travailler.
Mais nous étions en guerre et elle avait un trop clair sentiment
de son devoir pour m'écouter. Et, aujourd'hui, elle continue!
C'est une épouse magnifique, la meilleure qu'un homme ait
jamais eue et souvent je me dis que, le jour où je l'ai rencontrée,
j'ai eu plus de chance que je ne méritais. Pour elle, je ferais
n'importe quoi!

Taverner prononça avec tact la phrase qui s'imposait et, par
une transition habile, revint à ses questions ordinaires.

— Comment avez-vous appris que votre père était au plus
mal?

— C'est Brenda qui est venue me prévenir. Je me suis précipité.
J'avais quitté mon père environ une demi-heure plus tôt et, à ce
moment-là, il était en parfaite santé. Quand je suis arrivé, je l'ai

trouvé râlant, le visage tout bleu. Je me suis rué chez mon frère, qui a téléphoné au médecin. Je... Nous ne pouvions rien faire. Naturellement, pas une seconde je n'ai eu l'idée qu'il pouvait y avoir dans tout cela quelque chose de suspect...

Quelques instants plus tard, nous nous retrouvâmes, Taverner et moi, en haut de l'escalier.

— Les deux frères ne se ressemblent guère! murmura l'inspecteur.

Il ajouta :

— C'est drôle, une chambre! Ça vous apprend un tas de choses sur les gens qui vivent dedans.

J'acquiesçai. Il poursuivit :

— Il y a des mariages curieux, hein?

La remarque pouvait s'appliquer aussi bien au couple Roger-Clemency qu'au couple Philip-Magda. Des unions bizarrement assorties, mais des mariages heureux, semblait-il. Pour Roger et Clemency, c'était même une certitude.

— A première vue, reprit Taverner, ce type-là ne m'a pas l'air capable d'empoisonner quelqu'un. On ne sait jamais, bien sûr, mais ça m'étonnerait. Elle, c'est différent. C'est une femme qui ne doit jamais rien regretter. Avec ça, elle pourrait bien être un peu folle...

J'acquiesçai derechef.

— Pourtant, dis-je, je ne crois pas qu'elle aurait tué quelqu'un simplement parce qu'il n'avait pas de l'existence la même conception qu'elle. Qu'elle ait vraiment détesté le vieux, c'est très possible! Mais combien compte-t-on de crimes inspirés par la haine seule?

— Fort peu, déclara Taverner. Pour moi, je n'en ai jamais rencontré. Je persiste à croire que notre grosse chance, c'est Mrs. Brenda. Mais Dieu sait si nous pourrons jamais rien prouver!

Une femme de chambre nous ouvrit la porte conduisant à l'autre aile de la maison. Elle examina Taverner d'un regard où il y avait à la fois de la crainte et du mépris.

— Vous désirez voir Madame?

— S'il vous plaît.

Elle nous introduisit dans un vaste salon et disparut. Dans la pièce, assez gaie avec ses cretonnes bariolées et ses tentures soyeuses, un portrait, placé au-dessus de la cheminée, retint mon attention, non pas seulement parce qu'il était signé d'un maître, mais aussi parce que le modèle sortait de l'ordinaire. La toile représentait un vieillard, coiffé d'une toque de velours noir. La tête était légèrement inclinée sur l'épaule, mais, malgré cela, le bonhomme, avec ses petits yeux au regard perçant, paraissait débordant de vitalité et d'énergie.

— C'est *son* portrait par Augustus John, dit Taverner. Il avait de la personnalité, hein?

— Oui.

Je me rendais compte que ce monosyllabe rendait très insuffisamment ma pensée. Je voyais très bien maintenant ce qu'Edith de Haviland avait voulu dire en déclarant que, sans lui, la maison paraissait vide. J'avais sous les yeux l'image du « petit homme biscornu » qui avait fait construire la « petite maison biscornue ». Lui parti, la « petite maison biscornue » n'avait plus de raison d'être.

— Et voici sa première femme, par Sargent.

Je m'approchai. L'œuvre, accrochée entre deux fenêtres, avait cette cruauté qui se retrouve souvent dans les toiles de Sargent. La longueur du visage était vraisemblablement excessive, mais le portrait était certainement excellent. C'était celui d'une dame anglaise de la bonne société. De bourgeoisie campagnarde. Jolie, mais sans caractère. Pas du tout l'épouse que l'on imaginait au puissant petit despote qui grimaçait au-dessus du manteau de la cheminée.

Le sergent Lamb entrait dans la pièce.

— J'en ai terminé avec les domestiques, monsieur. Ils ne savent rien.

Taverner soupira. Lamb tira un calepin de sa poche et alla discrètement s'asseoir dans un coin. Peu après, la porte s'ouvrait de nouveau : la seconde Mrs. Aristide Leonidès était devant nous.

Elle était en noir et le noir indiscutablement lui allait bien.

Elle avait une petite figure douce, assez fine, avec de beaux cheveux bruns, coiffés peut-être de façon un peu compliquée. Elle était bien poudrée, ses lèvres étaient faites, mais très certainement elle avait pleuré. Elle portait autour du cou un collier d'énormes perles, une bague ornée d'un gros rubis à la main gauche et une superbe émeraude à la main droite. Je remarquai tout cela. Et aussi qu'elle paraissait avoir très peur.

Taverner la salua, très à l'aise, et lui dit qu'il était désolé de se voir contraint de la déranger de nouveau.

— J'imagine, dit-elle d'une voix sans timbre, que vous ne pouvez faire autrement.

Il reprit :

— Il va de soi, madame, que, si vous désirez que votre avocat assiste à la conversation, c'est absolument votre droit.

— Je n'aime pas Mr. Gaitskill, répondit-elle, et je ne tiens pas à le voir.

Taverner insista :

— Vous pouvez avoir l'avocat de votre choix.

— Est-ce bien nécessaire? Je n'aime pas les hommes de loi. Ils m'embrouillent.

— C'est comme vous voulez, déclara Taverner avec un sourire dépourvu de toute signification. Nous poursuivons?

Elle s'assit sur un canapé.

— Avez-vous trouvé quelque chose? demanda-t-elle.

Ses doigts jouaient nerveusement avec le tissu de sa robe.

— Nous pouvons affirmer de façon certaine que votre mari est mort empoisonné par de l'ésérine.

— Ce seraient ses gouttes pour les yeux qui l'auraient tué?

— Il semble bien que, lorsque vous lui avez fait sa dernière piqûre, ce n'est pas de l'insuline que vous lui avez injecté, mais de l'ésérine.

— Je ne m'en doutais pas. Ça, inspecteur, je peux vous le jurer!

— Alors, quelqu'un a délibérément remplacé l'insuline dans le flacon par de l'ésérine.

— Quelle sottise!

— Si l'on veut.

— Croyez-vous qu'on l'aurait fait... exprès? Ou par inadvertance?... A moins que ce n'ait été une... une plaisanterie?

— Nous ne croyons pas, madame, que cela ait été une plaisanterie.

— Alors, c'est probablement un domestique...

Taverner restant muet, elle reprit sa phrase.

— C'est certainement un domestique. Je ne vois pas qui ce pourrait être d'autre!

— En êtes-vous bien sûre, madame? Réfléchissez! Personne n'en voulait à Mr. Leonidès? Personne n'avait de grief contre lui? Il n'y a pas eu la moindre dispute?

— Je ne vois pas...

— Vous m'avez bien dit que, cet après-midi-là, vous étiez allée au cinéma?

— Oui. Je suis rentrée à six heures et demie. C'était l'heure de sa piqûre. Je la lui ai faite comme à l'habitude... et il m'a paru tout drôle. Affolée, je me suis précipitée chez Roger. Mais je vous ai déjà raconté tout cela! Faut-il que je vous le redise encore?

Elle avait haussé le ton sur les derniers mots.

— Croyez que je suis désolé, madame! dit Taverner sans s'émouvoir. Pourrai-je voir Mr. Brown?

— Laurence? Pourquoi? Il ne sait rien de tout ça!

— J'aimerais le voir quand même.

Elle le regarda d'un œil soupçonneux.

— Il est dans la salle d'étude, en train de faire du latin avec Eustache. Vous voulez qu'il vienne ici?

— Non. Je préfère aller le voir.

Taverner quitta le salon, nous entraînant, le sergent Lamb et moi, dans son sillage. Nous gravîmes un petit escalier, suivant ensuite un couloir, qui nous amena dans une grande pièce ouvrant sur le jardin. Il y avait là, assis côte à côte à une même table, un homme d'une trentaine d'années et un adolescent qui devait avoir seize ans. Ils levèrent la tête à notre entrée. Les yeux d'Eustache se portèrent sur moi, ceux de Laurence Brown sur Taverner. Jamais je ne vis plus de détresse dans un regard. L'homme semblait mourir de peur. Il se leva, se rassit, puis dit, d'une voix blanche :

— Bonjour, inspecteur.

Taverner répondit assez sèchement :

— Bonjour. Pourrais-je vous dire deux mots?

— Mais certainement. Trop heureux...

Eustache se levait.

— Vous voulez que je sorte, inspecteur?

La voix était aimable, avec un rien d'insolence.

— Nous continuerons tout à l'heure, dit Brown.

Eustache se dirigea vers la porte d'un pas nonchalant et sortit sans se presser.

— Monsieur Brown, dit alors Taverner, l'analyse a donné

des résultats intéressants : c'est l'ésérine qui a causé la mort de Mr. Leonidès.

— Il a vraiment été empoisonné? J'espérais...

— Il a été empoisonné. Quelqu'un a substitué l'ésérine à l'insuline qu'on lui injectait.

— Je ne peux pas croire ça!... C'est inimaginable!

— La question qui se pose est celle-ci : qui avait une raison de tuer Mr. Leonidès?

— Personne! Absolument personne!

— Vous ne voudriez pas, par hasard, que votre avocat soit présent à notre entretien?

— Je n'ai pas d'avocat et je ne désire pas en avoir un. Je n'ai rien à cacher, rien.

— Et vous vous rendez bien compte que nous enregistrerons vos déclarations?

— Je suis innocent. Je vous en donne ma parole, je suis innocent...

— Je n'ai jamais insinué le contraire.

Après un silence, Taverner ajouta :

— Mrs. Leonidès était beaucoup plus jeune que son mari, n'est-ce pas?

— Je le crois... C'est-à-dire que... oui!

— Il devait y avoir des moments où elle se sentait bien seule?

Laurence passa sa langue sur ses lèvres sèches et ne répondit pas. Taverner poursuivit :

— Il devait lui être assez agréable d'avoir ici un... compagnon ayant à peu près le même âge qu'elle?

— Je... Non, pas du tout... Je veux dire... Je n'en sais rien.

— Moi, il me semble tout naturel que des liens d'amitié se soient développés entre vous!

Brown protesta avec véhémence.

— Mais il n'en est rien! Je vois très bien ce que vous pensez, mais vous vous trompez! Mrs. Leonidès a toujours été très bonne pour moi et j'ai toujours eu pour elle le plus grand... le plus grand respect. Seulement, je n'ai jamais éprouvé pour elle un autre sentiment et ce que vous insinuez est tout simplement monstrueux! Je ne me vois pas tuant quelqu'un, ni par le poison ni autrement! Je suis extrêmement nerveux et la seule idée de tuer est pour moi un cauchemar! Le tribunal l'a très bien compris. Mes convictions religieuses s'opposent à ce que je tue. C'est pourquoi je n'ai pas été soldat. Au lieu de porter l'uniforme, j'ai travaillé dans un hôpital. Je m'occupais des chaudières. Un travail pénible, si terrible que j'ai dû abandonner au bout d'un certain temps.

On m'a permis de me consacrer à l'enseignement. Ici, je fais de mon mieux, avec mes deux élèves, Eustache et Joséphine, une enfant très intelligente, mais difficile. Tout le monde a été très gentil avec moi : Mr. Leonidès, Mrs. Leonidès, Miss de Haviland... Et voici maintenant que vous me suspectez d'un meurtre, moi!

Taverner avait perdu un peu de la raideur qu'il avait en entrant dans la pièce.

— Je n'ai pas dit ça, fit-il observer.

— Non, mais vous le pensez! Je le sais bien. C'est ce que tout le monde pense ici! Je le vois bien à la façon dont on me regarde!... Je ne suis pas en état de parler. Je ne me sens pas bien...

Courant presque, il sortit. Lentement, Taverner tourna la tête vers moi.

— Votre impression?

— Il a terriblement peur!

— Je sais. Mais est-il un assassin?

— Si vous voulez mon avis, dit le sergent Lamb, il n'a pas tué : il n'aurait jamais eu assez de cran.

— Je vous accorde, déclara Taverner, qu'il serait incapable d'assommer quelqu'un ou de braquer sur lui un revolver. Seulement, dans le cas qui nous occupe, on n'en demandait pas tant au meurtrier : il lui suffisait de manipuler une paire de fioles pharmaceutiques... Il ne s'agissait, en somme, que d'aider un vieillard à sortir de ce monde, à peu près sans douleur...

— Une sorte d'euthanasie, dit le sergent.

— Ensuite, après un intervalle décent, on épousait une jeune veuve, héritière de cent mille livres et possédant, d'autre part, une fortune équivalente, plus des perles, des rubis et des émeraudes, gros comme des œufs ou des bouchons de carafe!

Taverner soupira et reprit :

— Évidemment, tout ça, c'est de l'hypothèse! Je me suis arrangé pour lui flanquer la frousse, j'y ai réussi, mais ça ne prouve rien! Il peut très bien avoir peur et être innocent. A vrai dire, je n'ai pas tellement dans l'idée que c'est lui qui a fait le coup. Je pencherais plutôt pour la femme... Seulement, alors, pourquoi diable n'a-t-elle pas jeté la fiole ou ne l'a-t-elle pas rincée?

Il se tourna vers Lamb.

— Au fait, sergent, les domestiques n'ont rien remarqué au sujet des relations de Brown avec sa patronne?

— La femme de chambre dit qu'elle est sûre qu'ils ont « un sentiment » l'un pour l'autre.

— Qu'est-ce qui lui fait dire ça?

— La façon dont il *la regarde* quand elle lui verse du café.

— Un fameux argument à produire dans une cour de justice! Bref, il n'y a rien?

— Rien qu'on ait vu, en tout cas.

— Je suis bien tranquille qu'*on* aurait vu s'il y avait eu quelque chose à voir! Plus ça va et plus je commence à croire qu'il n'y a rien entre eux.

Se tournant vers moi, il ajouta :

— Allez donc la revoir et bavarder un peu avec elle. J'aimerais avoir votre impression...

Je sortis sans enthousiasme, mais pourtant intéressé.


## CHAPITRE IX


Je trouvai Brenda Leonidès assise à l'endroit même où je l'avais laissée. Elle m'interrogea dès mon entrée.

— Où est l'inspecteur Taverner? Il ne revient pas?

— Pas maintenant.

— Qui êtes-vous?

On m'avait enfin posé la question que j'avais attendue toute la matinée. Ma réponse resta assez près de la vérité.

— Je suis avec la police, mais je suis aussi un ami de la famille.

— La famille! De sales bêtes! Je les déteste tous!

Elle me regardait. Sa bouche tremblait. Elle poursuivit :

— Avec moi, ils ont toujours été méchants, toujours! Dès le début. Et pourquoi donc n'aurais-je pas épousé leur père? En quoi cela les dérangeait-il? Ils étaient tous immensément riches déjà, de l'argent qu'il leur avait donné et qu'ils auraient été bien incapables de gagner eux-mêmes! Pourquoi n'aurait-il pas eu le droit de se remarier? Même s'il était un peu vieux? D'ailleurs, il n'était pas vieux du tout! Il y a vieux et vieux. Je l'aimais bien.

Comme me défiant des yeux, elle répéta :

— Oui, je l'aimais bien. Je suppose que vous ne le croyez pas, et pourtant, c'est vrai! J'en avais assez des hommes. Je voulais un intérieur, je voulais quelqu'un qui me gâtât et me dît des choses gentilles. Ces choses-là, Aristide me les disait... et il savait me faire rire. Et puis il était très fort! Il imaginait toutes sortes de moyens de tourner tous les stupides règlements d'aujourd'hui... Il était très, très fort! Ah! non, je ne me réjouis pas de sa mort! Au contraire, j'ai bien du chagrin.

Elle se laissa aller sur le dos du canapé. Les coins de sa bouche, plutôt grande, se relevèrent en un étrange sourire.

— J'ai été heureuse ici. Je me sentais en sécurité. J'allais chez les grands couturiers... et je n'y étais pas plus déplacée qu'une autre! Aristide me donnait de jolies choses...

Ses yeux se portèrent sur son rubis. Elle sourit.

— Où est le mal? J'étais gentille avec lui, je le rendais heureux...

Penchée vers moi, elle ajouta :

— Savez-vous comment j'avais fait sa connaissance?

Elle n'attendit pas ma réponse pour continuer.

— J'étais au *Gay Shamrock*. Il avait commandé des œufs brouillés. Quand je les lui apportai, je pleurais. Il me dit : « Asseyez-vous et dites-moi ce qui ne va pas! » Je lui réponds : « Impossible! Si je faisais ça, on me mettrait à la porte! » Alors, il me dit : « Ça m'étonnerait! L'établissement est à moi. » Je l'ai regardé. Au premier abord, c'était un petit vieux qui n'avait l'air de rien. Seulement, après, on découvrait qu'il avait comme un pouvoir qui n'était qu'à lui... Bref, je lui racontai mon histoire. Il est probable que vous la connaissez déjà... *Ils* ont dû vous parler de moi et vous expliquer que je ne valais pas grand-chose... Ils vous ont menti. J'ai reçu une très bonne éducation. Mes parents avaient un magasin, un très beau magasin... Des travaux d'aiguille. Je n'ai jamais été une fille qui courait avec les garçons... Seulement, Terry n'était pas comme les autres : il était Irlandais et allait partir pour l'autre bout du monde... Il ne m'a jamais écrit et je n'ai jamais eu de ses nouvelles. Bien sûr, j'ai été sotte... Mais c'était fait... et mes ennuis étaient exactement ceux de la petite bonne qui a été plaquée par son amant... Aristide a été admirable. Il me dit que tout s'arrangerait, qu'il était très seul et que nous allions nous marier sans plus attendre. Je me demandais si je rêvais. J'ai appris ensuite qu'il s'agissait du fameux Mr. Leonidès, qui possédait toutes sortes de restaurants, de salons de thé et de boîtes de nuit. C'était comme un conte de fées! Vous n'êtes pas de cet avis?

— Peut-être.

— Peu après, nous nous sommes mariés dans une petite église de la Cité. Puis nous sommes partis en voyage de noces sur le continent...

— Et l'enfant?

— Il n'y en a pas eu. Je m'étais trompée.

Souriante, elle poursuivit :

— Je me jurai d'être pour lui une bonne épouse et j'ai tenu parole. Je lui faisais servir la cuisine qu'il aimait, je m'habillais comme il le désirait, je faisais tout pour le rendre heureux et il était heureux. Mais nous n'avons jamais pu nous débarrasser de sa famille, tous ces parasites qui ne vivaient qu'à ses crochets. La vieille Miss de Haviland, par exemple, Est-ce qu'elle n'aurait pas dû s'en aller, quand il s'est remarié? Je l'ai dit à Aristide. Il m'a répondu : « Elle est ici depuis si longtemps! Ici, maintenant, elle est chez elle! » La vérité, c'est qu'il aimait les avoir tous autour de lui et à sa merci. Ils étaient méchants avec moi, mais il faisait semblant de ne pas s'en apercevoir. Roger me hait. L'avez-vous vu, Roger? Il me hait par envie. Philip, lui, a une si haute opinion de lui-même qu'il ne m'adresse jamais la parole. Et aujourd'hui ces gens-là voudraient faire croire que j'ai assassiné mon mari! Mais ce n'est pas vrai! Ce n'est pas vrai! Dites-moi que vous me croyez! Je vous en supplie!

Il y avait dans sa voix et son attitude quelque chose de pathétique. Je me sentais ému. Prêt à proclamer inhumaine la conduite de cette famille si acharnée à croire que cette femme était une criminelle, alors qu'elle m'apparaissait comme un être traqué et sans défense.

— Et ils pensent que, si ce n'est pas moi qui l'ai tué, c'est Laurence!

— Parlez-moi un peu de lui!

— Je l'ai toujours un peu plaint. Il est de santé délicate et n'a pas fait la guerre. Non pas par lâcheté, mais parce qu'il est d'une sensibilité trop vive. J'ai fait de mon mieux pour qu'il se sente heureux ici. Il a deux élèves impossibles : Eustache, qui ne perd pas une occasion de l'humilier, et Joséphine... Celle-là, vous l'avez vue, vous savez à quoi elle ressemble...

Je dis que je n'avais pas encore rencontré Joséphine.

— C'est une enfant dont je me demande parfois si elle a bien toute sa tête. Elle me fait songer à un serpenteau et elle est bizarre... Il y a des moments où elle me fait peur...

Joséphine ne m'intéressait pas. Je ramenai la conversation sur Laurence Brown.

— Qui est-il? demandai-je. D'où vient-il?

J'avais posé ma double question assez gauchement. Brenda rougit.

— Il n'est personne, le pauvre! Il est comme moi... Que pouvons-nous contre eux tous?

— Est-ce que vous n'êtes pas en train de vous faire des idées?

— Mais non! Ils veulent établir que le coupable, c'est Laurence... ou bien moi. L'inspecteur est avec eux. Quelle chance nous reste-t-il?

— Il ne faut pas voir les choses comme ça!

— Pourquoi ne serait-ce pas l'un d'eux, l'assassin? Ou quel-qu'un de l'extérieur? Ou un domestique?

— Il faut songer au mobile...

— Le mobile!... Quel mobile aurais-je eu, moi?.. Ou Laurence?

Un peu gêné, je répondis :

— On pourrait, je crois, supposer qu'il existait entre vous et... Laurence des liens affectueux et que vous souhaitiez vous marier un jour.

Elle eut un sursaut

— Comment oserait-on imaginer cela? Mais ce n'est pas vrai! Nous n'avons jamais eu ensemble une conversation qui puisse laisser penser des choses pareilles! J'ai été gentille avec lui parce qu'il me faisait de la peine, nous sommes de bons amis, mais c'est tout! Vous me croyez, n'est-ce pas?

Effectivement, je la croyais. C'est-à-dire que je croyais que Laurence et elle n'étaient bien, comme elle l'affirmait, que des amis, mais je croyais aussi que, sans peut-être s'en douter, elle était éprise de Brown.

C'est cette idée en tête que je descendis au rez-de-chaussée, à la recherche de Sophia. J'allais me rendre au salon quand je l'aperçus qui passait la tête par une porte entrebâillée, un peu plus loin dans le couloir.

— Allô! me dit-elle. Je suis en train d'aider Nannie à préparer le déjeuner.

Je me disposais à la rejoindre à la cuisine, mais elle me devança et, me prenant par le bras, m'entraîna au salon, où il n'y avait personne.

— Alors, me dit-elle, vous avez vu Brenda? Que pensez-vous d'elle?

— Très sincèrement, répondis-je, je la plains.

Sophia me regarda avec mépris.

— Je vois! Elle vous a empaumé!

Piqué, je répliquai :

— Disons, si vous voulez, que je comprends son point de vue, lequel semble vous échapper.

— Que voulez-vous dire?

— Répondez-moi franchement, Sophia! Avez-vous l'impres-sion que, depuis qu'elle est ici, quelqu'un de la famille s'est montré gentil, ou même simplement correct avec elle?

— Nous n'avons sûrement pas été gentils avec elle, mais pourquoi l'aurions-nous été?

— Quand ce n'eût été que par charité chrétienne!

— Si j'en juge par votre ton, Charles, Brenda vous a magni-
fiquement joué la comédie!

— Vraiment, Sophia, vous semblez... Je ne sais pas ce qui
vous arrive, mais...

— Il m'arrive que je suis sincère et que je dis ce que je pense.
Vous me dites que vous comprenez le point de vue de Brenda.
Je vais vous expliquer le mien. Je n'aime pas les jeunes personnes
qui inventent des histoires pour apitoyer les vieillards richissimes
qu'elles veulent épouser. J'ai parfaitement le droit de détester
ces aventurières et je ne vois pas pourquoi je ferais semblant de
les aimer. Et la jeune personne en question ne vous inspirerait
aucune sympathie si, au lieu de vous raconter son roman, elle
vous l'avait donné à lire et si vous l'aviez lu de sang-froid!

— Vous croyez donc qu'elle mentait?

— Au sujet de l'enfant? Je n'en sais rien, mais je le pense.

— Et vous ne lui pardonnez pas d'avoir... possédé votre
grand-père?

Sophia se mit à rire.

— Dites-vous bien qu'elle ne l'a pas possédé! Grand-père
n'a jamais été possédé par personne. Il voulait Brenda, il l'a eue.
Il savait très exactement ce qu'il faisait et tout a marché selon ses
plans. De son point de vue à lui, son mariage a été un succès
complet, comme toutes ses autres opérations.

— Vous considérez également comme un de ses succès le fait
qu'il ait engagé Laurence Brown comme précepteur des enfants?

Le ton ironique de la question fit froncer les sourcils à Sophia.

— Savez-vous que ça se pourrait bien? Il voulait que Brenda
fût heureuse et qu'elle ne s'ennuyât point. Il peut s'être dit que
les robes et les bijoux ne suffisaient pas et qu'il lui fallait aussi mettre
dans la vie de sa femme un peu de romanesque sans danger.
Il se peut qu'il ait jugé qu'un timide dans le genre de Laurence
Brown était exactement l'homme dont il avait besoin. Une belle
amitié amoureuse, avec un peu de mélancolie à la clé, c'était
tout à fait ce qu'il fallait pour empêcher Brenda d'avoir à l'extérieur une authentique aventure. Grand-père était très capable
de combiner une affaire comme ça. C'était un vieux malin, vous
savez!

— Je veux bien le croire.

— Naturellement, il ne pouvait pas prévoir que tout ça finirait
par un crime...

S'échauffant brusquement, Sophia poursuivit :

— Et à vrai dire, c'est ce qui fait qu'au fond, et bien que ça
m'ennuie, je ne crois pas vraiment que ce soit elle qui l'ait tué.

Si elle avait tiré des plans pour l'assassiner, seule ou de complicité avec Laurence, grand-père l'aurait su. J'imagine que ça vous paraît bien invraisemblable...

— Je dois l'avouer.

— Mais c'est parce que vous ne connaissiez pas grand-père. Il n'aurait jamais consenti à être pour quelque chose dans son propre assassinat! Concluez!... L'ennui, c'est que nous en sommes donc toujours au même point!

— Elle a peur, dis-je. Terriblement peur!

— Que voulez-vous, l'inspecteur Taverner et ses joyeux compères sont plutôt inquiétants! Quant à Laurence, il est liquéfié, probablement?

— Le fait est qu'il n'est pas brillant. Je me demande comment une femme peut s'amouracher d'un type comme ça!

— Vraiment? Pourtant, il a beaucoup de *sex-appeal*.

Je restais sceptique.

— Une mauviette comme lui?

Sophia rit franchement.

— Pourquoi les hommes se figurent-ils qu'il faut être construit comme un déménageur pour séduire une femme? Du *sex-appeal*, Laurence en a bel et bien. Mais je ne m'étonne pas que vous ne vous en soyez pas aperçu...

Me regardant bien dans les yeux, elle ajouta :

— Brenda vous a conquis!

— Ne dites pas de bêtises, Sophia! Elle n'est même pas jolie et je vous certifie...

— Qu'elle n'a pas essayé de vous séduire? Je le veux bien. Mais elle s'est arrangée pour que vous la plaigniez. Qu'elle ne soit pas vraiment belle, c'est entendu! Qu'elle ne soit pas non plus très intelligente, c'est mon avis. Seulement, elle a un don : celui de brouiller les gens. Vous le constaterez vous-même, elle commence avec nous deux!

Je protestai, atterré. Sophia se levait.

— Ne parlons plus de ça, Charles! Il faut que j'aille m'occuper du déjeuner.

— Vous ne voulez pas que je vous aide?

— Restez ici! Nannie serait folle si elle voyait un monsieur débarquer dans sa cuisine!

Elle allait sortir. Je la rappelai :

— Sophia!

Elle se retourna.

— Oui?

— A propos de domestiques, comment se fait-il qu'il n'y ait

pas ici une jeune personne en tablier blanc et bonnet pour ouvrir
la porte aux visiteurs?

— Grand-père avait une cuisinière, une femme de chambre,
une bonne et un valet. Il adorait se faire servir et payait bien.
Clemency et Roger n'ont qu'une femme de ménage, qui vient
quelques heures par jour. Clemency a horreur des domestiques...
et, si Roger ne déjeunait pas chaque jour dans la Cité, il mourrait
de faim, un repas consistant, pour Clemency, en quelques feuilles
de laitue, quelques tomates et des carottes crues. Nous, nous avons
des bonnes de temps à autre, mais le jour finit toujours par
arriver où maman pique une colère et les flanque à la porte.
Alors, on prend des remplaçantes, qui viennent pendant vingt-
quatre ou quarante-huit heures. Nous sommes actuellement dans
une de ces périodes-là. Nannie, elle, représente l'élément stable
et, en temps de crise, c'est elle qui assure tout le service. Maintenant, vous savez tout!

Elle sortit là-dessus. Je me laissai tomber dans un vaste fauteuil
et m'abandonnai à mes réflexions.

Je connaissais maintenant le point de vue de Brenda et celui
de Sophia, qui se trouvait être celui de toute la famille. Les Leonidès, je le comprenais fort bien, ne pardonnaient point à une étrangère de s'être introduite parmi eux, par des moyens qu'ils tenaient
pour odieux. Leur position était assez légitime.

Seulement, l'affaire présentait un côté humain, dont ils se
refusaient à tenir compte. Ayant toujours été riches et bien
pourvus, ils ne s'expliquaient pas les ambitions de ceux qui n'ont
jamais rien possédé. Brenda avait voulu conquérir tout ce dont
elle avait toujours été privée : l'argent, les jolies choses, la sécurité,
un foyer. Tout cela, elle l'avait eu. En revanche, elle prétendait
avoir fait le bonheur de son vieil époux. Quand elle m'avait
conté son histoire, je lui avais accordé toute ma sympathie.
Devais-je, maintenant, la lui retirer?

Le problème était complexe. Il y avait deux façons de considérer la situation. Quelle était la bonne?

J'avais très peu dormi la nuit précédente, ayant dû me lever
très tôt pour accompagner Taverner. L'atmosphère du salon
était surchauffée et lourde de parfums, mon siège confortable et
admirablement rembourré. Je fermai les paupières...

Quelques minutes plus tard, je dormais.

Je me réveillai si doucement que je ne me rendis pas compte tout de suite que je m'étais assoupi. Dans une demi-conscience, je discernai vaguement, un peu au-dessus de moi, une tache blanche qui semblait flotter dans l'espace. Il me fallut quelques secondes pour recouvrer toutes mes facultés et comprendre que cette tache blanche était bel et bien un visage, tout rond, celui d'une petite fille maigrichonne, dont je remarquai surtout qu'elle avait de beaux cheveux châtains, coiffés en arrière, et des yeux très noirs et globuleux, qui semblaient vouloir sortir de l'orbite. L'enfant me regardait fixement.

— Bonjour! dit-elle.

Clignant des yeux, je marmonnai un « bonjour » à peine articulé. Elle reprit :

— Je m'appelle Joséphine.

Je l'avais deviné. Joséphine, la sœur de Sophia, était une enfant qui, autant que j'en pouvais juger, devait avoir onze ou douze ans. D'une laideur extraordinaire, elle ressemblait de façon étonnante à son grand-père. Il me paraissait également très possible qu'elle eût hérité son intelligence.

— Vous êtes, me dit-elle, l'amoureux de Sophia.

Je me gardai de protester.

— Mais c'est avec l'inspecteur Taverner que vous êtes arrivé ici. Pourquoi?

— C'est un de mes amis.

— Vraiment?... Eh bien! il ne me plaît pas et je ne lui dirai rien.

— Qu'est-ce que vous auriez à lui dire?

— Des choses! Parce que j'en sais des tas! Savoir tout, moi, j'aime ça!

Elle s'assit sur le bras du fauteuil. Elle continuait à me dévisager et l'insistance de son regard commençait à me gêner.

— Grand-père a été assassiné. Vous le saviez?

— Oui.

— On l'a empoisonné avec de l'ésérine.

Elle avait prononcé le mot en détachant les syllabes avec soin. Elle ajouta :

— C'est intéressant, hein?

— C'est mon avis.

— Eustache et moi, ça nous passionne! Nous aimons les histoires de police et j'ai toujours eu envie de devenir détective. Maintenant, je le suis. Je cherche des indices...

L'enfant, décidément, n'avait rien de sympathique. Elle poursuivit :

— L'homme qui est venu avec l'inspecteur Taverner, j'imagine que c'est un policier, lui aussi? Dans les romans, on prétend qu'on peut toujours reconnaître les policiers en civil à leurs gros souliers. Mais celui-là a de belles chaussures en daim.

— Tout change, Joséphine!

Elle prit un air grave.

— Du changement, c'est ici qu'il va y en avoir! Il est probable que nous irons vivre à Londres. Il y a longtemps que maman en a envie et ça lui fera bien plaisir. Papa, je crois que ça lui sera égal, à condition qu'il puisse emporter ses livres. Avant, on n'aurait pas pu aller s'installer à Londres. Papa avait perdu trop d'argent avec *Jézabel*.

— Jézabel?

— Oui. Vous ne l'avez pas vue?

— C'est une pièce?... Non, je ne l'ai pas vue. Je n'étais pas en Angleterre...

— On ne l'a pas jouée longtemps. On peut même dire que ça a été un four. A mon avis, maman n'est pas faite pour le rôle de Jézabel. Qu'en pensez-vous?

Je pensai à Magda. Je l'avais vue en négligé et en tailleur. Pas plus dans l'un que dans l'autre, elle ne m'avait fait songer à Jézabel. Mais il pouvait y avoir d'autres Magda que je ne connaissais pas. Prudent, je répondis que je n'avais pas d'opinion là-dessus. Elle reprit :

— Grand-père avait toujours dit que la pièce ne ferait pas un sou et que, pour lui, il ne mettrait jamais d'argent dans un drame religieux, personne n'ayant plus envie de voir ces machins-là. Seulement, maman était très emballée. Moi, la pièce ne me plaisait pas beaucoup. Elle ne ressemblait pas du tout au récit de la Bible. Jézabel n'était plus une méchante femme, mais quelqu'un de très bien, une grande patriote, de sorte que l'histoire n'avait plus aucun intérêt. La fin, pourtant, n'était pas mal : on jetait Jézabel par la fenêtre. L'ennui, c'est qu'il n'y avait pas de chiens pour la dévorer! C'était dommage, vous ne trouvez pas? Maman prétend qu'on ne pouvait pas faire venir des chiens sur la scène, mais je ne vois vraiment pas pourquoi. Il n'y avait qu'à prendre des chiens savants.

Changeant de ton pour citer la Bible, elle ajouta :

— « Et ils la dévorèrent entièrement, ne laissant que la paume des mains. » Je me demande bien pourquoi ils n'ont pas mangé aussi la paume des mains!

— J'avoue que je ne saurais vous le dire.

— C'étaient des chiens qui avaient des drôles de goûts, probablement. Les nôtres ne sont pas comme ça. Ils mangent n'importe quoi!

Un instant, elle réfléchit sur ce mystère biblique. Je relançai la conversation.

— Je regrette que la pièce ait été un four.

— Maman a été terriblement déçue. La presse a été épouvantable. Quand maman lisait les critiques, elle fondait en larmes ou se mettait en colère. Un jour, elle a jeté le plateau de son petit déjeuner à la figure de Gladys et Gladys lui a donné ses huit jours. J'ai trouvé ça rigolo.

— Je vois, Joséphine, que vous aimez les situations dramatiques.

— Vous savez qu'on a fait l'autopsie de grand-père, pour trouver de quoi il est mort?

— Je sais. Sa disparition vous a fait du chagrin?

— Pas tellement. Je ne l'aimais pas beaucoup. C'est lui qui m'a empêchée de suivre des cours pour devenir ballerine.

— Vous vouliez danser?

— Oui. Maman était d'accord. Papa aussi. Mais grand-père a dit que je ne ferais rien de bon...

Elle haussa les épaules, puis, changeant de sujet, me demanda comment je trouvais la maison.

— Elle vous plaît?

— Je n'en suis pas tellement sûr, dis-je.

— Il est probable qu'elle sera vendue, à moins que Brenda ne continue à l'habiter. Il est bien possible aussi que l'oncle Roger et la tante Clemency ne s'en aillent plus, maintenant.

— Ils devaient s'en aller?

— Oui. Ils partaient mardi. Ils allaient quelque part sur le continent. Ils devaient voyager en avion. La tante Clemency avait même acheté une de ces jolies petites valises spéciales qui pèsent trois fois rien...

— Je n'avais pas entendu parler de ce voyage.

— Personne n'était au courant. C'était un secret qui ne devait être révélé qu'après leur départ. Ils devaient laisser un mot pour prévenir grand-père.

— Mais pourquoi s'en allaient-ils? Vous le savez?

Elle me regarda d'un air malicieux.

— J'ai idée que je le sais. Je n'en suis pas sûre, évidemment, mais l'oncle Roger aurait commis des détournements que ça ne m'étonnerait pas.

— Qu'est-ce qui vous fait dire ça?

Elle se rapprocha de moi et baissa la voix.

— Le jour de la mort de grand-père, l'oncle Roger est resté enfermé avec lui dans sa chambre pendant un temps interminable. Ils ont causé, causé, causé... L'oncle Roger s'accusait de n'être qu'un pauvre type, disant qu'il n'avait rien fait de propre et qu'il était indigne de la confiance de grand-père.

Je regardai Joséphine avec un peu d'inquiétude.

— On ne vous a jamais dit, Joséphine, qu'il était très vilain d'écouter aux portes?

Elle sourit.

— Bien sûr que si! Seulement, si vous voulez apprendre des choses, il faut écouter aux portes. Demandez à l'inspecteur Taverner! Vous croyez qu'il se gêne?

Je n'eus pas le temps de répondre. Elle poursuivait :

— D'ailleurs, s'il n'écoute pas aux portes, lui, l'autre, celui aux souliers de daim, ne s'en prive pas! Et, tous les deux, ils fouinent partout! Ils ouvrent les secrétaires des gens, ils lisent les lettres, ils découvrent les secrets de tout le monde. Seulement, ils ne sont pas malins et, surtout, ils ne savent pas où chercher!... Eustache et moi, nous savons des tas de choses. J'en sais plus que lui, mais je ne les lui dirai pas. Il prétend que les femmes ne peuvent pas être de grands détectives. Moi, je suis sûre du contraire. Tout ce que je sais, je l'écrirai dans un cahier et, quand la police se reconnaîtra battue, je me présenterai avec mes notes et je dirai : « Moi, le coupable, je sais qui c'est! »

— Vous lisez beaucoup de romans policiers, Joséphine?

— Des masses!

— Et j'imagine que vous croyez savoir qui a tué votre grand-père?

— J'ai une idée là-dessus, mais il me manque encore des preuves.

Après un court silence, elle reprit :

— L'inspecteur Taverner croit bien que c'est Brenda qui l'a empoisonné, n'est-ce pas? Peut-être avec Laurence, étant donné qu'ils sont amoureux l'un de l'autre...

— Vous ne devriez pas dire des choses comme ça, Joséphine!

— Pourquoi? Ce n'est pas vrai?

— Vous ne pouvez pas le savoir.

— Allons donc! Ils s'écrivent des lettres... Des lettres d'amour!

— Comment le savez-vous?

— Je le sais, parce que je les ai lues. Des lettres très sentimentales. D'ailleurs, avec Laurence, ça se comprend : il est terriblement sentimental. Tellement qu'il a eu peur d'aller à la guerre. Ici, quand les V-2 passaient au-dessus de la maison, il devenait vert, vraiment vert... Ça nous faisait bien rire, Eustache et moi!

Ce que j'aurais dit ensuite, je ne le sais pas trop. Le bruit d'une voiture qui s'arrêtait dans l'allée mit fin à notre conversation. Joséphine avait couru à la fenêtre.

— Qui est-ce? demandai-je.

— Mr. Gaitskill, l'avoué de grand-père. Je suppose qu'il vient pour le testament.

Très surexcitée, Joséphine quitta le salon, vraisemblablement pour poursuivre son enquête.

Magda Leonidès, presque aussitôt, arrivait dans la pièce. A ma grande surprise, elle vint directement à moi et prit mes mains dans les siennes.

— Dieu merci! s'écria-t-elle, vous êtes encore là! On a tant besoin d'un homme, dans cette maison!

Elle me lâcha les mains, s'assit, considéra un moment son image dans une glace, puis resta là, pensive, ses doigts jouant sur la table avec un petit coffret en émail de Battersea, dont elle ouvrait et refermait le couvercle. Son attitude, très étudiée, ne manquait pas de grâce.

Sophia passa la tête dans la porte entrebâillée et, dans un murmure, annonça l'imminente arrivée de Gaitskill.

— Je sais, dit Magda.

Peu après, Sophia entrait, accompagnée d'un petit homme d'un certain âge déjà. Magda se leva pour aller à sa rencontre.

— Bonjour, madame! lui dit-il. Je monte au premier étage. Je crois qu'il y a un malentendu au sujet du testament. D'après la lettre qu'il m'a écrite, votre mari semble penser que ce document est entre mes mains. J'ai l'impression, moi, d'après ce que m'a dit Mr. Leonidès lui-même, qu'il est dans son coffre. Vous ne savez pas ce qu'il en est?

Magda ouvrait de grands yeux étonnés.

— Moi? Certainement pas. N'allez pas me dire que cette vilaine femme l'a détruit!

L'avoué agita, à hauteur de son visage, un index grondeur.

— Voyons, madame, voyons! Pourquoi lancer au hasard des accusations? Il s'agit seulement de savoir où votre beau-père conservait son testament.

— Mais il vous l'a envoyé, après l'avoir signé! J'en suis sûre. Il nous l'a dit.

Gaitskill ne prit même pas la peine de démentir.

— La police, dit-il, a examiné les papiers personnels de Mr. Leonidès. Je vais dire un mot à l'inspecteur...

Il sortit sans rien ajouter.

— Elle l'a détruit! s'écria Magda. Pour moi, ça ne fait pas le moindre doute!

Sophia protesta.

— Mais non, maman! Elle n'aurait pas fait une telle bêtise!

— Une bêtise? Tu ne te rends donc pas compte que, s'il n'y a pas de testament, elle hérite tout!

— Attention! Voici Gaitskill!

L'avoué revenait, escorté de l'inspecteur Taverner. Philip entra derrière eux.

— D'après ce que m'a déclaré Mr. Leonidès, disait Gaitskill, il avait déposé son testament à la banque.

Taverner secoua la tête.

— J'ai téléphoné à la banque. Elle a en dépôt des valeurs que Mr. Leonidès lui avait confiées, mais elle ne détient aucun de ses papiers personnels.

Philip intervint.

— Peut-être Roger ou la tante Edith... Veux-tu les prier de venir, Sophia?

Roger, consulté, n'apporta au débat aucun élément nouveau. Il était sûr que son père, le lendemain même du jour où il l'avait signé, avait par la poste expédié son testament à Gaitskill.

— Si ma mémoire ne me trompe pas, dit l'avoué, c'est le 24 novembre de l'année dernière que j'ai fait tenir à Mr. Leonidès un projet rédigé sur ses instructions. Il l'approuva, m'en fit retour et, un peu plus tard, je lui remis un testament qu'il n'avait plus qu'à signer. Au bout d'une huitaine de jours je me risquai à lui rappeler que je n'avais pas reçu son testament, me hasardant même à lui demander s'il projetait d'apporter au document certaines modifications. Il me répondit que tout était très bien comme ça et que son testament, dûment signé, était maintenant à sa banque.

— Tout cela est parfaitement exact, déclara Roger. Effectivement, l'an dernier, vers la fin de novembre, mon père nous réunit tous, un soir, pour nous donner lecture de son testament.

Taverner se tourna vers Philip Leonidès.

— Est-ce que cela concorde avec vos souvenirs, monsieur Leonidès?

— Oui.

Magda poussa un soupir.

— Je me rappelle fort bien cette soirée. On aurait cru que nous jouions une scène de *La Succession de Voysey*.

Taverner revint à Gaitskill.

— Et quelles étaient les dispositions du testament?

Roger ne laissa pas à l'avoué le temps de répondre.

— Elles étaient extrêmement simples. Electra et Joyce étant mortes, les donations que notre père leur avait faites lui étaient revenues. Le fils de Joyce, William, avait été tué à Burma et l'argent qu'il avait était allé à son père. Nous étions, Philip, les enfants et moi, les seuls héritiers en ligne directe. Notre père laissait, libres de tous droits et charges, cinquante mille livres sterling à la tante Edith et cent mille à Brenda, celle-ci héritant en outre la maison, qu'elle conserverait, à moins qu'elle ne préférât en acheter une à Londres. Le reste devait être partagé en trois parts égales, une pour Philip, une pour moi, la troisième devant être divisée également entre Sophia, Eustache et Joséphine, les parts de ces deux derniers ne devant, bien entendu, leur être remises qu'à leur majorité. Il me semble, monsieur Gaitskill, que je ne me suis pas trompé?

— Effectivement, reconnut l'avoué, un peu vexé que Roger eût pris la parole à sa place, ce sont bien là, en gros, les dispositions du document que j'ai établi.

— Notre père nous l'a lu, reprit Roger. Puis il nous a demandé si nous avions des observations à faire. Naturellement, il n'y en eut pas.

Miss de Haviland rectifia :

— Il y eut les commentaires de Brenda!

— C'est exact! dit Magda avec un plaisir évident. Elle déclara qu'il lui était insupportable d'entendre son cher Aristide parler de sa mort, que ça la rendait malade et que, s'il venait à disparaître, elle ne voulait pas de son argent!

— Une protestation de pure forme, qui montre bien dans quel milieu la dame a été élevée!

Edith de Haviland avait prononcé ces mots d'un ton acide et méprisant. Elle haïssait Brenda, on n'en pouvait douter.

— La lecture terminée, que s'est-il passé? demanda Taverner.

— Mon père a signé le testament, dit Roger.

— Quand et comment?

Roger jeta vers sa femme un regard de détresse. Clemency parla aussitôt, à la satisfaction de tous, me sembla-t-il.

— Vous voulez savoir quel a été exactement le... cérémonial de la signature?

— S'il vous plaît, madame.

— Mon beau-père a posé le testament sur son bureau et prié l'un de nous — Roger, si je me souviens bien — d'appeler son domestique. Johnson, répondant au coup de sonnette, est entré dans la pièce. Mon beau-père lui a demandé d'aller chercher Janet Woolmer, la femme de chambre. Elle est venue, il a signé devant eux, et les a invités à apposer leur signature sur le document, en dessous de la sienne.

— Procédure rigoureusement légale, fit observer Gaitskill.

— Ensuite? demanda Taverner.

— Il les a remerciés et ils se sont retirés. Mon beau-père a mis son testament sous enveloppe, en disant qu'il le ferait parvenir le lendemain à Mr. Gaitskill.

Taverner promena son regard sur l'assistance.

— C'est bien ainsi que les choses se sont passées? Vous êtes tous d'accord?

Des murmures d'acquiescement lui répondirent.

— Vous m'avez dit, reprit-il, que le testament était posé sur le bureau. Étiez-vous loin de ce bureau?

— Pas trop. Disons trois ou quatre mètres.

— Quand Mr. Leonidès a donné lecture de son testament, il était assis à son bureau?

— Oui.

— Sa lecture terminée, s'est-il levé et éloigné de son bureau, avant de signer?

— Non.

— En signant, les domestiques ont-ils pu lire le document?

— Non, mon beau-père avait placé sur le texte une feuille de papier blanc.

— Avec raison, dit Philip. Le contenu de son testament ne les regardait pas.

— Je vois, grommela Taverner. Ou, plutôt, je ne vois pas...

Brusquement, il tira de la poche intérieure de son veston une grande enveloppe oblongue qu'il tendit à l'avoué.

— Jetez un coup d'œil là-dessus et dites-moi ce que c'est!

Mr. Gaitskill ouvrit l'enveloppe, déplia le document qu'elle contenait et, stupéfait, se tourna vers l'inspecteur.

— Je ne comprends pas. Puis-je vous demander où vous avez trouvé ça?

— Dans le coffre de Mr. Leonidès, parmi d'autres papiers.

— Et qu'est-ce que c'est?

Mr. Gaitskill répondit à la question de Roger.

— C'est là, Roger, le testament que j'ai envoyé à votre père

pour qu'il le signe. Mais, et c'est ce que je ne m'explique pas
après ce que vous nous avez dit, il n'est pas signé!

— Alors, c'est qu'il s'agit d'un brouillon!

— Nullement, répliqua l'avoué. Le brouillon, le projet original,
Mr. Leonidès me l'avait retourné et je m'en suis servi pour établir
le document même que j'ai entre les mains, lequel devait porter
trois signatures. Je n'en vois aucune!

— Mais c'est impossible! s'exclama Roger, sur un ton véhément
que je ne lui connaissais pas encore.

Taverner se tourna vers lui.

— Votre père avait une bonne vue?

— Il souffrait d'un glaucome. Pour lire, il mettait des verres
très forts.

— Il les portait ce soir-là?

— Oui. Il n'a retiré ses lunettes qu'après avoir signé. Je ne
crois pas me tromper.

— C'est parfaitement exact, affirma Clemency.

— Et vous en êtes tous bien sûrs, personne ne s'est approché
du bureau avant la signature?

— Maintenant, je me le demande! dit Magda, clignant des
yeux. Il faudrait pouvoir revoir la scène.

Sophia intervint, catégorique.

— Personne n'est allé près du bureau et grand-père ne s'en
est pas éloigné une seconde.

— Le bureau était où il se trouve actuellement? Il n'était
pas près d'une porte, près d'une fenêtre, ou d'une tenture quelconque?

— Non. Il était où vous l'avez vu.

— J'essaie, reprit Taverner, de me représenter comment la
substitution, qui n'est pas douteuse, a pu être opérée. Mr. Leonidès, j'en suis convaincu, était persuadé qu'il signait le document
dont il venait de vous donner lecture.

— N'est-il pas possible qu'on ait fait disparaître les signatures?
demanda Roger.

— Non, monsieur Leonidès. La chose aurait laissé des traces.
Ce qui se peut, par contre, c'est que ce document ne soit pas
celui que Mr. Gaitskill avait envoyé à Mr. Leonidès et qui fut
signé en votre présence.

— Du tout! s'écria l'avoué. Je puis jurer que c'est bien là
le document original. Il y a une paille dans le papier, dans le coin
gauche, en haut... On dirait un avion. Je l'avais remarquée à l'époque.

— Mais enfin, lança Roger, nous étions tous là! Je me refuse
à croire que tout cela soit possible!

Miss de Haviland toussota.

— Inutile de dire que les choses sont impossibles quand on constate qu'elles sont! Ce que j'aimerais savoir, c'est ce qu'est maintenant notre position.

Gaitskill retrouva immédiatement toute la prudence du juriste.

— La situation, déclara-t-il, demande un examen attentif. Le présent document, c'est incontestable, révoque tous les testaments que Mr. Leonidès aurait pu faire antérieurement. Des témoins nombreux ont vu mon client apposer sa signature sur ce qu'il croyait, en toute bonne foi, être le document même que voici. Sa volonté est certaine, mais nous nous trouvons en présence d'un problème juridique extrêmement délicat.

Taverner consulta sa montre.

— J'ai bien peur, dit-il, d'être en train de vous empêcher de vous mettre à table!

— Puis-je vous retenir à déjeuner, inspecteur? demanda Philip.

— Je vous remercie, monsieur Leonidès, mais j'ai rendez-vous à Swinly Dean avec le docteur Gray.

Philip se tourna vers l'avoué.

— Vous restez avec nous, Gaitskill?

— Volontiers, Philip.

Tout le monde se leva. Je me glissai discrètement près de Sophia, à qui, dans un souffle, je demandai si je devais m'en aller. Elle me répondit qu'elle croyait que cela valait mieux. Je quittai la pièce, me hâtant pour rejoindre Taverner, déjà sorti. Dans le couloir, je rencontrai Joséphine.

— Les policiers sont des idiots! me dit-elle.

Sophia parut, venant du salon.

— Où étais-tu, Joséphine?

— Avec Nannie, à la cuisine.

— Je croirais plutôt que tu écoutais à la porte.

Joséphine fit une grimace à sa sœur et battit en retraite. Sophia hocha la tête et dit :

— L'éducation de cette enfant pose des problèmes bien difficiles.

J'entrai dans le bureau de mon père, au Yard, comme Taverner achevait un récit qui devait avoir été passablement désabusé.

— Et voilà où nous en sommes! disait-il. Je sais à peu près ce qu'ils ont dans le ventre et qu'est-ce que ça me donne? Rien du tout! Mobiles? Néant. Aucun d'eux n'est fauché et tout ce que nous avons contre la femme et son amoureux, c'est qu'il la contemple avec des yeux langoureux quand elle lui verse son café.

— Allons, allons, Taverner! dis-je. Si vous voulez, moi, je peux vous donner mieux que ça!

— Vraiment? Et qu'est-ce que vous avez donc?

Je m'assis, j'allumai une cigarette, puis je vidai mon sac.

— Roger Leonidès et sa femme devaient filer à l'étranger mardi prochain. Roger et son père ont eu une explication orageuse le jour même de la mort du vieux. L'ancêtre avait découvert quelque chose qui ne tournait pas rond et Roger se reconnaissait coupable.

Les joues de Taverner s'étaient empourprées.

— D'où diable tenez-vous tout ça? Si vous avez interrogé les domestiques...

— Je ne leur ai rien demandé. Je dois mes renseignements à un détective privé.

— Qu'est-ce que vous me chantez là?

— Et j'ajoute que, comme dans les meilleurs romans du genre, ce détective privé laisse loin derrière lui les limiers officiels. Je crois, d'ailleurs, qu'il en sait plus encore qu'il ne m'en a confié.

Taverner ouvrit la bouche pour parler et la referma sans avoir rien dit. Il avait tant de questions à poser qu'il ne savait par laquelle commencer.

— Alors, dit-il enfin, Roger serait un pas grand-chose?

Je le mis au courant. Sans joie. Roger m'était sympathique et il me répugnait un peu de lancer sur lui les policiers. Évidemment, Joséphine pouvait m'avoir menti, mais j'en doutais fort. Si elle avait dit vrai, la situation prenait un aspect tout nouveau. Si Roger avait détourné les fonds de l'Associated Catering et si son père avait découvert la chose, on pouvait trouver au crime une explication, Roger supprimant le vieux et quittant l'Angleterre avant que la vérité ne fût connue.

— Avant tout, dit mon père, il faut savoir comment vont les affaires de l'Associated Catering. Si c'est un krach, il sera de taille!

— Si la société est en difficulté, déclara Taverner, le problème est résolu. Le vieux Leonidès fait comparaître Roger. L'autre s'effondre et avoue. Brenda est au cinéma. Roger sort de la chambre de son père, va à la salle de bain, vide une fiole d'insuline et la remplit avec une solution d'ésérine, et le tour est joué! A moins que sa femme ne se soit chargée de l'opération. Elle nous a raconté que, ce jour-là, en rentrant, elle est allée dans l'autre aile de la maison, soi-disant pour y chercher une pipe oubliée par son mari. Il se peut très bien qu'elle n'ait été là-bas que pour trafiquer les fioles dans la salle de bain, avant le retour de Brenda. C'est une femme qui a du sang-froid et je la vois très bien faisant ça!

J'acquiesçai.

— Je la vois même dans ce rôle-là beaucoup mieux que son mari, reprit Taverner. D'autre part, Roger Leonidès n'aurait sans doute pas pensé à l'ésérine. Le poison, c'est un truc de femme!

— Des empoisonneurs, il y en a eu! dit mon père. Et beaucoup!

— D'accord! Mais ils n'étaient pas construits comme Roger.

— Et croyez-vous que Pritchard ressemblait à un empoisonneur?

— Alors, disons qu'ils étaient dans le coup tous les deux...

— Et ayons l'œil tout spécialement sur Lady Macbeth! ajouta mon père, tandis que Taverner s'en allait vers la porte.

L'inspecteur parti, le « pater » se tourna vers moi.

— Cette dernière comparaison te semble bonne?

Je revis la gracieuse silhouette de Clemency Leonidès.

— Pas tellement! dis-je. Lady Macbeth était l'avidité personnifiée. Je ne crois pas que Clemency Leonidès soit âpre.

— Mais peut-être a-t-elle voulu, au prix d'une tentative désespérée, sauver son mari!

— Peut-être... Et il est certain que c'est une femme capable de se montrer... impitoyable!

Je pensais à la phrase de Sophia : « Des gens impitoyables, mais qui ne sont pas tous impitoyables de la même façon. » Le paternel gardait ses yeux fixés sur moi.

— A quoi songes-tu?

Je préférai ne pas le lui dire.

Le lendemain, mon père me convoquait à son bureau. Je l'y trouvai avec un Taverner radieux.

— L'Associated Catering est en perdition, me dit le « pater ».

— Elle coulera d'une minute à l'autre, ajouta Taverner.

— Effectivement, dis-je, j'ai vu que les cours ont sérieusement baissé hier. Mais ils paraissent avoir remonté aujourd'hui.

Taverner reprit :

— Nous avons enquêté avec une discrétion exemplaire, aussi bien pour ne pas provoquer de panique que pour ne pas alerter notre client, mais nos renseignements sont sûrs : le krach est imminent et on ne l'évitera pas. La vérité, c'est que, depuis des années, l'affaire est menée en dépit du bon sens.

— Par Roger Leonidès?

— Évidemment. C'est lui le grand patron!

— Et il a détourné des fonds?

— Non, ce n'est pas notre impression. A franchement parler, Roger Leonidès est peut-être un assassin, mais je ne crois pas que ce soit un escroc. C'est plutôt un imbécile. Il n'a pas le moindre jugement. Il s'est lancé à fond quand il aurait dû freiner et il a freiné quand il aurait dû appuyer sur l'accélérateur, il a donné des pouvoirs exorbitants à des individus impossibles, accordé sa confiance à tout le monde et à n'importe qui, bref, toujours fait exactement ce qu'il convenait de ne pas faire!

— Il y a des gens comme ça, dit mon père. Ils ne sont pas bêtes pour autant. Ils ne savent pas juger les hommes, voilà tout! Et ils s'emballent toujours à contretemps!

— Quand on est comme ça, fit remarquer Taverner, on ne se met pas dans les affaires!

— Sans doute. Mais il se trouvait qu'il était le fils d'Aristide Leonidès...

— Quand le vieux lui a passé la main, reprit Taverner, la compagnie était en plein boum! C'était une mine d'or. Il n'y avait qu'à s'asseoir dans le fauteuil et à laisser courir!

Mon père hocha la tête.

— Ne croyez pas ça, Taverner! Il n'y a pas d'affaire qui se dirige toute seule! Il y a toujours des décisions à prendre et des problèmes, grands ou petits, à résoudre. Si Roger Leonidès se trompait régulièrement...

— Il faut reconnaître, dit Taverner, que c'est un brave homme. Il a conservé des types invraisemblables, simplement parce qu'il avait pour eux de la sympathie ou parce qu'ils étaient là depuis longtemps. Il a eu le tort aussi de dépenser des sommes folles pour réaliser des projets qui ne tenaient pas debout.

— Sans commettre, cependant, rien de répréhensible?

— Rien.

— Alors, demandai-je, pourquoi aurait-il tué?

— Dans ces cas-là, répondit l'inspecteur, qu'on soit un fou ou une crapule, le résultat est le même, ou à peu près. Il n'y avait

qu'une chose qui pouvait empêcher l'Associated Catering de
sombrer. Il lui aurait fallu recevoir, avant mercredi prochain au
plus tard, une somme vraiment considérable.

— Analogue à celle dont il hériterait?

— Exactement.

— Mais cet héritage ne lui donnerait aucune disponibilité
immédiate.

— Il lui vaudrait du crédit. Ça revient au même.

Le « pater » approuva du chef et dit :

— N'aurait-il pas été pour lui infiniment plus simple d'aller
trouver le vieux Leonidès et de lui demander un coup d'épaule.

— A mon avis, déclara Taverner, c'est ce qu'il a fait et c'est
la conversation qu'ils ont eue à ce moment-là que la gosse a
entendue. Le vieux n'a pas marché estimant que les pertes étaient
suffisantes comme ça et que mieux valait ne pas essayer de les
rattraper. Il avait horreur de jeter l'argent par les fenêtres.

Je crois que, sur ce point, Taverner voyait juste. Aristide
Leonidès n'avait pas voulu monter la pièce de Magda, parce qu'il
considérait qu'elle ne ferait pas un sou. L'événement devait lui
donner raison. Il se montrait généreux avec les siens, mais il
n'était pas homme à engloutir des capitaux dans une entreprise
condamnée. L'Associated Catering avait vraisemblablement
besoin de centaines de milliers de livres. Il avait refusé de les
donner. Il ne restait donc à Roger qu'un moyen d'éviter la ruine :
tuer son père.

C'était bien le *mobile* que nous cherchions.

Le paternel consulta sa montre.

— Je lui ai demandé de venir, dit-il. Il arrivera d'une minute
à l'autre.

— Roger?

— Oui.

La chose me chiffonna un peu. Je songeai à l'araignée de la
fable, invitant la mouche à entrer dans son antichambre. Tout
était prêt. Le sténographe affûtait ses crayons. Un trembleur
vibra et, quelques instants plus tard, Roger pénétrait dans la
pièce.

Il se heurta à la chaise et, de nouveau, sa gaucherie me frappa.
Je ne pouvais le voir sans songer à un bon gros chien, cordial et
maladroit. Impossible, vraiment, que cet homme-là eût transvasé
de l'ésérine dans une fiole d'insuline. Il aurait cassé les verres
en les manipulant.

Il parlait, très volubile.

— Vous désiriez me voir? Vous avez trouvé quelque chose?...

Oh! excusez-moi, Charles, je ne vous avais pas aperçu! C'est gentil à vous d'être venu. Mais, dites-moi, Sir Arthur...

Il avait décidément l'air d'un brave type. Seulement, des quantités d'assassins sont des gens délicieux jusqu'au jour où ils commettent le crime qui stupéfie leurs amis. Je lui souris. Lâchement. Je me faisais l'effet d'être Judas. Après quoi, j'allai m'asseoir dans un coin et j'écoutai.

Très froid, très « service », mon père avait prononcé les phrases rituelles. Roger ayant nettement manifesté qu'il se souciait fort peu des routines policières et ne voyait aucun inconvénient à parler hors de la présence d'un avocat, le « pater » poursuivit :

— Je vous ai prié de venir jusqu'ici, monsieur Leonidès, non pour vous communiquer des informations, mais pour vous inviter à me donner celles que jusqu'à présent vous avez cru devoir garder par-devers vous.

Roger semblait abasourdi.

— Mais je vous ai tout dit, absolument tout!

— J'en doute. Vous avez bien eu un entretien avec le défunt dans l'après-midi même où il est mort?

— C'est exact. J'ai pris le thé avec lui. Je vous l'ai dit.

— Vous me l'avez dit, c'est vrai, mais vous ne nous avez rien dit de la conversation.

— Nous avons... parlé, tout simplement.

— Parlé de quoi?

— Des petits faits de la journée, de la maison, de Sophia...

— Mais pas de l'Associated Catering.

Je crois que jusqu'alors je m'étais complu à penser que toute cette histoire n'existait que dans l'imagination de Joséphine. Cet espoir, je devais y renoncer : Roger, blême, était l'image même du désarroi. Il se laissa tomber dans un fauteuil et se cacha le visage dans les mains, en murmurant : « Mon Dieu! » Taverner souriait : le chat guettait la souris.

— Vous admettez, monsieur Leonidès, que vous avez manqué de franchise avec nous?

— Mais comment savez-vous? Je pensais que tout le monde l'ignorait et je ne vois pas comment quelqu'un a pu le savoir!

Mon père déclara d'un ton assez solennel que la police connaissait son métier. Il ajouta :

— Je veux croire, monsieur Leonidès, que vous vous rendez compte maintenant que vous auriez intérêt à nous dire la vérité?

— Évidemment. Je vais vous la dire. Que voulez-vous savoir?

— Est-il exact que l'Associated Catering se trouve au bord de la faillite?

— Oui. Le krach ne peut plus être évité. Si seulement mon père avait pu mourir sans savoir ça! Je me sens si honteux, si déshonoré...

— La déconfiture de l'Associated Catering peut-elle donner lieu à des poursuites?

Roger redressa le buste.

— Certainement pas! Nous sombrerons, mais honorablement. Les créanciers recevront vingt shillings pour une livre, si je mets dans la liquidation mes biens personnels, ce que je ferai. Non, ce qui fait ma honte, c'est que je n'ai pas été digne de la confiance dont mon père m'avait honoré. Il m'avait placé à la tête de sa plus belle entreprise, celle qu'il chérissait entre toutes. Il n'est jamais intervenu dans mes opérations il ne m'a jamais demandé ce que je faisais. Il me faisait confiance, simplement... et je ne le méritais pas!

Mon père répliqua assez sèchement :

— Comment se fait-il, s'il n'y a pas lieu d'envisager des poursuites, que vous ayez songé à fuir à l'étranger, avec votre femme, sans rien dire à personne?

— Vous savez ça aussi?

— Mais oui, monsieur Leonidès!

Roger reprit, d'une voix que l'émotion voilait par instants :

— Vous ne comprenez donc pas? Il m'était impossible d'affronter mon père et de lui dire la vérité. Il aurait cru que je lui demandais de l'argent, que j'attendais de lui qu'il me renflouât! Il avait pour moi beaucoup... beaucoup d'affection. Il aurait tenu à venir à mon secours... et c'était ce que je ne voulais pas. Tout aurait recommencé comme auparavant et, une fois encore, j'aurais tout gâché! Je ne suis pas de taille à mener une affaire comme celle-là! Je ne suis pas l'homme que mon père était. Je l'ai toujours su. J'ai fait de mon mieux... et j'ai échoué. Les jours que j'ai vécus, vous ne sauriez les imaginer! J'ai tout fait pour me remettre à flots, dans l'espoir que le pauvre cher homme ne saurait jamais rien : tous mes efforts sont restés vains... et il est venu un moment où j'ai compris que le krach était désormais inévitable. Avec ma femme, qui voyait les choses comme je les voyais moi-même, nous avons longuement examiné la situation pour, finalement, décider de ne rien dire à personne et de nous en aller, cependant que l'orage éclaterait. Je laisserais à mon père une lettre, où je lui expliquerais tout, le suppliant de me pardonner. Il aurait essayé de venir à mon secours — il a toujours été d'une telle bonté pour moi! — mais il aurait été trop tard... et c'était bien ce que je voulais! Ne rien lui demander, et surtout ne pas avoir l'air de lui demander quelque chose! J'aurais recommencé ma vie ailleurs, vivant simplement, humblement. L'existence n'aurait pas été facile et c'était un lourd sacrifice que je demandais à Clemency, mais elle m'avait juré qu'elle l'acceptait de grand cœur. C'est une femme admirable... absolument.

— Je vois. Et pourquoi avez-vous changé d'avis?

Le ton du « pater » restait glacial.

— Changé d'avis?

— Oui. Pourquoi, en définitive, êtes-vous allé trouver votre père pour lui demander une aide financière?

Roger ouvrait de grands yeux.

— Mais je ne lui ai rien demandé de tel!

— Voyons, voyons, monsieur Leonidès!

— Je vous dis la vérité. Je ne suis pas allé le trouver, c'est lui qui m'a fait appeler. Des bruits avaient dû parvenir jusqu'à lui. quelqu'un avait dû le renseigner, bref il était au courant. Il essaya de me faire parler... et, finalement, je m'effondrai. Je lui racontai tout, lui disant que la perte d'argent m'était moins douloureuse que le sentiment de n'avoir pas été digne de lui...

Roger avala sa salive et poursuivit :

— Il ne me fit aucun reproche, le cher homme! Il ne me dit que des paroles gentilles. Je lui déclarai que je ne souhaitais pas qu'il me vînt en aide, que je préférais m'en tenir à mes résolutions et m'expatrier, comme j'avais décidé de le faire. Il ne voulut rien entendre. Son parti était pris : il remettrait l'Associated Catering sur pied.

Le « pater » répliqua d'une voix tranchante :

— Vous nous demandez de croire que votre père avait l'intention de vous apporter une aide financière?

— Certainement. Il a d'ailleurs écrit sur-le-champ une lettre à ses banquiers pour leur donner des instructions à cet effet.

Mon père semblait incrédule. Roger rougit.

— Cette lettre, je l'ai toujours. Je devais la mettre à la poste, mais, naturellement, dans le désarroi qui a suivi la mort de mon père, j'ai oublié. Je dois l'avoir dans ma poche...

Il explora son portefeuille et, y découvrant enfin ce qu'il cherchait, tendit au « pater » une enveloppe timbrée adressée — je le lus de loin — à Messrs. Greatorex et Hanbury.

— Lisez vous-même, dit-il. Puisque vous ne me croyez pas...

Taverner, qui s'était approché, prit en même temps que mon père connaissance de la lettre, dont le contenu ne devait m'être révélé qu'un peu plus tard. Elle invitait Messrs. Greatorex et Hanbury à réaliser certaines valeurs et les priait d'envoyer le lendemain un de leurs collaborateurs auprès de M. Aristide Leonidès pour recevoir de lui certaines instructions relatives à l'Associated Catering. Roger n'avait pas menti. Son père se disposait à renflouer l'affaire.

— Nous conserverons cette lettre, monsieur Leonidès, dit Taverner. Je vais vous en donner reçu.

Roger se leva.

— Vous n'avez rien d'autre à me demander? Je vous ai convaincus?

Taverner lui remit le reçu qu'il venait de rédiger et reprit :

— Cette lettre en poche, vous avez quitté Mr. Leonidès. Qu'avez-vous fait ensuite?

— Je me suis précipité chez moi. Ma femme venait de rentrer. Je l'ai mise au courant des intentions de mon père. Je lui ai dit comme il avait été admirable! J'étais fort ému et je savais à peine ce que je faisais.

— Et c'est longtemps après que votre père s'est... senti mal?

— Une demi-heure, peut-être... ou une heure, je ne saurais préciser. Brenda est arrivée chez nous, tout essoufflée, les yeux hagards. Elle nous dit que mon père était très mal. J'ai couru chez lui, avec elle... Mais je vous ai déjà dit tout cela!

— Au cours de la visite que vous aviez faite auparavant à votre père, étiez-vous entré dans la salle de bain qui communique avec sa chambre?

— Je ne crois pas... Non, je suis sûr que non. Mais vous ne supposez pas que c'est moi qui...

Le « pater » ne laissa pas le temps à Roger d'exprimer son indignation. Vivement, il se leva, alla à lui et lui prit les deux mains, disant :

— Je vous remercie, monsieur Leonidès. Vous nous avez appris des choses fort intéressantes que vous avez seulement eu le tort de ne pas nous dire plus tôt.

Roger sorti, je me levai pour aller jeter un coup d'œil sur la lettre, restée sur le bureau de mon père.

— Il se peut que ce soit un faux! dit Taverner, comme s'il avouait un dernier espoir.

Le paternel admit que c'était possible.

— Mais je ne le crois guère, ajouta-t-il, et je pense que nous devons accepter la situation telle qu'elle est. Le vieux Leonidès se préparait à tirer son fils du pétrin, une chose qui lui était plus facile qu'elle ne le sera à l'intéressé, maintenant que son père est mort. On commence à savoir qu'il n'y a pas de testament, de sorte que l'on ne peut préciser ce que sera la part de Roger.

On ne sera fixé que plus tard et, dans l'état actuel des choses, le krach ne peut pas ne pas avoir lieu. Il faut en prendre son parti, Taverner, Leonidès et sa femme n'avaient aucune raison de faire disparaître le bonhomme. Au contraire...

Il s'interrompit, répétant ces deux derniers mots, comme si une idée tout e nouvelle venait de se présenter à son esprit. Parlant très lentement, il reprit :

— Si Aristide Leonidès avait vécu encore un peu, ne fût-ce que vingt-quatre heures, Roger aurait été tiré d'affaire. Mais ces vingt-quatre heures il ne les a pas eues. Il est mort dans l'heure, ou à peu près.

— Vous croyez, demanda Taverner, que quelqu'un, dans la maison, souhaitait que Roger fît la culbute? Quelqu'un qui y aurait trouvé son compte? Ça me paraît peu vraisemblable.

Le « pater » riposta par une double question.

— Où en sommes-nous avec le testament? A qui va l'argent du vieux?

— Vous connaissez les hommes de loi! répondit Taverner. Impossible de leur extraire un renseignement précis! Il y a un testament antérieur, qui remonte à l'époque de son mariage avec la seconde Mrs. Leonidès. Il lui laisse, à elle, la même somme, Miss de Haviland reçoit un peu moins et le reliquat est partagé entre Philip et Roger. Je m'étais dit que, puisque l'autre testament n'était pas signé, l'ancien était valable, mais il paraît que ce n'est pas si simple que ça. Le seul fait qu'un second testament ait été rédigé rendrait le premier caduc, d'autant plus que des témoins attestent qu'il a été signé et qu'il n'y a donc aucun doute sur les intentions du défunt. Mais, finalement, il mourrait intestat que je n'en serais pas surpris. Dans ce cas-là, toute la fortune irait vraisemblablement à la veuve, ou tout au moins l'usufruit.

— Si le testament a disparu, c'est donc Brenda Leonidès qui, plus que quiconque, aurait lieu de s'en féliciter?

— Sans aucun doute. Pour moi, s'il y a eu un tour de passe-passe, elle est dans le coup! Mais du diable si je sais comment elle a pu s'y prendre!

Je ne le voyais pas plus que Taverner. Je reconnais que nous nous montrions d'une stupidité incroyable. Seulement, nous ne considérions pas les choses sous l'angle convenable.

Après le départ de Taverner, nous restâmes silencieux un instant. Je me décidai enfin à parler.

— Un assassin, papa, à quoi ressemble-t-il?

Le « pater » leva la tête et me regarda d'un air pensif. Nous nous comprenons si bien qu'il savait parfaitement pourquoi je posais la question. Il y répondit avec le plus grand sérieux.

— Évidemment, dit-il, je me rends compte... Tu ne peux plus regarder les choses en simple spectateur...

J'avais toujours suivi avec intérêt, mais en amateur, les affaires « sensationnelles » dont le C. I. D.* s'occupait, mais, ainsi que mon père venait de le faire observer, dans le cas présent, ma position ne pouvait être celle d'un simple curieux.

— Je ne sais, poursuivit-il, si c'est bien à moi qu'il faut demander ça. Les éminents psychiatres qui travaillent avec nous ont sur le sujet des idées très arrêtées. Taverner, lui aussi, pourrait t'en dire long. Mais ce qui t'intéresse, j'imagine, c'est de savoir ce que je pense là-dessus, moi, après avoir fréquenté les criminels pendant des années et des années?

— Exactement, dis-je.

Traçant de la pointe de l'index un cercle sur son sous-main, le « pater » reprit :

— Des assassins? J'en ai connu de bien sympathiques...

J'eus un mouvement de surprise, qui le fit sourire. Il poursuivit :

— Mais oui, bien sympathiques!... Des types ordinaires, comme toi et moi, ou comme ce Roger Leonidès qui sort d'ici. Le meurtre, vois-tu, est un crime d'amateur. Je ne parle pas, bien entendu, des gangsters, mais des assassins d'occasion. Ceux-là, on a souvent l'impression que ce sont de très braves gens dont on dirait presque qu'ils n'ont tué que par accident. Ils se trouvaient dans une position difficile, ils désiraient désespérément quelque chose, de l'argent ou une femme, et, pour l'obtenir, ils ont tué. Le frein, qui existe chez la plupart d'entre nous, ne fonctionne pas chez eux. L'enfant, de même, passe immédiatement de l'intention à l'action. Furieux contre son petit chat, il lui dit : « Je te tuerai! », puis il l'assomme à coups de marteau, quitte à pleurer ensuite toutes les larmes de son corps parce qu'il lui est impossible de le ressusciter. La notion du bien et du mal

* Le « Criminal Investigation Department », *la brigade des recherches criminelles.*

s'acquiert assez rapidement, mais, chez certaines gens, le fait n'empêche rien. A ma connaissance, le meurtrier n'a jamais de remords. Son raisonnement n'est pas le nôtre : il n'a rien fait de mal, il a accompli un geste nécessaire, le seul qui lui permettait de sortir de l'impasse, et c'est la victime qui est responsable de tout.

— Crois-tu, demandai-je, que la haine, la haine seule, puisse être un mobile suffisant? Est-il possible, par exemple, que le vieux Leonidès ait été tué par quelqu'un qui le haïssait de long-temps?

— Ça me paraît douteux, répondit le « pater ». La haine, celle à laquelle tu fais allusion, n'est en réalité qu'une antipathie particulièrement accusée. Les meurtriers tuent plus souvent les gens qu'ils aiment que ceux qu'ils détestent, et cela parce que ce sont surtout ceux que nous aimons qui peuvent nous rendre la vie insupportable.

Après un silence, il reprit :

— Tu me diras que tout ça ne nous avance guère, et c'est vrai! Si je te comprends bien, ce que tu voudrais connaître, c'est le signe qui, dans une maisonnée où tout le monde semble à peu près normal, te permettrait de dire avec certitude : « L'assassin, le voici! »

— C'est exactement ça!

— Existe-t-il un trait qui se trouve chez tous les meurtriers, un « dénominateur commun »? Je me le demande. S'il existe, ce serait, je crois, la vanité.

— La vanité?

— Oui. Je n'ai jamais rencontré un meurtrier qui ne fût vaniteux. Neuf fois sur dix, il a tué par orgueil. Il a peur d'être pris, mais il ne peut s'empêcher de se vanter de son crime, et cela d'autant plus volontiers que, presque toujours, il est persuadé qu'il est beaucoup trop malin pour se faire pincer. De plus, il faut qu'il parle!

— Il faut qu'il parle?

— Ça s'explique. Du fait même qu'il a tué, il est seul. Il aurait besoin de se confier... et la chose lui est interdite, ce qui ne fait qu'exacerber son envie de parler de son crime. Il ne dira rien, bien sûr, du meurtre lui-même, mais il le discutera, avancera des théories, échafaudera des hypothèses. A ta place, Charles, c'est de ce côté-là que je chercherais. Vois les gens et fais-les parler! Ça n'ira pas tout seul, c'est évident, mais je suis convaincu qu'ils sont plusieurs qui seront heureux de te faire des confidences, parce qu'ils ne verront aucun inconvénient à dire à un étranger des choses qu'ils ne peuvent pas se dire entre eux. Tu verras bien ceux qui ont vraiment quelque chose à cacher, ceux qui essaieront de te lancer sur une fausse piste. Ceux-là commettent toujours la petite erreur qui les trahit...

Le moment me parut venu de rapporter à mon père ce que Sophia m'avait dit du caractère de tous les Leonidès. Tous impitoyables, mais de façon différente. La chose l'intéressa.

— Voilà, me dit-il, qui est évidemment fort intéressant. Il n'est guère de familles où l'on ne relève ainsi quelque trait caractéristique. Le défaut de la cuirasse... C'est passionnant, ces questions d'hérédité! Les de Haviland sont sans pitié, mais ils ont le sens de la justice. Les Leonidès ne sont pas moins durs, ils ne sont pas toujours très scrupuleux, mais, ce qui rachète tout, ils ne sont pas méchants. Seulement, imagine un descendant qui tienne et des uns et des autres! Tu vois ce que je veux dire?

Je n'eus pas le temps de répondre. Il poursuivait :

— Au surplus, je ne te conseille pas de te casser la tête avec ces histoires d'hérédité, qui sont d'une complexité décourageante. Le mieux que tu puisses faire, mon garçon, c'est de provoquer les confidences de ces gens-là. Sophia avait parfaitement raison de te dire que vous ne pouvez, elle et toi, que gagner à ce que la vérité soit connue.

Comme je me levais pour sortir, il ajouta :

— Autre chose! Fais attention à la petite!

— A Joséphine? Tu crois qu'elle pourrait me deviner?

— Tu ne m'as pas compris. Je veux dire : « Veille à ce qu'il ne lui arrive rien! »

Je regardai mon père avec stupeur. Il reprit :

— Réfléchis, Charles! Il y a dans cette maison un assassin, à qui la résolution ne manque pas. La jeune Joséphine a l'air d'être au courant de pas mal de choses. Conclus!

— Il est certain, dis-je, qu'elle savait tout des intentions de Roger. Elle se trompait sur un point : Roger n'est pas un escroc, mais, pour le reste, elle avait bien entendu.

— Aucun doute là-dessus. Le témoignage d'un enfant est toujours excellent et, pour moi, je ne le néglige jamais. On ne peut pas compter sur eux devant le tribunal, bien sûr, les gosses devenant idiots quand on les interroge directement, mais, lorsqu'ils parlent sans qu'on leur demande rien, lorsqu'ils essaient de se faire valoir, ils sont extrêmement utiles. Joséphine a voulu t'en mettre plein la vue. Il dépend de toi qu'elle continue. Ne lui pose pas de questions, dis-lui qu'elle ne sait rien, je suis convaincu qu'elle fera de son mieux pour te prouver le contraire. Seulement, veille sur elle! Il y a vraisemblablement quelqu'un qui pourrait juger qu'elle en sait un peu trop!

## CHAPITRE XIII

Je quittai mon père assez mal à l'aise : je me sentais coupable. Sans doute, j'avais rapporté à Taverner tout ce que Joséphine m'avait dit sur Roger, mais je ne lui avais pas parlé de ces lettres d'amour que, d'après la petite, Brenda et Laurence Brown s'écrivaient.

J'essayais de me trouver des excuses : la chose n'était peut-être pas vraie, et, en admettant qu'elle le fût, elle était sans importance. La vérité, je le voyais bien, c'était qu'il me répugnait de charger Brenda. Elle m'inspirait de la sympathie, du fait même qu'elle se trouvait solitaire dans cette maison où tout le monde lui était hostile. Si les lettres existaient, Taverner et ses sbires finiraient bien par mettre la main dessus. Je n'avais pas à les alerter. Brenda, d'ailleurs, m'avait assuré qu'il n'y avait rien entre Laurence Brown et elle, et j'étais plus porté à la croire qu'à faire confiance à ce petit démon de Joséphine. Brenda elle-même ne m'avait-elle pas dit que l'enfant n'avait pas « toute sa tête »? Une affirmation, il est vrai, qui me laissait sceptique, quand je songeais au regard intelligent de Joséphine.

Je téléphonai à Sophia pour lui demander si je pourrais retourner la voir.

— Mais certainement, Charles!

— Comment vont les choses, là-bas?

— Je n'en sais trop rien. La police continue à fureter partout. Que cherche-t-elle?

— Pas la moindre idée!

— Nous devenons tous extrêmement nerveux. Venez le plus tôt que vous pourrez! Je deviendrai folle si je ne parle pas à quelqu'un!

Je me rendis à *Three Gables* en taxi. La grande porte était ouverte. Devais-je sonner ou entrer directement? J'hésitais, quand j'entendis derrière moi un bruit léger qui me fit brusquement tourner la tête. J'aperçus Joséphine qui m'observait, debout près d'une haie de lauriers. Son visage était à demi caché par une énorme pomme. Je l'appelai.

— Bonjour, Joséphine!

Elle ne me répondit pas et disparut derrière la haie. Traversant l'allée, je me lançai à sa poursuite. Je la trouvai, assise sur un banc rustique fort inconfortable, auprès d'un bassin où nageaient des poissons rouges. Je ne voyais guère que ses yeux. Ils me regardaient avec une hostilité évidente.

— Me voici revenu! dis-je.

L'entrée en matière n'était pas fameuse, mais le silence de Joséphine et son attitude fermée me gênaient. Fine mouche, elle ne me répondit pas.

— Elle est bonne, cette pomme? demandai-je.

Cette fois, Joséphine condescendit à me répondre. Elle se contenta d'un mot.

— Cotonneuse.

— Dommage! dis-je. Je n'aime pas les pommes cotonneuses.

Elle dit, d'un petit ton méprisant :

— Personne ne les aime!

— Pourquoi ne m'avez-vous pas répondu quand je vous ai dit bonjour?

— Ça ne me disait rien!

— Pourquoi donc?

Afin d'articuler plus clairement, Joséphine finit sa bouchée avant de parler.

— Parce que, dit-elle enfin, vous êtes allé cafarder à la police.

J'étais plutôt surpris. Elle précisa :

— A propos de l'oncle Roger.

— Mais, Joséphine, tout est pour le mieux! La police sait maintenant qu'il n'a rien fait de mal, qu'il n'a pas commis la moindre escroquerie...

Elle me considéra d'un œil méprisant.

— Ce que vous pouvez être bête!

— Désolé, Joséphine!

— Je me fiche pas mal de l'oncle Roger! Si je vous en veux, c'est parce que ce n'est pas du travail de détective! Vous ne savez donc pas qu'on ne raconte jamais rien à la police avant que tout soit terminé?

— Je suis navré, Joséphine, vraiment navré.

— Il y a de quoi.

La voix lourde de reproche, elle ajouta :

— J'avais eu confiance en vous...

Une troisième fois, je répétai que j'étais navré. Le regard de Joséphine me parut s'adoucir. Elle donna dans sa pomme un nouveau coup de dent. Je repris :

— De toute façon, la police aurait fini par savoir. Nous ne pouvions pas tenir longtemps la chose secrète.

— Parce qu'il va faire faillite?

Comme toujours, Joséphine était bien informée.

— Je crois qu'il faudra bien en arriver là.

— Ils doivent parler de ça ce soir, dit Joséphine. Papa, maman, l'oncle Roger et la tante Edith. La tante est prête à donner tout son argent à Roger. Seulement, elle ne l'a pas encore et, quant à papa, je ne crois pas qu'il marchera. Il dit que si Roger est dans la mélasse, il n'a à s'en prendre qu'à lui-même et que c'est un jeu de dupes que de courir après son argent. Maman, elle, dit comme lui : elle veut que papa garde ses fonds pour Edith Thompson. Au fait, vous la connaissez, l'histoire d'Edith Thompson? Elle était mariée, mais elle n'aimait pas son mari, parce qu'elle était amoureuse d'un jeune homme qui s'appelait Bywaters qui a fini par tuer le mari en le poignardant dans le dos.

Une fois encore, les connaissances de Joséphine faisaient mon admiration. Elle poursuivit :

— C'est une belle histoire, mais sans doute que la pièce sera toute différente et que les faits seront arrangés comme dans *Jezabel*. Je voudrais quand même bien savoir pourquoi les chiens ne lui ont pas mangé les paumes!

J'esquivai la question.

— Vous m'avez dit, Joséphine, que vous étiez à peu près sûre de connaître le nom du meurtrier?

— Et alors?

— L'assassin, qui est-ce?

Elle me toisa avec dédain.

— Compris! dis-je. Je devrai attendre le dernier chapitre! Même si je vous promets de ne rien dire à l'inspecteur Taverner?

Elle parut s'amadouer.

— Il me manque encore des preuves...

Jetant son trognon de pomme dans le bassin, elle ajouta :

— D'ailleurs, je ne vous dirai rien! Au mieux, vous n'êtes que Watson!

J'encaissai l'insulte.

— Soit! dis-je. Je suis Watson. Il était ce qu'il était, mais il avait toujours les données du problème...

— Les quoi?

— Les données, les faits. Il se trompait dans ses déductions, mais il avait tous les éléments de la solution. Ça ne vous amuserait pas de me voir échafauder des hypothèses qui ne tiendraient pas debout?

Tentée un instant, elle finit par secouer la tête.

— Non. D'ailleurs, je ne suis pas folle de Sherlock Holmès. Il est terriblement vieux jeu. Il n'avait même pas d'auto!

— A propos, vous ne m'avez rien dit des lettres?

— Quelles lettres?

— Celles qu'auraient échangées Laurence Brown et Brenda.

— J'ai tiré ça au clair.

— Je n'en crois rien.

— C'est pourtant vrai!

Je la regardai bien dans les yeux.

— Écoutez, Joséphine! Je connais, au British Museum, un monsieur qui sait un tas de choses sur la Bible. Si j'obtiens de lui qu'il me dise pourquoi les chiens n'ont pas dévoré les paumes de Jézabel, me parlerez-vous de ces lettres?

Cette fois, Joséphine hésita vraiment. Quelque part, pas très loin, une branche morte cassa avec un petit bruit sec.

— Non, dit enfin Joséphine.

J'étais battu. Un peu tardivement, je me rappelai le conseil paternel.

— Je n'insiste pas, déclarai-je. Vous me faites marcher, mais, en réalité, vous ne savez rien!

Joséphine me foudroya du regard, mais ne mordit pas à l'appât. Je me levai.

— Il faut que je me mette à la recherche de Sophia. Venez, Joséphine!

— Je reste ici.

— Certainement pas! Vous m'accompagnez!

Sans plus de cérémonies, je la forçai à quitter son siège. Surprise, elle protesta, mais moins que je ne le craignais. Elle me suivit finalement d'assez bonne grâce, sans doute parce qu'elle était curieuse de voir les réactions des uns et des autres en ma présence. Pourquoi je tenais à ce qu'elle m'accompagnât, je n'aurais su le dire sur le moment. Je ne m'en avisai qu'en entrant dans la maison.

C'était à cause d'une branche morte qui avait craqué.

On parlait dans le grand salon. Après une hésitation, je décidai de ne pas entrer et, suivant le couloir, j'allai, cédant à je ne sais quelle impulsion, pousser une porte masquée par une tenture. Elle donnait sur un passage assez sombre, à l'extrémité duquel une autre porte s'ouvrit presque aussitôt, celle d'une cuisine brillamment éclairée. Dans l'encadrement, j'apercevais une femme âgée, assez corpulente, qui portait un tablier éclatant de blancheur. Nannie, évidemment.

Autant que je sache, elle ne m'avait jamais vu. Pourtant, tout de suite, elle me dit :

— C'est Mr. Charles, n'est-ce pas? Entrez et laissez-moi vous offrir une tasse de thé!

C'était une grande cuisine, où l'on se sentait bien. Je m'assis à l'immense table qui occupait le centre de la pièce et Nannie m'apporta une tasse de thé et deux biscuits sucrés, sur une assiette J'ai trente-cinq ans, mais, près de Nannie, je me retrouvais un petit garçon de quatre ans. Elle me rassurait. Tout allait bien et je n'avais plus peur du « cabinet noir ».

— Miss Sophia sera contente que vous soyez revenu, me dit-elle. Elle commence à être à bout de nerfs.

Elle ajouta, d'un ton désapprobateur :

— Comme tout le monde ici, d'ailleurs.

Je jetai un coup d'œil par-dessus mon épaule.

— Où est passée Joséphine? Elle était rentrée avec moi...

Nannie fit la grimace.

— Cette petite! Tout le temps en train d'écouter aux portes et de gribouiller on ne sait quoi dans ce cahier qui ne la quitte pas! On aurait dû l'envoyer en classe, où elle aurait joué avec des enfants de son âge. Je l'ai dit à Miss Edith et elle est bien de mon avis. Seulement, le maître n'a pas voulu. Il aimait mieux qu'elle restât ici...

— Il l'aime beaucoup, j'imagine?

— Il l'aimait bien, monsieur. Il les aimait bien tous.

Je dus avoir l'air un peu surpris. Pourquoi Nannie parlait-elle de Philip à l'imparfait? Nannie, devinant la cause de mon étonnement, rougit et ajouta vivement :

— Quand j'ai dit le maître, c'est au vieux Mr. Leonidès que je pensais!

Je n'eus pas le temps de répondre. La porte s'ouvrait, livrant passage à Sophia.

— Charles! Vous êtes là?

Elle se tourna vers Nannie.

— Si tu savais, Nannie, ce que je suis heureuse qu'il soit revenu!

— Je le sais, mon pigeon!

Ayant dit, Nannie rassembla vivement une collection de casseroles et de poêles, qu'elle emporta dans une arrière-cuisine, dont elle referma la porte sur elle. Me levant, j'allai à Sophia et je la pris dans mes bras.

— Ma chérie! Vous tremblez! Que se passe-t-il donc?

— J'ai peur, Charles! J'ai peur.

— Je vous aime. Si vous voulez partir d'ici...

Elle secoua la tête.

— Impossible, Charles! Il faut d'abord que nous sachions la vérité! Jusque-là, je resterai ici. Mais c'est une épreuve terrible, Charles! Penser qu'il y a dans cette maison quelqu'un, quelqu'un que je vois tous les jours, à qui je parle, qui me sourit peut-être, et qui est le plus froid, le plus calculateur, le plus dangereux des meurtriers...

Que répondre? Avec une femme telle que Sophia, les banalités rassurantes étaient inutiles. Presque dans un murmure, elle reprit :

— Ce qui m'effraie le plus, c'est qu'il est possible que nous ne sachions jamais...

L'hypothèse n'avait rien d'invraisemblable. Mais elle me remettait en mémoire une question que je m'étais bien promis de poser à Sophia.

— Dites-moi, Sophia! Combien de personnes, dans cette maison, étaient au courant des gouttes d'ésérine? Plus exactement, combien étaient-elles à savoir : *primo*, que votre grand-père se soignait les yeux; *secundo*, que l'ésérine était un poison et, *tertio*, que ce poison, à une certaine dose, pouvait être mortel?

— Je vois où vous voulez en venir, Charles, mais ça ne peut rien vous donner. Au courant, nous l'étions tous!

— Je vous l'accorde, mais...

— Tous, et plus que vous ne pensez, j'en suis sûre! Un jour, après le déjeuner, nous prenions le café avec grand-père. Il y avait longtemps que ses yeux le tourmentaient et Brenda, ainsi qu'elle avait l'habitude de le faire, lui mit dans chaque œil une goutte d'ésérine. Joséphine, qui à propos de tout a toujours une question à poser, demanda ce que voulaient dire les inscriptions qu'on lisait sur le flacon : « *Collyre. Usage externe.* » On le lui expliqua. « Alors, dit-elle, qu'est-ce qui se passerait si on buvait toute la bouteille? » Ce fut grand-père lui-même qui, souriant, répondit : « Si Brenda se trompait et si, par erreur, au lieu de me faire une piqûre d'insuline, elle m'injectait quelques-unes de ces maudites gouttes, il est probable que le souffle me manquerait, que mon visage deviendrait tout bleu et que je mourrais, parce que, voyez-vous, je n'ai plus le cœur très solide ! » Joséphine a fait : « Oh ! » et grand-père, toujours souriant, a ajouté : « De sorte qu'il faut que nous fassions tous bien attention à ce que Brenda ne confonde jamais l'ésérine avec l'insuline. C'est bien votre avis ? »

Après un silence de quelques secondes, Sophia conclut :

— Cela nous l'avons tous entendu ! Convenez que je n'exagère pas quand je dis que nous savions tous à quoi nous en tenir sur l'ésérine !

On ne pouvait guère prétendre le contraire. Je m'étais figuré qu'il avait fallu avoir quelques vagues notions de médecine pour empoisonner le vieux Leonidès. J'avais tort, je m'en apercevais. Il avait lui-même pris soin d'expliquer comment il fallait s'y prendre pour se débarrasser de lui. Il avait, en fait, mâché la besogne à son assassin. Sophia devina le cours de mes pensées. Elle dit :

— Horrible, hein ?

— Une chose me frappe, dis-je.

— Et laquelle ?

— C'est que Brenda ne peut être l'assassin. Après la scène que vous venez de me décrire, elle ne pouvait pas tuer en employant ce moyen-là. Vos souvenirs le lui défendaient.

— Est-ce bien sûr ? Elle est plutôt sotte, vous savez !

— J'en suis moins persuadé que vous. Plus j'y songe, plus je suis convaincu qu'elle n'est pas coupable !

Sophia s'écarta de moi.

— Vous ne voulez pas qu'elle le soit, n'est-ce pas ?

Je restai muet. Je ne pouvais tout de même pas lui répondre : « Si ! J'espère que c'est Brenda qui a tué votre grand-père. »

Pourquoi je ne le pouvais pas ? Je ne le sais pas trop. Parce qu'elle était toute seule, avec tous les autres contre elle ? Peut-être. Parce qu'il est naturel qu'on prenne la défense de celui qui est le plus faible et le plus désarmé ? C'est possible. Ce que je sais, c'est que je vis avec un certain plaisir Nannie sortir de son arrière-cuisine. Elle arrivait à propos. S'aperçut-elle que, Sophia et moi, nous n'étions pas d'accord ? C'est très vraisemblable, car elle dit, sur le ton d'une nourrice morigénant son poupon :

— Ne parlez donc pas d'assassinats et de choses comme ça ! Laissez ça tranquille, c'est ce que vous avez de mieux à faire.

Les policiers sont là pour s'occuper de ça! C'est un vilain travail et vous n'avez pas à le faire!

— Mais, Nannie, tu ne comprends donc pas qu'il y a un meurtrier dans cette maison?

— Vous dites des bêtises, Miss Sophia! Ici, on ne ferme rien! Toutes les portes sont ouvertes. Comme si on demandait aux voleurs et aux assassins de bien vouloir prendre la peine d'entrer!

— Il ne peut pas s'agir d'un cambrioleur, puisqu'on n'a rien volé. D'ailleurs, pourquoi un cambrioleur aurait-il empoisonné quelqu'un?

— Je n'ai pas dit qu'il s'agissait d'un cambrioleur, Miss Sophia. J'ai simplement dit que toutes les portes étaient toujours ouvertes et que n'importe qui pouvait entrer ici. Si vous voulez mon sentiment, les coupables, ce sont les communistes!

Nannie paraissait très satisfaite d'avoir trouvé ça.

— Les communistes? Pourquoi auraient-ils voulu supprimer grand-père?

— Tout le monde sait qu'ils sont toujours prêts à faire le mal! S'ils n'ont pas fait le coup, ce qui est après tout possible, il faut chercher du côté des catholiques!

Sur quoi, Nannie, estimant sans doute que tout était dit, pivota sur ses talons et disparut de nouveau dans son arrière-cuisine. Sophia éclata de rire. Moi également.

— Une bonne protestante! dis-je.

— N'est-ce pas?

Changeant de ton, la voix plus grave, Sophia ajouta :

— Si nous allions au salon, Charles? On y tient une sorte de conseil de famille. Il était prévu pour ce soir, mais il a commencé plus tôt qu'on ne pensait.

— Je ne voudrais pas avoir l'air d'un intrus, Sophia.

— Si vous devez vous marier dans la famille, il n'est pas mauvais que vous sachiez à quoi elle ressemble quand elle laisse les périphrases de côté!

— De quoi s'agit-il?

— Des affaires de Roger. Vous vous êtes, je crois, déjà occupé d'elles. Seulement, il faut que vous soyez fou pour être allé vous imaginer que Roger aurait pu tuer grand-père. Roger l'adorait!

— A vrai dire, je ne l'ai jamais soupçonné, lui. J'ai pensé que Clemency pourrait bien être coupable...

— Et, là encore vous vous êtes trompé! Que Roger perde sa fortune, Clemency n'y voit aucun inconvénient! Au contraire! C'est une femme qui est heureuse quand tout lui manque! C'est curieux, mais c'est comme ça! Venez!

Les voix cessèrent subitement quand Sophia et moi nous entrâmes dans le salon. Tous les yeux nous regardaient.

Ils étaient tous là. Philip, carré dans un grand fauteuil rouge placé entre les deux fenêtres, faisait songer à un juge sur le point de prononcer son verdict. Son beau visage était d'une impassibilité glaciale. Roger était assis de guingois sur un gros pouf, à côté de la cheminée, la chevelure ébouriffée et la cravate de travers. Malgré cela, il paraissait très en forme. Clemency était derrière lui, sa mince silhouette perdue dans un immense fauteuil. Elle semblait lointaine, indifférente à ce qui pouvait se dire autour d'elle. Edith occupait le siège du grand-père. Le buste très droit, les lèvres serrées, elle tricotait avec une incroyable énergie. Quant à Magda et Eustache, ils avaient l'air d'une toile de Gainsborough. Installés côte à côte sur le canapé, ils étaient magnifiques, lui très élégant, avec l'expression de résignation polie d'un gentleman qui s'ennuie avec distinction, elle très duchesse de *Three Gables* dans sa robe de taffetas.

Philip, m'apercevant, fronça le sourcil.

— Sophia, dit-il, nous sommes en train de discuter des affaires de famille, de caractère essentiellement privé.

J'allais battre en retraite, avec une phrase d'excuses, mais Sophia riposta d'une voix très assurée :

— Charles et moi, nous espérons nous marier. Je tiens à ce qu'il assiste à la conversation.

— Et pourquoi pas? s'écria Roger avec feu. Je me tue à te répéter, Philip, qu'il n'y a rien de confidentiel dans tout ça! Demain ou après-demain, le monde entier sera au courant.

Quittant son pouf, il était venu à moi. Me posant la main sur l'épaule, il ajouta, cordial :

— Au surplus, mon cher garçon, vous savez tout, puisque vous étiez présent à l'entretien de ce matin!

— Comment? dit Philip.

Presque aussitôt, il comprit.

— Ah! oui, votre père...

Je me rendais fort bien compte qu'on eût souhaité me voir ailleurs, mais Sophia me tenait fermement par le coude et je ne refusai pas la chaise que Clemency m'indiquait du geste. Miss de Haviland, cependant, reprenait la discussion au point où elle avait été interrompue.

— Vous direz ce que vous voudrez, je persiste à croire, quant à moi, que nous devons respecter les volontés dont nous ne pouvons contester qu'elles étaient celles d'Aristide. Pour ma part, dès que nous en aurons fini avec cette histoire, je mets tout ce que je posséderai à la disposition de Roger!

Roger fourrageait dans ses cheveux avec rage.

— Non, tante Edith, non!

— Pour moi, dit Philip, j'aimerais faire de même, mais j'ai à tenir compte de certaines considérations qui...

Roger ne le laissa pas finir.

— Mais, mon vieux Philip, tu ne comprends donc pas que je ne veux pas recevoir un sou de personne?

— Il ne peut pas! ajouta Clemency.

— De toute façon, fit observer Magda, si le testament est reconnu valable, il aura sa part!

— Il sera trop tard, dit Eustache.

— Est-ce qu'on sait? lança Philip.

— On le sait fort bien! s'écria Roger. Je l'ai dit, je le répète, on ne peut pas éviter le krach! Ça n'a plus d'ailleurs la moindre importance.

Philip répliqua d'un ton sec :

— J'aurais cru le contraire!

Roger se tourna vers lui.

— Maintenant que papa est mort, qu'est-ce que ça peut bien faire? Papa est mort et nous sommes là à discuter de questions d'argent!

Les joues de Philip se teintèrent de rose.

— Il s'agit seulement de te venir en aide!

— Mais je le sais, mon vieux Phil! Seulement, il n'y a rien à faire. Disons que c'est fini et n'en parlons plus!

— Il me semble, reprit Philip, que je pourrais réunir une certaine somme. Les valeurs ont sérieusement baissé et mes capitaux sont en grande partie immobilisés, mais...

Magda intervint :

— Mais bien sûr, chéri, on sait que tu ne peux pas tout sacrifier pour te procurer de l'argent liquide. Il serait même absurde d'essayer et tu dois penser aux enfants!

— Je vous répète que je ne demande rien à personne! cria Roger. Je m'égosille à vous le dire. Que les choses suivent leur cours, je n'en demande pas plus!

— Le prestige de la famille est en cause, dit Philip. Celui de notre père, le nôtre...

— Il ne s'agissait pas d'une affaire de famille. L'entreprise était à moi, à moi seul.

Philip regarda son frère bien en face.

— A toi seul, c'est exact.

Edith de Haviland se leva.

— J'estime, dit-elle, que cette discussion a assez duré.

Elle avait parlé avec une autorité impressionnante. Philip et Magda s'arrachèrent à leur siège. Eustache quitta la pièce en tirant la jambe. Roger passa son bras sous celui de Philip en disant :

— Il faut que tu sois cinglé, Phil, pour avoir cru que j'irais te demander de me dépanner!

Les deux frères sortirent ensemble, suivis de Magda et de Sophia, qui disait avoir à se préoccuper de ma chambre. Edith de Haviland roulait son ouvrage. Elle me regarda et je crus qu'elle allait me parler. Mais, changeant d'avis probablement, elle se retira sans un mot.

Clemency était debout près de la fenêtre, les yeux sur le jardin. J'allai près d'elle. Elle tourna la tête vers moi.

— Dieu merci! dit-elle, c'est fini!

Les narines pincées, elle ajouta :

— Que cette pièce peut être bête!

— Elle ne vous plaît pas?

— J'y respire mal. Elle sent la poussière et les fleurs mortes.

Elle était injuste, mais je comprenais ce qu'elle voulait dire. Ce salon avait quelque chose de trop féminin, de trop douillet. C'était un de ces endroits où un homme ne peut pas être heureux longtemps. Impossible, dans un tel cadre, de lire le journal en fumant sa pipe, les pieds sur un fauteuil. Malgré ça, ayant toujours préféré un boudoir à un champ de manœuvres, j'aimais encore mieux cette pièce que, dans l'appartement du dessus, celle où Clemency m'avait reçu.

— En réalité, reprit-elle, c'est un décor adapté au personnage de Magda.

Son regard, qui avait fait le tour du salon, chercha le mien.

— Vous vous rendez compte de ce que nous venons de jouer? C'est le deuxième acte, le conseil de famille. L'idée était de Magda... et elle ne rimait à rien. Il n'y avait rien à discuter. L'affaire, en effet, est réglée. Complètement.

Il n'y avait dans la voix aucune tristesse. Une certaine satisfaction, plutôt. Devinant mon étonnement, elle poursuivit :

— Vous ne comprenez donc pas?... Nous sommes libres! Enfin! Pendant des années, Roger a été malheureux, vraiment malheureux. Il n'a jamais été fait pour les affaires. Il aime les chevaux, les arbres, la campagne. Mais, comme tous, il adorait son père... C'est ce qui fait le malheur de cette maison! Mon beau-père n'était pas un tyran, il n'imposait pas ses volontés, il ne bousculait jamais personne! Il adorait les siens et il a tout fait pour qu'ils fussent riches et indépendants. Il les aimait et ils l'aimaient.

— Et vous trouvez ça mal?

— Dans une certaine mesure, oui. Quand vos enfants sont grands, j'estime que vous devez vous éloigner, vous effacer, les obliger à vous oublier.

— *Les obliger!* Mais, qu'elle s'exerce dans un sens ou dans l'autre, la contrainte est toujours la contrainte!

— S'il ne s'était pas composé une personnalité si...

— On ne se compose pas une personnalité, dis-je. On l'a ou on ne l'a pas.

— Il en avait trop pour Roger, répliqua-t-elle. Roger vénérait le vieil homme et n'avait d'autre ambition que de faire ce que souhaitait son père. Il n'a pas pu. L'Associated Catering, c'était la joie et l'orgueil de mon beau-père. Il l'a donnée à Roger, qui, placé à la tête de l'entreprise, s'est efforcé de s'y montrer digne de sa confiance. Malheureusement, il n'en avait pas le pouvoir. En matière d'affaires, Roger, il faut bien le dire, est un incapable. Il le sait et c'est ce qui l'a rendu malheureux pendant toutes ces années durant lesquelles il a vu sa société dégringoler, en dépit de tous les efforts qu'il a faits, lesquels ont simplement précipité la catastrophe. Aller d'échec en échec pendant si longtemps, c'est terrible. A quel point Roger a été malheureux, vous ne pouvez pas le savoir. Moi, je le sais!

Il y eut un long silence.

— Vous avez cru, reprit-elle, que Roger avait tué son père par cupidité... et vous l'avez même laissé entendre à la police. C'était ridicule, plus encore que vous ne pouvez croire!

Je confessai humblement que maintenant je m'en rendais compte.

— Quand Roger a compris que le krach était désormais inévitable et imminent, il a éprouvé comme un sentiment de soulagement. Il était navré, à cause de son père, mais pour le reste il se sentait délivré. Il ne pensait qu'à ce que serait notre nouvelle existence...

— Où comptiez-vous vous rendre? demandai-je.

— Aux Barbades. Un lointain cousin à moi est mort là-bas, il y a quelque temps, me laissant une petite propriété. Peu de chose, mais plus qu'il ne nous en fallait. Nous aurions été terriblement pauvres, mais nous aurions lutté et gagné de quoi subsister. Nous n'en souhaitions pas plus. Nous aurions été ensemble... et heureux.

Après un soupir, elle poursuivit :

— Ce qui tracassait Roger, c'était la pensée que ça m'ennuierait d'être pauvre. Une idée ridicule, qui s'explique sans doute par le seul fait qu'il appartient à une famille où l'argent a toujours beaucoup compté. Quand mon premier mari vivait, nous étions pauvres, très pauvres... Roger considère que j'ai accepté cette situation avec beaucoup de courage. Il ne comprend pas que j'étais heureuse, vraiment heureuse! Heureuse comme je ne l'ai jamais été depuis... Et, pourtant, je n'ai jamais aimé Richard comme j'aime Roger!

Elle ferma les yeux à demi, les rouvrit et, tournée vers moi, ajouta :

— De sorte que, vous voyez, je ne tuerais jamais quelqu'un pour de l'argent. Je n'aime pas l'argent.

Elle disait la vérité, je n'en doutais pas. Elle était de ces gens, très rares, pour qui l'argent demeure sans attrait. Ils abhorrent le luxe et lui préfère l'austérité. Seulement, on peut aimer l'argent, non pour lui-même, mais pour la puissance qu'il confère.

— Que vous ne teniez pas à l'argent en soi, dis-je, je le veux bien! Mais il rend possibles bien des choses intéressantes. Les recherches scientifiques, par exemple...

Je me figurais que Clemency se passionnait pour ces travaux.

— Là-dessus, me répondit-elle, je suis très sceptique. Les fonds des mécènes sont généralement dépensés à tort et à travers. Presque toujours, les résultats qui comptent sont obtenus uniquement avec de l'enthousiasme, de l'intelligence et de l'intuition. Les laboratoires équipés à grands frais rendent moins de services qu'on l'imagine. Souvent, parce qu'ils sont en mauvaises mains...

— Regretterez-vous d'abandonner votre travail quand vous irez aux Barbades? demandai-je. Vous partez toujours, je pense?

— Oh! certainement. Dès que la police nous le permettra... Je m'en irai sans regrets. Pourquoi en aurais-je? J'aurai tant à faire là-bas!

Une nuance d'impatience dans la voix, elle ajouta :

— Si seulement nous pouvions partir bientôt!

Un silence suivit. Je repris :

— Que vous ne soyez pour rien dans l'assassinat, Roger et vous, je l'admets d'autant plus volontiers que je ne vois pas ce qu'il aurait pu vous rapporter, mais, cela dit, je vous crois trop intelligente pour ne pas avoir une idée sur le crime. Est-ce que je me trompe?

Après m'avoir considéré longuement, d'un curieux regard

96     *Agatha Christie*

de côté, elle répondit d'une voix qui avait perdu toute spontanéité, une voix étrange et embarrassée :

— Il est antiscientifique de deviner. Tout ce qu'on peut dire, c'est que Brenda et Laurence sont les suspects les plus indiqués.

— Vous les soupçonnez donc?

Clemency haussa les épaules. Un instant encore, elle resta là, comme tendant l'oreille, puis elle sortit d'un pas rapide. A la porte, elle croisa Edith de Haviland, qui vint directement à moi.

— Je voudrais vous parler.

Je songeai à ce que m'avait dit mon père. Elle poursuivait :

— J'espère que cette réunion ne vous a pas conduit à des conclusions erronées. C'est à Philip que je pense. Il est assez difficile à comprendre. Il peut vous avoir paru réservé et froid, mais il n'est pas comme ça du tout. Il donne cette impression-là, voilà tout! Il n'y peut rien.

Je commençai une phrase, mais elle ne me laissa pas le temps de la continuer.

— Il ne faut pas croire qu'il n'a pas de cœur. Il a toujours été très large et c'est un être délicieux. Seulement, il faut le comprendre.

Mon attitude, je l'espère, donnait clairement à entendre que je ne demandais que ça.

— Il est venu le second, reprit-elle, et les cadets partent souvent avec un handicap. Il adorait son père. Tous ses enfants adoraient Aristide et il les adorait. Mais Roger était l'aîné, le premier, de sorte qu'il bénéficiait peut-être d'une petite préférence. Je crois que Philip l'a senti. Il s'est replié sur lui-même, plongé dans les livres, dans les choses du passé, dans tout ce qui l'éloignait de la vie de tous les jours. Il a dû souffrir. Les enfants peuvent souffrir.

Elle se tut quelques secondes.

— En réalité, j'ai idée que, sans le savoir, il a toujours été jaloux de Roger et je pense qu'il est possible que, sans d'ailleurs qu'il s'en rende compte, l'échec de Roger lui fasse moins de peine qu'il ne devrait.

— Il serait plutôt content de la situation dans laquelle Roger s'est mis? C'est bien ce que vous voulez dire?

— Exactement.

Fronçant le sourcil, elle ajouta :

— J'ai été navrée qu'il n'ait pas tout de suite offert de venir au secours de son frère!

— Pourquoi l'aurait-il fait? répliquai-je. Roger est responsable du gâchis, c'est un homme et il n'y a pas d'enfants à considérer. S'il était malade ou vraiment dans le besoin, sa famille lui viendrait en aide, mais je suis persuadé que, dans les circonstances présentes, il préfère prendre un nouveau départ tout seul et par ses propres moyens.

— Oh! je n'en doute pas. Il ne pense qu'à Clemency, et Clemency est une créature d'exception, qui n'aime pas le confort et qui boit aussi bien son thé dans un bol que dans une jolie tasse. Elle est *moderne*, j'imagine. Elle n'a ni le sens du passé ni celui de la beauté!

Il y eut un silence, durant lequel la vieille demoiselle m'examina des pieds à la tête.

— Toute cette affaire, reprit-elle, me navre pour Sophia. Elle est si jeune, si innocente! Je les aime tous, vous savez? Roger, Philip, et aujourd'hui Sophia, Eustache et Joséphine, ce sont tous les enfants de Marcia! Je les aime tous! Énormément!

Elle ajouta, vivement :

— Mais, attention, pas jusqu'à les idolâtrer!

Sur quoi, elle me tourna le dos et sortit. Je me demandai ce qu'elle avait bien voulu dire par ces derniers mots, auxquels il m'était difficile de donner un sens.

## CHAPITRE XV

— Votre chambre est prête!

Sophia était debout près de moi. Par la fenêtre, je regardais le jardin, morne et gris, avec ses arbres à demi effeuillés qui se balançaient dans le vent. Elle fit écho à mes pensées.

— Un triste paysage!

Grises, elles aussi, et comme immatérielles dans la lumière déclinante du jour, deux silhouettes passèrent, venant toutes deux du jardin de rocaille qui se trouvait au-delà de la haie de laurier.

La première était celle de Brenda. Enveloppée dans un manteau de chinchilla, elle avait quelque chose de furtif, une grâce quasi aérienne et comme irréelle. Un instant, j'entrevis le visage de la jeune femme. J'y retrouvai le demi-sourire que je connaissais déjà.

La seconde, qui ne parut que quelques instants plus tard, était celle de Laurence Brown, frêle et toute menue. Elle s'évanouit dans le crépuscule. Impossible d'exprimer ça autrement. Je n'avais pas l'impression d'avoir vu deux personnes qui étaient allées se promener, mais des êtres qui n'étaient pas de chair et de sang, des fantômes.

Je me demandai si ce n'était pas sous le pied de Brenda ou sous celui de Laurence qu'une branche morte avait craqué et, par une association d'idées très naturelle, je m'enquis de Joséphine.

— Où est-elle?

— Probablement en haut, avec Eustache, dans la salle de classe.

L'air soucieux, Sophia ajouta :

— Eustache m'inquiète.

— Pourquoi?

— Il est bizarre, lunatique. Sa maladie l'a tellement changé! Je ne sais pas ce qu'il peut avoir en tête et, parfois, j'ai l'impression qu'il nous déteste tous!

— L'âge ingrat, sans doute. Ça passera!

— Je l'espère. Mais je suis quand même terriblement ennuyée!

— Pourquoi donc, chérie?

— Je ne sais pas. Sans doute parce que papa et maman ne se font jamais de souci. On ne croirait pas qu'ils ont des enfants!

— C'est peut-être tant mieux! Les enfants dont on s'occupe trop sont généralement bien plus à plaindre que ceux qu'on laisse tranquilles.

— Je ne m'en suis aperçue qu'en rentrant d'Égypte, mais ils forment un couple bien singulier, papa s'enfermant résolument dans un monde qui n'est plus et maman passant son temps à vivre des rôles. La farce de cet après-midi, c'est tout elle! Elle ne s'imposait nullement, mais maman voulait jouer la scène du conseil de famille. Ici, vous comprenez, elle s'ennuie à mourir. Alors, elle monte des drames!

Une seconde, j'imaginai la mère de Sophia empoisonnant allégrement son vieux beau-père, à seule fin de se régaler d'une tragédie dont elle interpréterait le rôle principal. L'idée m'amusa et, naturellement, je ne la retins pas. Elle me laissait toutefois une impression pénible. Sophia reprit :

— Maman, il ne faut jamais cesser de la surveiller! On ne sait jamais ce qu'elle va imaginer!

— Oubliez donc votre famille, Sophia! dis-je d'un ton ferme.

— J'en serais ravie, mais c'est assez difficile en ce moment. J'étais si heureuse au Caire, justement parce que je l'avais oubliée!

Je me souvins qu'en Égypte jamais Sophia ne m'avait parlé des siens.

— C'est pour cela, demandai-je, que vous ne m'aviez jamais rien dit de vos parents? Vous préfériez ne pas songer à eux?

— Je le crois. Nous avons toujours trop vécu les uns sur les autres. La vérité, c'est que... nous nous aimons trop! Nous ne sommes pas comme ces familles où tout le monde se déteste. Évidemment, ça ne doit pas être drôle! Mais, s'aimer comme nous le faisons, ce n'est guère plus. Ici, personne n'a jamais été indépendant, seul, délivré des autres!

La porte s'ouvrit brusquement.

— Mais, mes petits, pourquoi n'allumez-vous pas l'électricité? Il fait presque noir.

C'était Magda. Elle tourna les commutateurs et des flots de lumière inondèrent la pièce. Elle se jeta sur le divan.

— Quelle scène incroyable nous avons jouée, n'est-ce pas? Eustache est furieux. Il m'a dit que tout cela était positivement indécent. C'est son mot! Les enfants sont comiques!

Elle poussa un soupir et « enchaîna » :

— Roger est un amour. Je le trouve adorable quand il se décoiffe d'une main rageuse, avant de foncer comme un sanglier! J'estime que c'est très bien de la part d'Edith de lui avoir offert sa part d'héritage. Elle était sincère, vous savez? Ce n'était pas seulement un geste. C'était stupide, d'ailleurs, car Philip aurait pu penser qu'il devait en faire autant! Mais, pour la famille, Edith ferait n'importe quoi. A mon sentiment, il y a quelque chose d'émouvant dans cet amour d'une vieille fille pour les enfants de sa sœur. Il faudra qu'un jour je joue un personnage de ce genre-là. Une vieille tante célibataire, qui fourre son nez partout, têtue, mais bonne et le cœur débordant d'amour...

Soucieux de ne pas laisser la conversation s'égarer, j'intervins.

— Après la mort de sa sœur, elle a dû connaître des jours fort pénibles. Étant donné qu'elle détestait son beau-frère...

Magda ne me laissa pas poursuivre.

— Qu'est-ce que vous dites? Où avez-vous pris ça? Elle était amoureuse de lui!

— Maman!

— N'essaie pas de me contredire, Sophia! Bien sûr, à ton âge, on s'imagine que l'amour est exclusivement réservé aux beaux jeunes gens qui s'en vont rêver à deux au clair de lune!

— Mais, dis-je, c'est elle-même qui m'a déclaré qu'elle l'avait toujours détesté.

— C'était peut-être vrai quand elle est arrivée ici. Elle en avait voulu à sa sœur d'avoir épousé Aristide. Qu'il y ait toujours eu entre elle et lui certains frottements, je le veux bien, mais amoureuse de lui, elle l'était, j'en suis sûre! Croyez-moi, mes petits, je sais de quoi je parle! Évidemment, comme elle était la sœur de sa défunte femme, il n'aurait jamais pu l'épouser... et je suis bien persuadée qu'il n'y a jamais pensé. Elle non plus, d'ailleurs. Elle gâtait les enfants, elle se querellait avec lui, ça lui suffisait pour être heureuse. Mais elle n'a pas été contente quand il s'est remarié. Pas du tout, même!

— Vous n'avez pas été ravis non plus, papa et toi? dit Sophia.

— Bien sûr que non! Nous avons trouvé ça odieux et c'était naturel! Mais Edith, c'était bien pis! Si tu avais vu, ma chérie, la façon dont elle regardait Brenda!

— Voyons, maman!

Magda tourna vers sa fille un regard chargé de tendresse et d'humilité, un regard d'enfant gâté qui a quelque chose à se faire pardonner, puis, sans paraître se rendre compte qu'elle passait à un sujet tout différent, elle reprit :

— J'ai décidé de mettre Joséphine en pension. Il est grand temps.

— En pension? Joséphine?

— Oui. En Suisse. Je m'occuperai de ça demain. Je crois qu'il faut que nous nous séparions d'elle au plus tôt. Il est très mauvais pour elle d'être mêlée à cette vilaine affaire. Elle ne pense plus qu'à ça! Elle a besoin d'avoir de petites camarades de son âge. Il lui faut la vie du pensionnat. J'ai toujours été de cet avis-là.

— Ce n'était pas celui de grand-père!

— Le cher homme voulait nous avoir tous sous les yeux. Les très vieilles gens deviennent quelquefois un peu égoïstes sous certains rapports. Une enfant doit être avec d'autres enfants. Et puis, la Suisse, c'est un pays très salubre! Les sports d'hiver, le grand air, une nourriture bien meilleure que celle que nous avons ici...

Je me risquai à faire observer qu'un séjour en Suisse poserait peut-être certains problèmes de change, assez difficiles à résoudre. Magda balaya l'objection du geste.

— Du tout, Charles, du tout! Il y a des accords entre les établissements d'enseignement, on peut prendre un enfant suisse en échange, il y a toutes sortes de moyens... Rudolf Alstir est à Lausanne. Je lui télégraphierai demain. Il s'occupera de tout et elle pourra partir à la fin de la semaine.

Souriante, Magda se leva et se dirigea vers la porte. Avant de sortir, elle se retourna vers nous.

— Il faut d'abord songer aux jeunes!

Elle avait très gentiment donné sa dernière réplique. Elle la compléta :

— Ils passent avant tous les autres! Pensez, mes chéris, à ce qu'elle va trouver là-bas! Les fleurs! Les gentianes toutes bleues, les narcisses...

— En novembre? dit Sophia.

Magda était déjà sortie. Sophia n'en pouvait plus.

— Maman est vraiment exaspérante! s'écria-t-elle. Qu'une idée lui vienne, elle s'emballe, lance des centaines de télégrammes et il faut que tout soit fait du jour au lendemain! Pourquoi est-il tout à coup urgent d'expédier Joséphine en Suisse sans perdre une minute?

Je fis remarquer à Sophia que l'idée de mettre l'enfant en pension n'était pas si mauvaise et que Joséphine se trouverait sans doute fort bien d'être en contact avec des petites filles de son âge.

Sophia s'entêtait.

— Grand-père n'était pas de cet avis-là!

— Mais croyez-vous, Sophia, qu'un vieux monsieur de plus de quatre-vingts ans soit très bon juge en la matière?

— En fait d'éducation, grand-père s'y connaissait aussi bien que n'importe qui dans cette maison!

— Aussi bien que la tante Edith?

— Je n'irai pas jusque-là et j'admets que tante Édith a toujours dit qu'on devrait envoyer Joséphine en classe. La petite est difficile et elle a l'horrible habitude de fourrer son nez partout... Mais c'est surtout, je pense, parce qu'elle adore jouer au détective.

Était-ce uniquement pour le bien de Joséphine que sa mère avait brusquement décidé de l'expédier en Suisse? Je continuai de me le demander. La petite était remarquablement renseignée sur quantité de choses qui s'étaient passées avant le crime et qui, de toute évidence, ne la regardaient pas. La vie de pension ne lui ferait pas de mal, au contraire. Mais était-il vraiment nécessaire de diriger sans délai l'enfant sur un pays aussi éloigné que la Suisse? J'avais du mal à m'en convaincre.

Le « pater » m'avait dit : « Fais-les parler! » J'avais suivi son conseil. Le lendemain matin, tout en me rasant, j'essayai de voir ce que cela m'avait donné.

Edith de Haviland s'était dérangée tout spécialement pour s'entretenir avec moi. J'avais eu une conversation avec Clemency et assisté en spectateur aux bavardages de Magda. Sophia m'avait parlé, naturellement. Nannie elle-même m'avait fait des confidences. Tout cela m'avait-il appris quelque chose? Avait-on prononcé devant moi un mot, une phrase, qui pût me mettre sur la voie? Quelqu'un avait-il affiché cette vanité anormale de l'assassin, sur laquelle mon père avait attiré mon attention? Je n'en avais pas l'impression.

La seule personne qui eût montré qu'elle n'avait pas le moindre désir de me parler, et de quoi que ce fût, c'était Philip. N'était-ce pas singulier? Il devait savoir que j'avais l'intention d'épouser sa fille. Malgré cela, il se comportait comme si je n'avais pas été dans la maison, sans doute parce que ma présence lui était désagréable. Edith de Haviland avait essayé de l'excuser, en me disant qu'il était « difficile à comprendre ». Elle m'avait laissé deviner que Philip lui causait du souci. Pourquoi?

Je songeai à lui. L'homme avait été un enfant malheureux, parce que jaloux de son aîné. Il s'était replié sur lui-même, et aujourd'hui, vivait dans ses livres, avec le passé. Sa froideur pouvait fort bien cacher des passions insoupçonnées. Financièrement, il ne gagnait rien à la mort de son père, mais cette observation offrait peu d'intérêt, Philip n'étant manifestement pas de ces gens qui peuvent tuer pour une question d'argent. Seulement, d'autres mobiles, d'ordre purement psychologique ceux-là, pouvaient être envisagés. Philip était venu vivre dans la maison paternelle. Plus tard, au moment du « Blitz »*, Roger l'y avait rejoint et, jour après jour, Philip avait été obligé de constater que le vieil Aristide marquait une préférence pour son fils aîné. Ne pouvait-on supposer qu'il en était venu à penser que cette petite torture quotidienne qui lui était infligée ne cesserait qu'avec la disparition de son père... et que, si le vieux venait à mourir de mort violente, les soupçons porteraient surtout sur Roger, qui avait des ennuis d'argent et se trouvait à deux doigts de la faillite? Ignorant tout du dernier entretien de Roger avec son

* La période durant laquelle, pendant la guerre, Londres fut soumise à d'incessants bombardements par les avions allemands.

père, Philip ne s'était-il pas dit que Roger apparaîtrait tout de suite comme le seul coupable possible ou comme le plus vraisemblable? Raisonnement hasardeux, mais pouvait-on jurer que Philip était absolument sain d'esprit?

Je lâchai un juron : je venais de me taillader le menton d'un coup de rasoir.

Où diable voulais-je donc en venir? A démontrer que le père de Sophia était un assassin? Joli travail! Mais pas celui que Sophia attendait de moi! A moins que...

Mais oui! En me priant de venir à *Three Gables*, elle avait une idée derrière la tête. N'était-ce pas qu'elle avait des soupçons analogues aux miens? Si je ne me trompais pas, n'expliquaient-ils pas son attitude? Ayant de tels soupçons en l'esprit, elle n'aurait jamais consenti à m'épouser, dans la crainte qu'un jour ne vînt où leur bien-fondé se trouvât prouvé. Mais, étant Sophia, c'est-à-dire une petite fille à l'âme droite et courageuse, elle voulait la vérité, préférable, quelle qu'elle fût, à cette incertitude qui dressait entre nous une infranchissable barrière. « Prouvez-moi que la chose horrible à laquelle je pense n'est pas vraie... et, si elle est vraie, prouvez-moi qu'elle est vraie, pour que, sachant la tragique vérité, je la regarde bien en face! » N'était-ce point cela, en fait, qu'elle m'avait dit?

Edith de Haviland ne croyait-elle pas, elle aussi, à la culpabilité de Philip?

Et Clemency? Lorsque je lui avais demandé si elle soupçonnait quelqu'un, ses yeux n'avaient-ils pas eu une expression bien étrange, tandis qu'elle me répondait : « Tout ce qu'on peut dire, c'est que Brenda et Laurence sont les suspects les plus indiqués. »

Brenda et Laurence, toute la famille souhaitait qu'ils fussent coupables. Mais sans vraiment croire à leur culpabilité.

Ce qui ne voulait d'ailleurs pas dire qu'ils n'étaient pas coupables.

Laurence était peut-être le seul assassin. C'eût été la solution idéale...

Ma toilette terminée, je descendis, bien résolu à avoir le plus tôt possible un entretien avec Laurence Brown.

Ce fut seulement ma deuxième tasse de café bue que je m'avisai que la maison commençait à agir sur moi comme sur tous ceux qui l'habitaient. Moi aussi, ce que je désirais trouver maintenant, ce n'était plus la vraie solution du problème, mais celle qui m'arrangeait le mieux.

Mon petit déjeuner pris, je montai au premier étage. Sophia

m'avait dit que je trouverais Laurence dans la salle de classe, vraisemblablement avec Eustache et Joséphine. Devant la porte de l'appartement de Brenda, j'hésitai. Devais-je sonner ou entrer directement? Finalement, je décidai de considérer la maison comme un tout et de ne point distinguer entre ses différents quartiers. Je poussai la porte. Le couloir était désert. Aucun signe de vie nulle part. A ma gauche, la porte du salon était fermée. Celles de droite, par contre, étaient ouvertes, sur une chambre à coucher, que je savais avoir été celle d'Aristide Leonidès, et une salle de bain où la police s'était attardée longuement, puisque c'était là qu'étaient rangées les fioles d'insuline et d'ésérine.

Je me glissai dans la salle de bain. Elle était luxueusement aménagée, avec une profusion d'appareils électriques variés, qui eussent fait l'orgueil du plus exigeant des valets de chambre. J'ouvris le vaste placard blanc, encastré dans une des cloisons. Il contenait toute une pharmacie : deux verres gradués, un bain d'œil, des compte-gouttes et quelques fioles étiquetées sur un premier rayon; la provision d'insuline sur le second, avec deux seringues hypodermiques et un flacon d'alcool chirurgical; et, sur le troisième, un flacon de somnifère — « une cuillerée ou deux, le soir, selon ordonnance ». C'était vraisemblablement sur ce dernier rayon qu'était rangée l'ésérine. Tout était bien en ordre. On devait incontestablement trouver tout de suite dans ce placard ce dont on avait besoin pour se soigner... ou pour tuer. Nul ne m'avait vu entrer, j'aurais pu en toute tranquillité substituer un flacon à un autre, puis me retirer, personne n'aurait jamais su que j'étais venu dans la salle de bain. Cette constatation ne m'apprenait rien, mais elle me faisait mieux comprendre combien difficile était la tâche des policiers qui enquêtaient sur la mort du vieux Leonidès.

On n'arriverait à la solution qu'en obtenant du coupable — ou des coupables — les éléments qui permettraient de débrouiller l'énigme.

— Il ne faut pas *leur* laisser de répit, m'avait dit Taverner. Il faut être tout le temps sur leur dos et leur laisser croire que nous sommes sur la bonne piste! Montrons-nous! Tôt ou tard, l'assassin se sentira moins tranquille, il se croira dans l'obligation de faire quelque chose... et il commettra la gaffe qui le fera pincer!

Taverner avait peut-être raison, mais jusqu'à présent le coupable n'avait pas réagi.

Je quittai la salle de bain. Le couloir était toujours vide. Je

le suivis, passant, sur ma gauche, devant la salle à manger, dont
la porte était fermée, et, sur ma droite, devant la chambre à coucher et la salle de bain de Brenda. Dans cette dernière pièce, une
femme de chambre travaillait. D'une autre pièce, qui se trouvait
au-delà de la salle à manger, j'entendis la voix d'Edith de Haviland,
qui téléphonait à l'inévitable poissonnier. Un escalier en coli-
maçon montait à l'étage supérieur. Il y avait à cet étage, je le
savais, la chambre à coucher d'Edith, son salon, deux salles de
bain encore et la chambre de Laurence. Au bout du couloir,
on descendait quelques marches pour gagner une grande pièce,
prise sur les communs qui se trouvaient sur le derrière de la maison,
la salle de classe.

Devant la porte, je m'arrêtai, tendant l'oreille : Laurence parlait, faisant à ses élèves un cours sur le Directoire.

Je découvris avec surprise, au bout d'un instant, que Laurence
Brown était un merveilleux professeur. La chose n'aurait pas dû
m'étonner : Aristide Leonidès savait choisir ses hommes. Laurence
ne payait pas de mine, mais il était de ces maîtres qui ont le don
d'éveiller l'imagination de leurs élèves et de les intéresser. Son
exposé, alerte et vivant, évoquait avec une vérité saisissante les
grandes figures de l'époque : le fastueux Barras, l'astucieux
Fouché et ce petit officier d'artillerie, maigre et mal nourri, qui
n'était autre que Bonaparte.

Laurence, son cours terminé, posa quelques questions à Eustache et à Joséphine. De celle-ci, dont la voix me parut enchiffrenée,
il ne tira pas grand-chose. Eustache, par contre, se montra dans
ses réponses intelligent et, me sembla-t-il, doué d'un sens de
l'histoire qu'il tenait vraisemblablement de son père.

Il y eut ensuite un bruit de chaises repoussées, qui me décida
à battre vivement en retraite. Quand la porte s'ouvrit devant
Eustache et Joséphine, j'étais sur la plus haute marche du petit
escalier, abordant la descente. Joséphine me gratifia d'un rapide
bonjour et passa. Eustache, apparemment surpris de me voir, me demanda poliment si je voulais quelque chose. Je répondis, avec
peut-être un certain embarras, que je désirais voir la salle
de classe.

— Je croyais que vous l'aviez vue déjà ! me répondit-il. Elle n'a
rien de bien intéressant ! Autrefois, c'était la « nursery »! Il y a
encore des jouets à moi.

Il me tint ouvert le battant de la porte et j'entrai. Laurence
Brown, debout près de sa table, leva la tête, rougit en m'apercevant, murmura quelques mots inaudibles en réponse à mon
bonjour et sortit précipitamment.

— Vous lui avez fait peur! me dit Eustache. Il n'en faut pas beaucoup pour le mettre en fuite!

— Un type sympathique? demandai-je.

— Il n'y a rien à dire! Une moule, bien sûr!

— Mais un bon professeur?

— On ne peut pas dire le contraire. Il est intéressant. Il sait un tas de choses et il vous ouvre toutes sortes de perspectives. Je ne savais pas que Henri VIII avait fait des vers, dédiés à Anne de Boleyn, bien entendu... et pas plus mauvais que bien d'autres.

Nous parlâmes pendant quelques instants de sujets tels que la marine d'autrefois, Chaucer, les causes politiques des Croisades, la vie au Moyen Age, et enfin, l'interdiction de la célébration de la fête de Noël, interdiction ordonnée par Cromwell et que le jeune Eustache trouvait inadmissible et odieuse. La conversation me révélait un Eustache à l'esprit curieux et intelligent, que je ne connaissais pas encore. Je ne tardai pas à comprendre pourquoi il était à l'ordinaire de caractère assez sombre. Sa maladie n'avait pas seulement été pour lui une douloureuse épreuve, elle l'avait aussi privé de toutes sortes de satisfactions, au moment même où il découvrait quelques-unes des joies de l'existence.

— Je devais, à la rentrée, faire partie du « onze » et j'aurais fait les championnats de football. Au lieu de ça, il a fallu que je reste ici... et je suis en classe avec Joséphine! Une gosse de douze ans! Vous vous rendez compte?

— Oui, mais vos cours ne sont pas les mêmes!

— Non, bien sûr! Elle ne fait pas de math et pas de latin. Mais partager son prof' avec une fille, c'est moche!

Il était blessé dans son orgueil de garçon. A tout hasard, je me risquai à lui faire remarquer que Joséphine était une petite fille très intelligente pour son âge.

— Vous trouvez? Eh bien, pas moi! Elle est idiote. Les histoires de détective l'ont rendue complètement folle! Elle fouine partout, elle gribouille des inepties dans son petit cahier noir et elle prétend avoir découvert des tas de choses. C'est une sotte! Un point, c'est tout!

Après un court silence, il ajouta :

— D'ailleurs, les filles ne peuvent pas faire de bons détectives! Je le lui ai dit et je trouve que maman a rudement raison de l'expédier en Suisse. Plus tôt elle y sera, mieux ce sera!

— Elle ne vous manquera pas?

Il eut un petit rire méprisant.

— Une môme de cet âge-là? Vous ne voudriez pas! Ce sera toujours un commencement. Parce que, pour tenir le coup ici, il faut être solide! Maman fait la navette entre la maison et Londres, où elle va asticoter de malheureux auteurs dramatiques pour qu'ils lui écrivent des rôles, et elle passe son temps à faire des histoires à n'en plus finir avec rien du tout. Papa s'enferme avec ses bouquins et ne vous entend même pas quand vous lui parlez. Il a fallu que je tombe sur des parents comme ça! En plus, parce que ce n'est pas tout, il y a oncle Roger toujours si gai qu'on en a le frisson, tante Clemency, qui vous fiche la paix, mais qui pourrait bien être un peu cinglée, et tante Edith, qui n'est pas mal, mais qui est bien vieille! Les choses se sont un peu améliorées avec le retour de Sophia, mais il y a des moments où elle est plutôt mauvaise. Au total, ça fait une drôle de maisonnée! Vous n'êtes pas de cet avis-là? Vous vous rendez compte que ma grand-mère — c'est la femme de mon grand-père que je veux dire — est tout juste assez vieille pour être ma sœur aînée? Rien de tel pour vous donner le sentiment que vous êtes un parfait imbécile!

Je le comprenais assez bien. A l'âge d'Eustache, j'étais, moi aussi, d'une sensibilité excessive. L'idée que je pouvais ne pas être « comme tout le monde » me donnait des sueurs froides.

— Au fait, dis-je, votre grand-père, vous l'aimiez?

Eustache plissa le front.

— Grand-père était antisocial.

— Un grand mot! Que voulez-vous dire par là?

— Grand-père ne songeait qu'au profit, à l'intérêt. Laurence déclare que c'est un tort. Grand-père était un grand individualiste. Ces gens-là doivent disparaître.

— C'est bien ce qu'il a fait!

— C'est une bonne chose! Je ne voudrais pas avoir l'air insensible, mais, à cet âge-là, on ne peut vraiment plus jouir de la vie!

— En êtes-vous sûr?

— En tout cas, il était temps qu'il s'en aille! Il...

Son professeur revenant dans la pièce, Eustache s'interrompit brusquement. Laurence Brown se mit à déplacer quelques livres sur la table, mais j'eus l'impression qu'il me guettait du coin de l'œil. Il regarda l'heure à sa montre-bracelet.

— Eustache, dit-il, voudriez-vous être de retour ici à onze heures juste? Nous n'avons perdu que trop de temps, ces jours derniers.

— Bien, monsieur.

Eustache quitta la salle de classe en sifflant. Laurence continua ses inutiles rangements, tout en me jetant des regards à la dérobée. De temps en temps, il se passait la langue sur les lèvres. Je ne doutais pas qu'il ne fût revenu uniquement afin de me parler. Finalement cessant sa petite comédie, il se décida, engagea la conversation par une question que je n'attendais guère.

— Alors... où en sont-ils?

— Qui?

— Les policiers.

Je le regardai. Avec son petit nez pointu, il me faisait penser à une souris. A une souris prise au piège, même.

— Ils ne m'honorent pas de leurs confidences, dis-je.

— Ah?... Je croyais que votre père était un haut fonctionnaire de la police.

— C'est exact, mais il n'a pas pour habitude de colporter les informations qui doivent demeurer secrètes.

J'avais pris soin de dire cela d'un ton solennel, dont je m'amusais intérieurement.

— De sorte que vous ne savez pas si...

Les mots lui manquaient. Renonçant à finir sa phrase, il dit d'un trait :

— Envisagent-ils une arrestation?

— Autant que je sache, non. Mais, comme je vous le disais, je ne suis pas au courant.

Je pensai aux paroles de l'inspecteur Taverner : « Montrons-nous! Tôt ou tard, l'assassin se sentira moins tranquille! » Incontestablement, Laurence Brown ne se sentait pas tranquille.

— Vous ne pouvez pas savoir ce que c'est! reprit-il. La tension d'esprit... Cette incertitude... Ils vont, ils viennent, ils repartent, ils posent des questions... Des questions qui paraissent sans aucun rapport avec l'affaire...

Il se tut, J'attendis, sans ouvrir la bouche. Il voulait parler? Qu'il parlât!

— Vous étiez là, l'autre jour, quand l'inspecteur a fait cette monstrueuse suggestion, à propos de Mrs. Leonidès et de moi-même... Une suggestion monstrueuse! Mais que répondre? On se sent désarmé, impuissant. Comment empêcher les gens de penser telle ou telle chose? Comment leur prouver qu'ils se trompent? Et cela, simplement parce qu'elle est — parce qu'elle était — beaucoup plus jeune que son mari?... J'ai l'impression, voyez-vous, qu'il y a là... un complot, une conspiration!

— Une conspiration? Voilà qui est intéressant!

— Je n'ai jamais eu... la sympathie de la famille de Mr. Leonidès. Elle m'a toujours traité de haut, j'ai toujours eu le sentiment qu'elle me méprisait...

Ses mains tremblaient.

— Cela, parce qu'ils ont toujours eu de l'argent! Pour eux,

qu'est-ce que j'étais? Un petit précepteur de rien du tout et un sale objecteur de conscience! J'avais mes raisons. Et elles étaient valables!

Je restais muet. Il poursuivit, s'échauffant :

— Et pourquoi n'aurais-je pas eu peur? Peur d'être au-dessous de ma tâche? Peur, lorsque le moment serait venu de presser sur la détente d'un fusil, d'être incapable de me contraindre à faire le geste nécessaire? Comment être sûr que c'est bien un nazi qu'on va tuer? Qu'on ne va pas abattre un brave petit gars, un paysan qui n'a jamais fait de politique et qui est là, simplement parce qu'on l'a mobilisé pour défendre son pays? La sainteté de la guerre, je n'y crois pas! Comprenez-vous? Je n'y crois pas! La guerre est mauvaise.

Je gardais le silence. Il me semblait superflu d'exprimer une opinion quelconque. Brown discutait avec lui-même et, ce faisant, me révélait beaucoup de sa vraie personnalité.

— Tout le monde se moquait de moi. J'ai toujours eu le don de me rendre ridicule. Ce n'est pas que je manque vraiment de courage. Seulement, je n'ai pas de chance. Un jour, je me suis précipité dans une maison en flammes pour sauver une femme dont on venait de me dire qu'elle était restée à l'intérieur. Tout de suite, je me suis perdu dans la fumée et évanoui. Les pompiers ont eu beaucoup de mal à me retrouver et j'ai entendu l'un d'eux qui disait : « Pourquoi cet imbécile a-t-il voulu faire notre travail? » Quoi que je fasse, les gens sont contre moi! L'assassin de Mr. Leonidès s'est arrangé pour que je sois soupçonné et c'est ma ruine qu'il a voulu!

— Et Mrs. Leonidès? dis-je.

Il rougit.

— Elle! s'écria-t-il, c'est un ange! Un ange! Avec son vieux mari, elle était toute douceur et toute tendresse. Penser qu'elle a pu l'empoisonner, c'est risible! Risible! Et cet imbécile d'inspecteur ne s'en aperçoit pas!

— Que voulez-vous? Il a vu tant de vieux maris expédiés dans l'autre monde par de charmantes jeunes femmes!

Laurence Brown haussa les épaules et s'en alla rageusement manipuler des livres, sur les rayons de la bibliothèque qui occupait un coin de la pièce. Je jugeai que je ne tirerais plus rien de lui pour le moment et, sans bruit, je sortis. Je suivais le couloir quand une porte s'ouvrit sur ma gauche. Joséphine me tomba presque dessus. Son apparition me fit songer au diable des pantomimes d'autrefois. Ses mains et sa figure étaient couvertes de poussière et une toile d'araignée pendait de son oreille droite.

— D'où venez-vous, Joséphine?

Je jetai un coup d'œil par la porte entrouverte. J'aperçus deux marches qui conduisaient à une vaste salle qui ressemblait à un grenier, presque tout entière occupée par de grands réservoirs à eau.

— J'étais dans la chambre aux citernes.

— Qu'est-ce que vous y faisiez?

Elle me répondit, avec le plus grand sérieux :

— Du travail de détective.

— Qu'est-ce que vous espérez donc trouver là?

Joséphine fit semblant de ne pas avoir entendu.

— Il faut que j'aille me laver, dit-elle simplement.

— Ça me paraît, en effet, indispensable!

Joséphine se dirigea vers une des salles de bain. A la porte, elle se retourna.

— Il me semble que le second meurtre ne devrait plus tarder maintenant. Ce n'est pas votre avis?

— Quel second meurtre?

— Eh bien! *le* second meurtre! Dans les livres, au bout d'un certain temps, il y a toujours un second meurtre. La victime, c'est quelqu'un qui sait quelque chose et qu'on tue pour l'empêcher de parler!

— Vous lisez trop de romans policiers, Joséphine. La vie n'est pas comme ça... et je puis bien vous assurer que si, dans cette maison, quelqu'un sait quelque chose, ce quelqu'un n'a pas la moindre envie de le dire!

La réponse de Joséphine me parvint dans un bruit d'eau coulant d'un robinet :

— Quelquefois, il s'agit d'une chose dont la victime ne sait même pas qu'elle la connaît!

Tout en essayant de donner un sens à cette phrase passablement sibylline, je m'éloignai, laissant Joséphine à ses ablutions. A l'étage inférieur, j'allais franchir la porte menant à l'escalier quand, sortant du salon, Brenda vint à moi. Elle me mit la main sur l'avant-bras et, me regardant dans les yeux, dit simplement :

— Alors?

C'était, sous une autre forme, ramenée à un seul mot, la question même que Laurence Brown m'avait posée quelques instants auparavant. Je secouai la tête.

— Rien de neuf.

Elle poussa un long soupir.

— J'ai si peur!

Je la croyais volontiers, car je commençais moi-même à ne

plus me sentir à l'aise dans cette étrange maison, où tout semblait lui être hostile. J'aurais voulu la rassurer. Mais que lui dire? Sur qui pouvait-elle compter? Sur Laurence Brown? Que pouvait-il? J'aurais voulu la réconforter, lui venir en aide. Mais que pouvais-je moi-même? Au surplus, je me sentais terriblement gêné. Un vague sentiment de culpabilité. Je pensais à Sophia, à son ton méprisant quand elle m'avait dit : « Je vois! Elle vous a empaumé! » Sophia ne voulait pas voir les choses du point de vue de Brenda. Elle ne voulait pas non plus que je me fisse l'avocat de Brenda. Seule, soupçonnée, Brenda devait se défendre seule. Elle reprit :

— L'enquête a lieu demain. Que va-t-il se passer?

Sur ce point-là, je pouvais la rassurer.

— Rien du tout! répondis-je. Soyez sans inquiétude! On l'ajournera à la demande de la police elle-même. Ce qu'il faut prévoir, par contre, c'est que la presse va se déchaîner. Jusqu'à présent, aucun journal n'a imprimé que la mort de Mr. Leonidès pouvait n'avoir pas été naturelle. Les Leonidès ont beaucoup de relations, mais, l'enquête ajournée, les reporters vont s'amuser.

S'amuser! Le mot rendait bien ma pensée. Mais pourquoi n'en avais-je pas cherché un autre?

— Ce sera... odieux?

— A votre place, Brenda, je n'accorderais aucune interview... Et il y a longtemps que quelqu'un devrait vous conseiller.

A son air effrayé, je vis qu'une fois encore j'avais mal choisi mes mots.

— Non, repris-je, ce n'est pas à un avocat que je pense! Ce que je crois, c'est que vous devriez convoquer un homme de loi, un avoué, qui veillerait sur vos intérêts, vous guiderait en matière de procédure, vous indiquerait ce que vous devez dire et faire... et aussi ce que vous devez ne pas dire et ne pas faire.

J'ajoutai :

— Vous êtes très seule, vous savez, Brenda?

Sa main pressa mon bras un peu plus fort.

— Oui, Charles, je comprends... Vous me rendez service... Merci, Charles, merci!

Je descendis, très content de moi. En bas, j'aperçus Sophia, debout près de la porte d'entrée.

— On vous a téléphoné de Londres, Charles! me dit-elle, d'une voix qui me parut extrêmement sèche. Votre père veut vous voir.

— Au Yard?

— Oui.

— Je me demande ce qu'il me veut. On ne l'a pas dit?

Sophia fit non de la tête. Il y avait de l'inquiétude dans ses yeux. Je l'attirai contre moi.

— Ne vous tracassez pas, chérie! dis-je. Je ne serai pas absent longtemps...

## CHAPITRE XVII

Il y avait dans l'atmopshère de la pièce quelque chose de tendu. Mon père était assis à son bureau, l'inspecteur chef Taverner adossé à la fenêtre et Mr. Gaitskill installé dans le fauteuil réservé aux visiteurs. Il avait l'air outré.

— Un tel manque de confiance! s'écriait-il avec indignation C'est inimaginable!

— J'en conviens, dit le « pater » d'une voix qui me parut d'une exceptionnelle douceur.

Tournant la tête vers moi, il ajouta :

— Te voilà, Charles? Eh bien, tu as fait vite! Il y a du nouveau.

— Quelque chose d'inimaginable! lança Gaitskill.

Le petit homme était ulcéré, c'était visible. Dans son dos, Taverner souriait discrètement à mon intention.

— Je résume les faits, dit mon père, Mr. Gaitskill, Charles, a reçu ce matin une communication assez surprenante. Elle émanait d'un Mr. Agrodopoulos, propriétaire du *Delphos Restaurant*. C'est un vieillard, un Grec, comme son nom l'indique, qui en sa jeunesse fut l'ami et l'obligé d'Aristide Leonidès, qu'il considérait comme son bienfaiteur et à qui il gardait une grande reconnaissance de ce qu'il avait fait pour lui. Il semble que, de son côté, Leonidès avait en lui la plus entière confiance.

— Que Leonidès fût de nature si soupçonneuse, si secrète, je ne l'aurais jamais cru! déclara Mr. Gaitskill. Il est vrai que les années s'accumulaient sur sa tête et qu'il était, en quelque sorte, retombé en enfance...

— Ils étaient compatriotes, reprit le « pater » de la même voix douce. Voyez-vous, Gaitskill, quand on devient très vieux, c'est avec une sympathie attendrie qu'on pense à sa jeunesse et à ses compagnons d'autrefois.

L'avoué riposta d'un ton aigre :

— Il n'empêche que c'est moi qui me suis occupé des affaires de Leonidès pendant plus de quarante ans! Pendant quarante-trois ans et six mois, pour être précis!

Taverner sourit de nouveau.

— Qu'est-il arrivé? demandai-je.

Mr. Gaitskill ouvrit la bouche pour répondre, mais mon père parla avant lui.

— Dans cette communication, Mr. Agrodopoulos déclare se conformer à certaines instructions, à lui données par son ami Aristide Leonidès, lequel, il y a un an environ, lui confia une enveloppe cachetée, avec mission de la faire tenir à Mr. Gaitskill immédiatement après sa mort. Dans le cas où Mr. Agrodopoulos aurait disparu le premier, son fils, un filleul de Leonidès, devait transmettre le dépôt à Mr. Gaitskill. Mr. Agrodopoulos s'excusait d'avoir tardé : terrassé ces temps derniers par une pneumonie, c'est seulement dans l'après-midi d'hier qu'il a appris la mort de son ami.

— Tout cela, coupa Mr. Gaitskill, est contraire à tous les usages professionnels!

Le « pater » poursuivit :

— Mr. Gaitskill ouvrit le pli, prit connaissance de son contenu et jugea qu'il était de son devoir...

— Étant donné les circonstances, précisa l'avoué.

— De nous communiquer les documents, lesquels consistent en un testament, dûment signé et certifié par des témoins, et en une lettre qui l'accompagne.

— Ainsi, dis-je, le testament a fini par se manifester?

Mr. Gaitskill devint cramoisi. Il protesta avec violence.

— Ce n'est pas le même testament! Ce n'est pas celui que j'ai établi, à la demande de Mr. Leonidès. C'est un document rédigé de sa propre main, la plus grosse imprudence que puisse commettre un homme qui n'est pas juriste de profession. A croire que Mr. Leonidès a tout fait pour me ridiculiser!

Taverner essaya de mettre un peu de baume sur les blessures du malheureux Gaitskill.

— N'oublions pas, monsieur Gaitskill, que Mr. Leonidès était chargé d'ans! Quand on est très vieux, on est parfois un peu dérangé... Pas fou, bien sûr! Mais un peu excentrique.

Mr. Gaitskill renifla sans répondre.

— Mr. Gaitskill, reprit mon père, nous a téléphoné et informé des dispositions essentielles du testament. Je l'ai prié de passer à mon bureau, avec les deux documents, et, en même temps, Charles, je t'ai convoqué.

J'avoue que je ne voyais pas pourquoi. Cette manière de faire m'étonnait, aussi bien du « pater » que de Taverner. Ce que contenait le testament, j'aurais toujours fini par l'apprendre et, tout bien pesé, la façon dont le vieux Leonidès disposait de ses biens ne me regardait pas.

— Ce testament, demandai-je, est très différent de l'autre?

— Énormément, dit Mr. Gaitskill.

Le paternel ne me quittait pas de l'œil. Taverner, au contraire, faisait tout son possible pour ne pas me regarder. Je commençais à me sentir mal à l'aise. Je repris, tourné vers Gaitskill :

— La chose, certes, ne me concerne pas. Pourtant...

Il alla au-devant de mes vœux.

— Les dispositions testamentaires de Mr. Leonidès, me dit-il, n'ont rien de secret. J'ai, cependant, considéré qu'il était de mon devoir de prévenir d'abord les autorités policières, afin de leur demander leur avis sur la marche à suivre.

Après un court silence, il ajouta :

— Je crois comprendre que vous êtes... dirai-je, très lié?... avec Miss Sophia Leonidès?

— J'espère l'épouser, déclarai-je. Mais elle ne veut pas entendre parler de mariage, pour le moment.

— Ce qui s'explique fort bien.

Je n'étais pas d'accord avec Gaitskill là-dessus, mais je n'avais pas l'intention de discuter le point avec lui. Il reprit :

— Par ce testament, daté du 29 novembre de l'année dernière, Mr. Leonidès, après avoir légué à son épouse une somme de cent cinquante mille livres sterling, laisse la totalité de ses biens, tant réels que personnels, à sa petite-fille Sophia Katherine Leonidès.

J'en restai sans voix pendant quelques secondes. Je m'attendai à tout, excepté à ça.

— Il a tout laissé à Sophia! dis-je enfin. C'est extraordinaire! A-t-il expliqué les raisons de cette décision?

Ce fut mon père qui répondit.

— Elles se trouvent clairement exposées dans la lettre qui accompagne le testament.

Prenant un document sur son bureau, il se tourna vers Mr. Gaitskill.

— Vous ne voyez pas d'inconvénient, monsieur Gaitskill, à ce que Charles prenne connaissance de cette lettre?

— Je m'en rapporte à vous, déclara le *solicitor* avec une certaine froideur. La lettre donne au moins une explication et peut-être, encore que j'en doute fort, justifie-t-elle l'extraordinaire conduite de Mr. Leonidès.

Le « pater » me tendit la lettre. L'écriture, petite et assez tourmentée, avait du caractère et de la personnalité. Elle n'était nullement celle d'un vieillard, bien que les lettres, soigneusement formées, fussent caractéristiques d'un temps révolu, celui où l'instruction n'était pas dispensée à tous et se trouvait de ce fait même plus soignée qu'elle ne l'est aujourd'hui.

Je recopie ici le texte de la lettre.

*Mon cher Gaitskill.*

*Cette lettre vous surprendra et peut-être la considérerez-vous comme blessante, mais j'ai mes raisons personnelles d'agir dans le secret, ainsi que je le fais aujourd'hui. Il y a longtemps que je ne crois qu'à la personnalité. Dans toute famille — je l'ai observé dès mon enfance et je ne l'ai jamais oublié —, il y a toujours un caractère fortement marqué et c'est lui, généralement, qui doit pourvoir aux besoins de tous. Dans ma famille, ce caractère fort, c'était moi. Établi à Londres, j'ai assuré l'existence de ma mère et de mes vieux grands-parents, restés à Smyrne, arraché l'un de mes frères aux griffes de la loi, libéré ma sœur d'un mariage malheureux, etc. Dieu a bien voulu m'accorder un long séjour sur la terre et j'ai pu ainsi veiller, non seulement sur mes enfants, mais sur les enfants de mes enfants, et m'occuper d'eux très longtemps. Beaucoup des miens m'ont été arrachés par la mort. Les autres, je suis heureux de le dire, vivent sous mon toit. Quand je ne serai plus, cette tâche que je me suis imposée, il faut que quelqu'un la continue. Je me suis demandé si je ne devrais pas diviser également ma fortune entre tous ceux que j'aime et j'en suis arrivé à cette conclusion que ce serait le meilleur moyen de ne pas donner à chacun la part qui lui revient. Les hommes ne viennent pas au monde égaux et, pour assurer entre eux cette égalité que la Nature n'a pas réalisée, il faut peser sur l'un des plateaux de la balance. Ce qui revient à dire que j'entends que quelqu'un prenne ma succession pour porter après moi le fardeau de la famille tout entière. Cette responsabilité, j'estime, après avoir longuement réfléchi, qu'elle ne saurait revenir à aucun de mes fils bien-aimés. Mon cher Roger n'a pas le sens des affaires et, si sympathique qu'il soit, il est trop impulsif pour avoir le jugement bon. Mon fils Philip manque trop de confiance en lui-même pour faire autre chose que de fuir la vie. Mon petit-fils Eustache est très jeune et je ne pense pas qu'il ait jamais le bon sens et l'équilibre indispensables. Il est indolent et très influençable. Seule, ma petite-fille Sophia me paraît avoir les qualités requises : elle est intelligente, elle a du jugement et du courage, un esprit clair et, je crois, de la grandeur d'âme. C'est à elle que je veux m'en remettre du soin d'assurer après moi le bonheur de la famille, et celui de ma chère belle-sœur, Edith de Haviland, à qui je suis extrêmement reconnaissant du dévouement qu'elle a, durant toute sa vie, témoigné aux miens.*

*Cela vous explique le document ci-joint. Ce qui sera plus difficile à expliquer — et particulièrement à vous, mon vieil ami — c'est le subterfuge auquel j'ai recouru. Il m'a semblé qu'il serait sage de laisser chacun dans l'ignorance de la façon dont je compte disposer de mes biens et je n'ai pas l'intention de laisser savoir dès à présent que Sophia sera mon héritière. Mes deux fils ayant déjà, l'un et l'autre, une fortune considérable (qu'ils tiennent de moi), je n'ai pas le sentiment qu'ils se sentiront lésés.*

*Pour épargner à tous spéculations et hypothèses, je vous ai prié de me rédiger un testament, que j'ai lu à toute la famille assemblée. Je l'ai posé sur mon bureau, j'ai placé dessus une feuille de papier buvard et fait appeler deux domestiques. Avant leur arrivée, j'ai fait légèrement glisser la feuille de papier buvard, pour ne laisser visible que le bas du document. Après l'avoir moi-même signé, je les ai priés d'apposer dessus leur signature. J'ai à peine besoin d'ajouter que ces trois signatures figurent non pas sur le document que vous aviez rédigé et dont j'avais donné lecture, mais sur celui que vous trouverez sous ce pli.*

*Je ne saurais espérer que vous approuverez les raisons qui m'ont déterminé à exécuter ce tour de passe-passe. Je vous demanderai simplement de ne pas m'en vouloir de ne pas vous avoir mis au courant. Un très vieil homme aime garder pour lui ses petits secrets.*

*Je vous remercie encore, mon cher ami, du zèle dont vous avez toujours témoigné dans le soin de mes affaires. Dites à Sophia que je l'aime bien et demandez-lui de veiller sur la famille et de la bien protéger!*

*Très sincèrement vôtre,*

*Aristide Leonidès.*


— Extraordinaire! dis-je, connaissance prise de ce très curieux document.

Mr. Gaitskill se leva.

— C'est bien mon avis! Mon vieil ami aurait pu, je le répète, faire confiance à ma discrétion.

— Sans aucun doute, déclara le « pater ». Seulement, il était d'un naturel compliqué. Il aimait, si j'ose dire, faire les choses justement comme elles ne devaient pas être faites.

L'inspecteur Taverner approuva du chef, mais tout cela ne consolait pas Gaitskill, gravement touché dans son orgueil professionnel. Il se retira, l'air fort triste.

— Pour lui, dit Taverner, le coup est dur. « Gaitskill, Callum and Gaitskill », c'est la vieille maison, sérieuse et respectable! Avec elle, pas de combines douteuses! Quand le vieux Leonidès traitait une opération suspecte, il s'adressait ailleurs, à l'une quelconque des cinq ou six firmes de *solicitors* qui travaillaient pour lui. C'était un vieux renard! Et rusé!

— Il ne l'a jamais été plus, fit remarquer mon père, qu'à l'occasion de ce testament.

— Exact, répondit Taverner. Nous n'avons pas été malins. Quand on y réfléchit, la seule personne qui pouvait avoir opéré une substitution, c'était Leonidès lui-même. Seulement, pouvions-nous imaginer ça?

Je me souvins du sourire condescendant de Joséphine, lorsqu'elle m'avait dit que les policiers n'étaient pas malins. Mais Joséphine n'assistait pas à la lecture du testament et, eût-elle écouté à la porte — ce que j'étais tout disposé à croire — il lui eût été impossible de deviner le manège de son grand-père. Alors, pourquoi ses airs supérieurs? Que savait-elle qui pouvait lui permettre d'affirmer que les policiers étaient des imbéciles? Ou bien se contentait-elle de bluffer pour se donner de l'importance?

Frappé par le silence de la pièce, je levai la tête brusquement. Mon père et Taverner me regardaient, l'un et l'autre. Je ne sais ce qui dans leur attitude me contraignit à leur déclarer, d'un air de défi, que Sophia n'avait été tenue au courant de rien.

— De rien du tout!

— Non? dit le « pater ».

Approuvait-il? Interrogeait-il? Je n'aurais su le dire. Je poursuivis :

— Elle sera absolument stupéfaite!

— Ah?

— Abasourdie!

Il y eut un silence. Puis, la sonnerie du téléphone se déclencha et mon père décrocha le récepteur.

— Oui?

Il écouta un instant et dit :

— Passez-la-moi!

Il me regarda et me tendit l'appareil.

— C'est ta jeune amie. Elle désire te parler. C'est urgent!

Je portai l'écouteur à mon oreille.

— Sophia?

— C'est vous, Charles?... Je vous téléphone au sujet de Joséphine.

La voix de Sophia s'était comme brisée.

— Que lui est-il arrivé?

— Elle a reçu un coup sur la tête. Elle est... elle est très mal... Peut-être ne s'en relèvera-t-elle pas!

Je me tournai vers mon père.

— Joséphine a été assommée.

Le « pater » prit le récepteur, tout en me disant d'un ton chagrin :

— Je t'avais dit de garder un œil sur cette petite...


# CHAPITRE XVIII


Quelques minutes plus tard, une rapide auto de la police nous emportait, Taverner et moi, vers Swinly Dean.

Je songeais à Joséphine sortant de la chambre aux citernes et me parlant avec insouciance de « ce second meurtre », dont elle pensait qu'il ne devait plus tarder. La pauvre enfant ne se doutait guère qu'elle pouvait être appelée à y tenir le rôle de victime.

Je ne contestais pas le bien-fondé des reproches tacites de mon père. J'aurais dû veiller sur Joséphine. Si, Taverner et moi, nous n'avions aucune indication sérieuse sur l'identité du criminel, il était hautement probable qu'il n'en allait pas de même pour Joséphine. J'avais cru au bluff enfantin d'une petite personne, avide de se faire valoir. En fait, il se pouvait fort bien qu'en se livrant à son sport favori, qui consistait à écouter aux portes et à espionner les gens, la gamine eût découvert un renseignement capital dont elle ne soupçonnait même pas l'importance.

Je me souvenais de cette branche qui avait craqué dans le voisinage, alors que nous parlions dans le jardin. A ce moment-là, j'avais eu le sentiment que le danger était tout proche. Un peu plus tard, l'idée m'avait paru ridicule : je dramatisais. J'aurais dû, tout au contraire, me bien mettre dans la tête que nous avions affaire à un assassin, à un être qui risquait sa peau et qui, par conséquent, n'hésiterait pas à commettre un second crime, s'il n'avait pas d'autre moyen d'assurer son impunité. Peut-être Magda, avertie par quelque obscur instinct maternel, avait-elle deviné que Joséphine était menacée, ce qui eût expliqué sa hâte soudaine à l'expédier en Suisse le plus rapidement possible...

Sophia sortit de la maison pour nous accueillir à notre arrivée. Elle nous dit que Joséphine avait été transportée en ambulance au Market General Hospital. Le docteur Gray ferait connaître les résultats de l'examen radiographique dès qu'il le pourrait.

— Comment est-ce arrivé? demanda Taverner.

Sophia nous conduisit sur le derrière de la maison. Nous

entrâmes dans une petite courette, à peu près abandonnée. Dans un angle, on apercevait une porte entrouverte.

— Ce petit bâtiment, nous expliqua Sophia, c'est une sorte de buanderie. Il y a, dans le bas de la porte, une chatière sur laquelle Joséphine montait souvent pour se balancer.

Je me souvins avoir pratiqué ce « sport » en mon enfance.

La buanderie était petite et sombre. Je distinguai des caisses en bois, un rouleau de tuyau d'arrosage, des accessoires de jardin en mauvais état et quelques meubles cassés. Juste derrière la porte, il y avait un lion couchant, en marbre.

— C'est un arrêt de porte qui vient de l'entrée, nous dit Sophia. On avait dû le placer en équilibre sur la porte.

Taverner posa sa main sur le haut de la porte, à trente centimètres à peine au-dessus de sa tête.

— Un truc tout simple, dit-il.

Il fit mouvoir la porte, puis se pencha sur le bloc de marbre, qu'il se garda bien de toucher.

— Personne ne l'a manipulé?

— Non, répondit Sophia. Je l'ai défendu.

— Vous avez bien fait. Qui a trouvé la petite?

— Moi. A une heure, on ne l'avait pas encore vu revenir pour le déjeuner. Nannie l'a appelée. Elle l'avait vu passer dans la cuisine et sortir dans la cour des écuries, un quart d'heure plus tôt. « Je parierais, me dit-elle, qu'elle est en train de jouer à la balle ou de se balancer encore sur cette porte! » J'ai pensé qu'elle ne se trompait pas et je lui ai dit : « Je vais la chercher! »

— Elle avait l'habitude de jouer sur cette porte? Vous le saviez?

Sophia haussa les épaules.

— Je crois bien que personne ne l'ignorait dans la maison.

— Quelqu'un se sert-il de la buanderie? Les jardiniers?

Sophia secoua la tête.

— Non. On n'y vient presque jamais.

— Et, de la maison, on ne voit pas cette courette? N'importe qui pouvait s'y glisser sans être vu pour installer ce piège... Seulement, la réussite n'était pas assurée...

Tout en parlant, Taverner remuait doucement la porte. Il poursuivit :

— C'était un coup de hasard. On touchait ou on ne touchait pas et il y avait plus de chances « contre » que de chances « pour ». La pauvre petite n'a pas eu de veine. Elle a été touchée.

Il se baissa pour regarder le sol, sur lequel se remarquaient comme des trous.

— On dirait, reprit-il, qu'on s'est livré à quelques expériences préalables, comme pour s'assurer de l'endroit où l'objet tomberait... De la maison, on n'a rien entendu?

— Rien. Nous ne nous doutions pas qu'il lui était arrivé malheur et c'est seulement lorsque je suis venue ici et que je l'ai vue, étendue, le visage sur le sol...

D'une voix que l'émotion altérait, Sophia ajouta :

— Elle avait du sang dans les cheveux...

Taverner montra de l'index une écharpe de laine aux vives couleurs qui traînait par terre.

— C'est à elle?

— Oui.

Protégeant ses doigts avec l'écharpe, Taverner ramassa avec précaution le bloc de marbre.

— Nous y relèverons peut-être des empreintes, dit-il, mais ça m'étonnerait! On a dû se méfier... Qu'est-ce que vous examinez là?

C'était à moi que la question s'adressait. Je regardais une chaise de cuisine au dossier carré. Il y avait sur le siège quelques morceaux de terre.

— Curieux! déclara Taverner. On est monté sur cette chaise, avec des chaussures boueuses. Je me demande bien pourquoi?

Revenant à Sophia, il reprit :

— A quelle heure l'avez-vous trouvée, Miss Leonidès?

— Il devait être une heure cinq.

— Et la vieille Nannie l'avait vu sortir vingt minutes plus tôt environ. Avant l'enfant, quelle est, autant qu'on sache, la dernière personne à être allée à la buanderie?

— Je ne saurais dire, mais c'était probablement Joséphine elle-même. Je sais qu'elle était venue se balancer sur cette porte ce matin, après le petit déjeuner.

— De sorte, conclut Taverner, que c'est entre ce moment-là et une heure moins le quart que le piège aurait été machiné.

Il poursuivit :

— Vous dites que ce bloc de marbre servait d'arrêt de porte à l'entrée. Savez-vous depuis quand il n'est plus là-bas?

Sophia avoua n'avoir là-dessus aucune idée.

— La porte d'entrée n'a pas été ouverte de toute la journée. Il fait trop froid.

— Et savez-vous ce que chacun a fait, dans la maison, au cours de la matinée?

— Je suis allée me promener. Eustache et Joséphine ont

travaillé dans la salle de classe jusqu'à midi et demie. Mon père, je crois, n'a pas bougé de sa bibliothèque.

— Votre mère?

— Elle sortait de sa chambre à coucher, quand je suis rentrée de promenade, vers midi un quart. Elle ne se lève jamais très tôt.

Nous rentrâmes dans la maison et j'accompagnai Sophia à la bibliothèque. Très pâle, l'œil fixe, Philip était assis dans son fauteuil habituel. Magda était à côté de lui, par terre, le front sur les genoux de son mari. Elle pleurait doucement.

Sophia demanda si l'on avait téléphoné de l'hôpital. D'un mouvement de tête, Philip répondit que non.

Magda se lamentait.

— Pourquoi ne m'a-t-on pas autorisée à aller avec elle? Ma petite fille!... Ma petite fille, si vilaine et si drôle!... Et dire que je l'appelais « ma petite niaise », ce qui avait le don de la mettre en colère! Comment ai-je pu me montrer si cruelle? Et, maintenant, elle va mourir!... Elle va mourir, je le sais!

Philip l'invitait posément à se taire. Jugeant que ma place n'était pas là, je me retirai sans attirer l'attention et me mis en quête de Nannie. Je la trouvai dans sa cuisine. Elle pleurait.

— C'est ma punition, monsieur Charles! Pour toutes les vilaines choses que j'ai pensées! C'est ma punition!

Je n'essayai pas d'approfondir ce qu'elle voulait dire. Elle poursuivait :

— L'esprit du mal est dans la maison, monsieur Charles, voilà la vérité! Je ne voulais pas le croire! Mais il faut bien se rendre à l'évidence. Quelqu'un a tué le maître et c'est ce même quelqu'un qui a voulu tuer Joséphine!

— Mais pourquoi aurait-on voulu tuer cette enfant?

Nannie écarta de ses yeux un coin de son mouchoir pour me dévisager d'un air entendu.

— Cette petite, monsieur Charles, vous savez aussi bien que moi comme elle était! Elle voulait être au courant de tout. Elle a toujours été comme ça, même quand elle n'était qu'un bébé. Elle se cachait sous la table, elle écoutait les bonnes parler et elle se servait de ce qu'elle avait appris. Comme ça, elle avait l'impression qu'elle comptait! Vous comprenez, monsieur Charles, Madame, autant dire, ne s'occupait pas d'elle. Ce n'était pas un bel enfant, comme les deux autres. Elle avait toujours été laide et Madame l'appelait sa « petite niaise »! J'ai toujours blâmé Madame pour ça, parce que je pense que c'est ça qui a rendu la petite sournoise. Mais, à sa manière, elle prenait sa revanche : elle découvrait les choses sur les uns et les autres, et elle leur faisait savoir qu'elle les savait. Seulement, faire ça quand il y a un assassin dans une maison, c'est dangereux!

C'était là une incontestable vérité. Elle me fit penser à quelque chose, qui m'amena à poser une question à Nannie.

— Saviez-vous qu'elle avait un petit carnet noir, sur lequel elle notait toutes sortes de choses?

— Je vois de quoi vous voulez parler, monsieur Charles. Elle faisait bien des mystères avec ça! Je l'ai souvent vue, suçant son crayon, écrivant quelque chose, puis se remettant à grignoter son crayon. Je lui disais : « Ne faites pas ça! La mine de plomb, c'est du poison! » Elle me répondait : « Il ne faut pas croire ça! Dans un crayon, il n'y a pas vraiment du plomb! C'est du carbone! » Je ne disais rien, mais je n'en pensais pas moins, car, tout de même, quand on appelle quelque chose « mine de plomb », le bon sens veut que ce soit bien parce qu'il y a du plomb dedans!

— Sans aucun doute! dis-je. Pourtant, en la circonstance, Joséphine avait raison.

J'aurais pu ajouter : « Comme toujours. » Je revins à ce qui m'intéressait.

— Ce petit carnet, vous savez où elle le rangeait?

— Je n'en ai pas la moindre idée, monsieur Charles! C'est une de ces choses autour desquelles elle faisait toute sorte de mystères.

— Elle ne l'avait pas sur elle quand on l'a relevée?

— Oh! ça, certainement pas!

Ce carnet, quelqu'un le lui avait-il pris ou était-il encore caché dans sa chambre? L'idée me vint d'y aller voir. Je ne savais pas quelle était exactement la chambre de Joséphine, mais, alors que j'hésitais dans le couloir, la voix de Taverner m'appela.

— Entrez donc! Je suis chez Joséphine... Avez-vous jamais rien vu de pareil?

Je restai cloué sur le seuil, positivement stupéfait. La pièce, pas très grande, semblait avoir été balayée par une tornade. Vidés de leur contenu, les tiroirs de la commode traînaient de droite et de gauche; matelas, draps et couvertures, avaient été arrachés au petit lit; les tapis étaient en tas, les chaises renversées; il ne restait plus aux murs ni une gravure ni une photo, et les cadres des unes et des autres avaient été brisés.

— Grands dieux! m'écriai-je. Qu'est-ce que ça signifie?

— Votre avis?

— Quelqu'un est venu, qui cherchait quelque chose.

— C'est ce que je crois.

Je parcourus la pièce du regard et j'émis un menu sifflement.

— Mais qui diable... Enfin, voyons, personne ne peut être venu ici et avoir ainsi tout bouleversé, sans avoir été vu... ou entendu!

— Croyez-vous? Mrs. Leonidès passe sa matinée dans sa chambre, à se faire les mains et à téléphoner à ses amis. Philip reste dans sa bibliothèque, avec ses bouquins. La vieille Nannie est dans sa cuisine, en train d'éplucher des pommes de terre ou d'écosser des petits pois. On connaît les habitudes des uns et des autres... et je vais vous dire une bonne chose : dans cette maison, tout le monde a pu faire le petit travail qui nous préoccupe aujourd'hui, c'est-à-dire machiner le piège de la buanderie et mettre cette pièce sens dessus dessous. Seulement, le quelqu'un en question a dû faire très vite et n'a pas eu loisir de fouiller la chambre tranquillement.

— Vous dites « tout le monde »?

— Oui. Je me suis renseigné sur l'emploi du temps de chacun. Qu'il s'agisse de Philip, de Magda, de la vieille Nannie ou de votre jeune amie, personne ne peut rien prouver et nous devons nous en rapporter à ce qu'on veut bien nous dire. Pour les autres, c'est la même chose! Brenda a passé seule la plus grande partie de la matinée. Laurence et Eustache ont disposé d'une pleine demi-heure entre dix heures et demie et onze heures. Vous avez été avec eux pendant quelques instants, vers ce moment-là, mais pas tout le temps. Miss de Haviland était seule au jardin, et Roger seul dans son cabinet.

— Clemency, elle, était allée travailler à Londres, comme tous les jours?

— Erreur! Elle peut être dans le coup, elle aussi. Une migraine l'a retenue à la maison. Elle n'a pas bougé de sa chambre. Je vous le répète, ils sont tous suspects, tous!... Quant à choisir dans le lot un coupable, j'en serais bien incapable! Si seulement je savais ce qu'on cherchait... et si on l'a trouvé!

Ces mots éveillèrent dans ma mémoire des souvenirs, qui se précisèrent brusquement quand Taverner me demanda quand j'avais vu Joséphine pour la dernière fois.

— Attendez! répondis-je.

Me précipitant hors de la pièce, je courus à l'étage supérieur. Une minute plus tard, je me trouvais dans la chambre aux citernes, où je devais garder la tête baissée, le plafond étant bas et en pente. Quand j'avais surpris Joséphine en cet endroit, elle m'avait déclaré qu'elle y venait faire « du travail de détective ».

Que pouvait-elle découvrir dans un grenier où il n'y avait guère que des toiles d'araignées? Je ne le voyais pas. Mais je me

rendais parfaitement compte que le lieu était idéal pour cacher
quelque chose. Il était probable que Joséphine s'en était avisée
avant moi et qu'elle avait dû dissimuler en quelque recoin quelque chose dont elle n'ignorait pas qu'elle n'eût point dû l'avoir en
sa possession. S'il en allait ainsi, ce quelque chose, je ne devais pas
être long à le trouver.

Il me fallut exactement trois minutes. Ayant glissé ma main
derrière le plus gros des réservoirs d'eau, je la ramenai fermée sur
un petit paquet, enveloppé de papier brun. C'étaient des lettres.
Je pris connaissance de la première.

*Tu ne saurais, mon Laurence adoré, imaginer avec quelle joie secrète
j'ai écouté, hier soir, ces vers que tu nous as lus. Tu évitais de porter les
yeux sur moi, mais je savais que c'était à moi, et à moi seule, que tu
t'adressais. Aristide t'a dit : « Vous êtes un excellent lecteur! », sans
rien soupçonner de ton émotion, non plus que de la mienne. Je suis sûre,
mon amour, que tout sera pour le mieux avant pas longtemps et j'ai plaisir
à penser qu'il mourra sans avoir jamais rien deviné, qu'il mourra heureux.
Il a été très bon pour moi et je ne veux pas qu'il souffre. Mais je ne crois pas
qu'on tire encore quelque satisfaction de la vie quand on a dépassé quatre-
vingts ans, un âge que, pour ma part, j'espère bien ne jamais atteindre.
Nous serons bientôt l'un à l'autre, mon aimé, et pour toujours! Quelle joie
ce sera pour moi que de t'appeler enfin « mon cher petit mari »... Nous
étions faits l'un pour l'autre, mon amour, et je t'aime, je t'aime, je
t'aime...*

Il y avait une suite, mais je n'avais pas le goût de la connaître.
La mine sombre, j'allai rejoindre Taverner, à qui je remis ma
trouvaille.

— Il est très possible, lui dis-je, que ce soit là ce que l'on est
venu chercher ici.

Taverner lut quelques passages, puis me regarda. Son expression était celle d'un chat qui vient de se régaler de la plus onctueuse
des crèmes.

— J'ai l'impression, déclara-t-il, que, pour Mrs. Brenda Leonidès, on peut considérer que les carottes sont cuites. Et aussi
pour Mr. Laurence Brown...

# CHAPITRE XIX

C'est avec étonnement, quand j'y songe maintenant, que je suis obligé de m'avouer que je cessai de plaindre Brenda Leonidès et d'avoir la moindre sympathie pour elle, à partir de l'instant où me furent connues ces lettres qu'elle avait écrites à Laurence Brown. Étais-je blessé dans ma vanité d'homme? Lui en voulais-je de m'avoir menti? Je l'ignore et la psychologie n'est pas mon affaire. J'aime mieux croire que ce que je ne lui pardonnais pas, c'était de ne pas avoir hésité, pour assurer son impunité, à frapper lâchement une enfant sans défense.

— Pour moi, me dit Taverner, c'est Brown qui a installé le piège et ça m'explique ce qui me surprenait là-dedans.

— Et qu'était-ce donc?

— Vous m'avouerez que le truc était idiot! Raisonnons. La petite détient ces lettres, qui sont plus que compromettantes. La chose à faire, c'est de remettre la main dessus. Si on y réussit, tout est bien! La gosse peut parler, mais si elle n'a rien à montrer à l'appui de ses dires, on pourra toujours l'accuser d'inventer ce qu'elle raconte. Seulement, ces lettres, on ne les trouve pas. Il devient donc indispensable de mettre une fois pour toutes l'enfant hors de la circulation. C'est le seul moyen d'en finir. On a commis un premier meurtre, on ne va pas chipoter sur un second! On sait que la petite aime bien se balancer sur la porte d'une buanderie, qui se trouve dans une courette où personne ne met jamais les pieds. L'idéal, ce serait donc d'aller l'attendre derrière cette porte et, dès qu'elle arrivera, de l'assommer avec un tisonnier, une barre de fer, ou un autre casse-tête. On n'a que l'embarras du choix. Alors, pourquoi aller chercher de mettre en équilibre sur le battant de la porte un lion en marbre, qui peut fort bien manquer le but et qui, s'il touche juste, peut parfaitement — et c'est bien ce qui s'est produit — ne faire l'ouvrage qu'à moitié? Pourquoi? Je vous le demande!

— Et la réponse, c'est?

— J'ai d'abord cru qu'il s'agissait d'assurer à quelqu'un un solide alibi. Seulement, ça ne marche pas! D'abord, parce que personne n'a l'air d'invoquer le moindre alibi. Ensuite, parce qu'il était forcé qu'on cherchât Joséphine vers l'heure du déjeuner et qu'on repérât du même coup le bloc de marbre, qui révélerait immédiatement comment on avait opéré. Si on l'avait retiré avant la découverte de l'enfant, nous n'aurions rien compris à l'affaire, c'est évident! Mais il était sur place... et, par conséquent, ma théorie ne tenait pas.

— Et vous l'avez remplacée?

— Par une autre, où je fais état de la personnalité propre du coupable, de son idiosyncrasie. Laurence est un homme qui a horreur de la violence, qui répugne à la brutalité. Il lui aurait été physiquement impossible de se cacher derrière une porte et d'assommer l'enfant d'un coup sur le crâne. Mais il était parfaitement capable d'installer un piège qui fonctionnerait alors qu'il se serait depuis longtemps retiré.

— Compris! dis-je. C'est encore l'histoire de l'ésérine mise dans le flacon d'insuline...

— Exactement.

— Et, d'après vous, Brenda n'aurait été au courant de rien?

— Ça expliquerait pourquoi elle n'a pas jeté la fiole d'insuline. Il est très possible qu'ils aient mis tout ça au point ensemble, très possible aussi que ce soit elle, toute seule, qui se soit chargée d'expédier son mari *ad patres* par le poison, élégant moyen d'en finir avec un vieil époux qui avait assez vécu pour aller rejoindre ses ancêtres. Mais je parierais que ce n'est pas elle qui a manigancé le piège de la buanderie. Les femmes ne se fient pas à des mécaniques de ce genre-là... et elles n'ont pas tort. Par contre, je suis convaincu que c'est elle qui a songé à l'ésérine et que c'est son amoureux qui, suivant ses instructions, a procédé à la substitution. Elle est de ces gens qui s'arrangent pour ne rien faire effectivement dont on puisse par la suite leur faire grief. Ça permet de ne pas avoir de remords.

Taverner reprit, après un instant de silence :

— Avec des lettres, l'accusation tiendra debout! Que la petite se rétablisse et tout sera pour le mieux dans le meilleur des mondes!

Me guettant du coin de l'œil, il ajouta :

— Au fait, ça ne doit pas être trop désagréable d'être fiancé à quelque chose comme un million de livres sterling, hein?

J'avais eu, en ces dernières heures, tellement à faire que je n'avais pas pensé à ça une seconde.

— Sophia n'est pas encore avertie, répondis-je. Voulez-vous que je la mette au courant?

— Je crois, dit Taverner, que Gaitskill se propose de faire officiellement connaître l'heureuse — ou fâcheuse — nouvelle demain, après l'enquête.

Pensif, il ajouta, les yeux fixés sur moi :

— J'ai idée que les réactions des uns et des autres seront intéressantes à observer.

# CHAPITRE XX

Il en alla de l'enquête à peu près comme je l'avais prévu. Elle fut finalement renvoyée, à la demande des autorités policières.

La veille au soir, d'excellentes nouvelles nous étaient parvenues de l'hôpital : les blessures de Joséphine étaient moins graves qu'on ne l'avait craint et son rétablissement serait rapide. Pour le moment pourtant, les visites demeuraient interdites. A tous, et même à sa mère.

— Surtout à sa mère, m'avait dit Sophia. C'est un point sur lequel j'ai beaucoup insisté auprès du docteur Gray. D'ailleurs, il connaît maman !

Ma physionomie avait dû me trahir, car Sophia avait ajouté :

— Pourquoi ce regard désapprobateur ?

— Mon Dieu !... Parce qu'une mère...

Sophia ne m'avait pas laissé poursuivre.

— Je suis ravie, Charles, que vous ayez sur les mamans les idées d'autrefois, mais ce dont la mienne est capable, vous ne le savez pas encore ! Elle est très gentille, mais, telle que je la connais, elle n'aurait rien de plus pressé que d'aller jouer au chevet de Joséphine une grande scène dramatique. Pour guérir les blessures de la tête, on peut trouver mieux !

— Vous pensez à tout, chérie !

— Que voulez-vous ? Il faut bien que quelqu'un réfléchisse dans cette maison, maintenant que grand-père est parti !

Je n'avais rien répliqué, mais je n'avais pu m'empêcher de rendre un tacite hommage à la sagesse du vieux Leonidès. Il ne s'était pas trompé en désignant Sophia pour prendre après lui les responsabilités familiales. Elle les avait déjà faites siennes.

Après l'enquête, Gaitskill revint avec nous à *Three Gables*. S'étant éclairci la gorge, il dit sur le ton solennel qui lui paraissait, en la circonstance, indispensable :

— Il est maintenant une communication que mon devoir me commande de vous faire.

Nous étions réunis dans le salon de Magda. Pour moi, j'avais l'agréable impression d'être l'homme qui est dans le secret des dieux. Je savais ce que Gaitskill avait à dire. Je me préparai à observer les réactions de chacun.

Gaitskill fut concis et, quelle que fût son amertume, il ne laissa rien deviner de ses sentiments personnels. Il donna d'abord lecture de la lettre d'Aristide Leonidès, puis du testament. Je regardais, avec le seul regret de ne pouvoir avoir les yeux partout à la fois.

Je n'accordais que peu d'attention à Brenda et à Laurence. Pour Brenda, les dispositions nouvelles ne changeaient rien. Je guettais surtout Roger et Philip, et, avec eux, Magda et Clemency.

Mon impression première fut que tous se comportaient de façon très honorable.

Philip, la tête rejetée en arrière sur le dos de son fauteuil, garda les lèvres étroitement serrées durant toute la lecture. Elle ne lui arracha pas un mot.

Magda, par contre, se répandit en un torrent de paroles dès que Gaitskill eut terminé.

— Ma chère Sophia!... Est-ce que tout cela n'est pas extraordinairement romanesque?... Qui aurait cru que le cher vieil homme aurait si peu confiance en nous et qu'il nous décevrait tant? Et qui aurait imaginé ça? Il n'avait pas l'air d'aimer Sophia plus qu'il n'aimait n'importe lequel d'entre nous!... En tout cas, c'est un magnifique coup de théâtre!

D'un bond, elle s'était levée. Elle traversa le salon en quelques pas légers de danseuse et vint s'incliner devant sa fille en une profonde révérence de cour.

— Madame Sophia, votre vieille mère, très désargentée, espère que vous ne l'oublierez pas dans vos aumônes!

Puis, se redressant et tendant la main comme une pauvresse, elle ajouta, avec un terrible accent *cockney* :

— Un p'ti sou, ma bonne dame! Maman voudrait aller au cinéma.

Philip, sans faire un mouvement, ouvrit la bouche pour dire d'un ton sec :

— Je t'en prie, Magda, l'heure n'est pas aux clowneries!

Madga, brusquement, se tourna vers Roger.

— Mon Dieu! Et Roger?... Le pauvre Roger! Le cher homme voulait le renflouer et la mort ne lui a pas laissé le temps de le faire! Qu'est-ce que Roger va devenir, puisque le testament ne lui accorde rien?

Allant vers Sophia, elle ajouta, impérative :

— Sophia, il faut que tu fasses quelque chose pour Roger!

Clemency avança d'un pas.

— Il n'en est pas question. Roger ne demande rien. Rien du tout!

Roger s'était levé, lui aussi, pour aller à Sophia, à qui il avait gentiment pris les deux mains.

— C'est exact, ma chérie! Je ne veux pas un sou. Dès que cette histoire aura été tirée au clair ou qu'elle sera classée, ce qui me paraît beaucoup plus probable, Clemency et moi, nous nous en irons vers les Antilles et la vie toute simple que nous souhaitons, elle et moi. Si jamais je ne puis faire autrement, je ne manquerai pas de faire appel au chef de famille, mais, tant que je n'en serai pas là, je ne demande rien!

Il avait achevé avec un bon sourire.

Une voix inattendue s'éleva : celle d'Edith de Haviland.

— Tout cela est fort bien, Roger, mais il vous faudrait pourtant songer aux apparences! Supposons que, banqueroutier, vous vous en alliez à l'autre bout du monde, sans que Sophia ait rien fait pour vous venir en aide. Croyez-vous que l'événement ne suscitera pas bien des commentaires désagréables pour Sophia?

— En quoi l'opinion des gens nous intéresse-t-elle?

Clemency posait la question d'une lèvre dédaigneuse.

— Nous savons qu'elle vous indiffère, Clemency! répliqua Edith de Haviland avec vivacité. Mais Sophia, elle, vit dans le monde des vivants. Elle est intelligente, elle a du cœur, je suis sûre que le vieil Aristide a eu parfaitement raison de la choisir pour jouer désormais le rôle de chef de la famille, mais je suis aussi convaincue qu'il serait grand dommage qu'elle ne se montrât point très large en la circonstance et qu'elle laissât Roger sombrer, sans avoir rien tenté pour le sauver!

Roger alla à sa tante, lui jeta les bras autour du cou et l'étreignit.

— Tante Edith, vous êtes un amour... et un rude combattant, mais vous ne comprenez pas! Clemency et moi, nous savons très bien ce que nous voulons et ce que nous ne voulons pas!

Clemency, debout, les pommettes très roses, regardait les autres d'un air de défi.

— Aucun de vous ne comprend Roger, lança-t-elle. Vous ne l'avez jamais compris et j'imagine que vous ne le comprendrez jamais!... Viens, Roger! Allons-nous-en!

Ils sortirent. Mr. Gaitskill rangeait ses papiers. Son attitude laissait clairement entendre que ce genre de scènes n'avait pas son approbation.

Je regardai Sophia. Elle était debout, près de la cheminée, très droite, le menton haut, les traits calmes. Elle était, depuis un instant, l'héritière d'une immense fortune, mais ce n'était pas à cela surtout que je pensais. Je songeais à la solitude où elle se trouvait maintenant. Entre sa famille et elle, une barrière s'était élevée soudain. Elle était séparée des autres et quelque chose, dans son attitude, me disait que le fait ne lui échappait pas et qu'elle l'acceptait, avec toutes ses conséquences. Le vieux Leonidès lui avait placé un fardeau sur les épaules, sûr qu'elles seraient assez solides pour le porter. Sophia ne se dérobait pas. Mais, à ce moment-là, elle m'inspirait un peu de pitié.

Elle n'avait encore rien dit — on ne lui en avait guère laissé l'occasion — mais l'instant ne tarderait pas où il lui faudrait parler. Déjà, sous l'affection des siens, je devinais une hostilité latente, pressentie une première fois tout à l'heure, lors de l'aimable, mais malicieuse, petite comédie jouée par Magda.

Après s'être raclé le gosier, Mr. Gaitskill prononçait quelques phrases, dont il avait évidemment pesé les termes.

— Vous me permettrez, ma chère Sophia, de vous présenter toutes mes félicitations. Vous êtes maintenant une femme riche, extrêmement riche. Je vous conseillerais de ne prendre... aucune décision précipitée. Je puis vous avancer tout l'argent liquide dont vous pouvez avoir besoin dans l'immédiat, pour les dépenses courantes. Si vous désirez discuter avec moi des arrangements à prendre pour l'avenir, je me ferai une joie de mettre mes lumières à votre service. Prenez votre temps, réfléchissez et, le moment venu, téléphonez-moi à mon cabinet de Lincoln's Inn.

— Pour Roger...

Edith de Haviland n'eut pas le temps de poursuivre. Gaitskill répondait à ce que l'obstinée vieille demoiselle allait dire.

— Roger doit se défendre tout seul. Il est assez grand pour ça, puisqu'il a, si je ne m'abuse, cinquante-quatre ans. Aristide Leonidès l'a parfaitement jugé : Roger n'a jamais été un homme d'affaires... et il n'y a pas de raison que ça change!

Le regard tourné vers Sophia, il ajouta :

— Si vous renflouez l'Associated Catering, n'allez pas vous imaginer que Roger fera d'elle une affaire prospère!

— Je n'ai nullement l'intention de renflouer l'Associated Catering.

Sophia parlait pour la première fois. D'une voix brève et un peu sèche. Elle ajouta :

— Ce serait une pure stupidité.

Gaitskill la considéra un instant, par-dessous ses sourcils, sourit pour lui-même, puis, après avoir adressé à tout le monde un « au revoir » collectif, se retira.

Il y eut un moment de silence. Brusquement Philip se leva.

— Il faut que je retourne à ma bibliothèque. Je n'ai que trop perdu de temps.

— Père...

Il y avait, dans la voix de Sophia, comme une prière. Philip, se retournant, lança à sa fille un regard chargé d'hostilité.

— Tu m'excuseras de ne point te présenter mes félicitations, mais je m'en sens incapable. Je n'aurais pas cru que mon père m'aurait infligé une telle humiliation, méconnaissant par là la dévotion... je ne vois pas d'autre mot... que je lui ai portée, d'un bout à l'autre de mon existence.

Pour la première fois, son calme l'abandonnait.

— Comment a-t-il pu me faire cela?... Il n'a jamais été juste avec moi. Jamais! Il...

Edith de Haviland lui coupa la parole.

— Non, Philip, il ne faut pas croire ça! Aristide n'a voulu humilier personne. Mais les vieilles gens se tournent volontiers vers la jeunesse... et il avait, lui, un sens très aigu des affaires. C'est souvent qu'il m'a dit qu'avant de mourir un homme avait le devoir...

Philip, à son tour, interrompit sa tante.

— Il ne s'est jamais soucié de moi!... Il n'y en avait que pour Roger! Roger par-ci, Roger par-là!

Une expression que je ne lui avais jamais vue déformant ses traits, il ajouta sarcastique :

— Ce qui me console, c'est qu'il s'est tout de même rendu compte que Roger n'était pas un phénix! Roger se trouve logé à la même enseigne que moi!

— Et moi, alors, qu'est-ce que je dirai?

C'était Eustache qui intervenait. Jusqu'alors, j'avais à peine remarqué sa présence. Je le regardai. L'émotion le faisait trembler et son visage était cramoisi. Il avait, me sembla-t-il, des larmes dans les yeux.

— C'est honteux! poursuivit-il d'une voix qui me perçait le tympan. Comment grand-père a-t-il pu me faire ça? Comment a-t-il osé? J'étais son unique petit-fils et, à cause de Sophia, il fait comme si je n'existais pas! C'est injuste et je le déteste! Oui, je le déteste, et je peux vivre cent ans, je ne lui pardonnerai jamais! Ce vieux tyran! Sa mort, je l'ai bien souhaitée! Ce que j'ai pu désirer le voir hors de cette maison et être enfin mon propre maître! Et, maintenant, non seulement, c'est Sophia qui va me faire tourner à sa fantaisie, mais en plus j'ai l'air d'un imbécile! Je voudrais être mort...

Sa voix se brisait. Il quitta la pièce, fermant la porte sur lui avec fracas. Edith de Haviland fit claquer sa langue et dit :

— Cet enfant ne sait pas se dominer.

— Je comprends fort bien ce qu'il ressent! déclara Magda.

— Je n'en doute pas! répliqua Edith d'un ton acide.

— Le pauvre chéri! Il faut que j'aille le consoler...

— Voyons, Magda...

Edith sortit sur les talons de Magda. Sophia restait debout devant Philip. Il s'était repris et avait recouvré tout son calme. Son regard demeurait de glace.

— Tu as bien joué ta partie, Sophia!

Ayant dit, il se retira.

Sophia se tourna vers moi et je la pris dans mes bras.

— Il n'aurait pas dû vous dire ça, chérie! C'est tellement méchant!

Elle eut un sourire un peu triste.

— Il faut se mettre à leur place!

— Je sais. Mais votre vieux brigand de grand-père aurait dû prévoir tout ça...

— Il l'a prévu, Charles. Mais il s'est dit aussi que je tiendrais le coup... et je le tiendrai. Ce qui m'ennuie, c'est le mécontentement d'Eustache!

— Il passera.

— Je me le demande. Il est de ceux qui remâchent leurs griefs. Et je suis navrée que mon père se croie humilié!

— Votre mère, elle, est parfaite!

— Malgré ça, elle n'est qu'à moitié contente. Dame, ça l'embête un peu, parce que c'est tout de même peu ordinaire de se dire que c'est à sa fille qu'il lui faudra demander de l'argent pour monter des pièces! Elle ne tardera guère, je le parierais, à me parler de celle d'Edith Tompson.

— Et que lui répondrez-vous? Si ça doit lui faire tant plaisir...

Sophia rejeta la tête en arrière pour me regarder dans les yeux.

— Je lui répondrai non! La pièce ne vaut pas un clou et le rôle n'est pas pour maman. Ce serait jeter l'argent par les fenêtres!

Je souris. C'était plus fort que moi. Elle fronça le sourcil.

— Ça vous paraît drôle?

— Non, Sophia. Seulement, je commence à comprendre pourquoi c'est à vous que le grand-père a laissé sa fortune.

A ce moment-là, je n'avais qu'un regret : l'absence de Joséphine, qui aurait vécu là des minutes qui l'eussent enchantée.

Son rétablissement était rapide et nous attendions son retour d'un jour à l'autre. Ce qui ne l'empêcha pas de manquer encore un événement d'importance.

J'étais dans le jardin, un matin, avec Sophia et Brenda, lorsque s'arrêta devant la porte d'entrée une voiture, d'où descendirent l'inspecteur Taverner et le sergent Lamb. Ils gravirent le perron et pénétrèrent dans la maison.

Brenda, immobile, semblait ne pouvoir détacher ses yeux de l'auto.

— Encore eux! dit-elle. Je croyais qu'ils avaient renoncé, que tout était fini...

Je remarquai qu'elle frissonnait.

Elle était venue nous rejoindre une dizaine de minutes plus tôt. Frileusement enveloppée dans son manteau de chinchilla, elle nous avait dit : « Si je ne vais pas un peu au grand air et ne prends pas quelque exercice, je finirai par devenir folle! Or, s'il m'arrive de franchir la grille, un reporter surgit qui me tombe dessus et me harcèle de questions. Ça ne finira donc jamais? » Sophia lui avait répondu qu'elle était convaincue que les journalistes ne tarderaient pas à se lasser. Sur quoi, brusquement, sans transition, Brenda lui avait dit :

— Dites-moi, Sophia! Vous avez renvoyé Laurence. Pourquoi?

— Uniquement, avait répondu Sophia, parce que, Joséphine devant aller en Suisse, nous prendrons de nouveaux arrangements pour Eustache.

— Laurence est consterné. Il a le sentiment que vous n'avez pas confiance en lui...

La conversation en était là à l'arrivée de la voiture de Taverner.

— Que peuvent-ils vouloir? murmurait Brenda. Pourquoi sont-ils revenus?

Je croyais bien le savoir. Je n'avais rien dit à Sophia des lettres que j'avais trouvées derrière la citerne, mais je savais qu'elles avaient été transmises au D.P.P.*.

Taverner, sortant de la maison, traversait la pelouse pour venir à nous. Brenda, nerveuse, répétait :

* *Le* « Director of Public Prosecutions », *le magistrat qui décide des poursuites.*

— Que peut-il nous vouloir? Que peut-il nous vouloir?

Ce fut à elle que Taverner s'adressa, parlant avec courtoisie, mais de sa voix la plus officielle :

— J'ai, madame, un mandat d'arrestation vous concernant. Vous êtes accusée d'avoir, le 19 septembre dernier, administré de l'ésérine à Aristide Leonidès, votre époux. Il est de mon devoir de vous prévenir que tout ce que vous pourrez dire désormais pourra être utilisé au procès.

Brenda s'effondra. Accrochée à mon bras, elle pleurait, protestant de son innocence, criant qu'elle était victime d'un complot et m'adjurant de ne pas laisser Taverner l'emmener.

— Je n'ai rien fait!... Je n'ai rien fait!

La scène était horrible. J'essayai de calmer Brenda, lui disant que je m'occuperais de lui procurer un défenseur, qu'il fallait qu'elle conservât calme et sang-froid, et que son avocat arrangerait tout. Taverner la prit doucement par le coude.

— Venez, madame! Vous ne tenez pas à avoir un chapeau, n'est-ce pas? Alors, allons-nous-en tout de suite!

Elle leva la tête vers lui.

— Et Laurence?

— Mr. Laurence Brown est, lui aussi, en état d'arrestation, dit Taverner.

Dès lors, elle ne lutta plus. Ses forces semblaient épuisées et on aurait dit que son corps s'était soudain comme « tassé ». Des larmes coulant sur ses joues, elle s'éloigna avec Taverner, traversant la pelouse pour aller à la voiture. Au même instant, je vis Laurence qui sortait de la maison, avec le sergent Lamb. Tous montèrent dans l'auto, qui reprit aussitôt la route de Londres.

Je respirai profondément et me tournai vers Sophia. Elle était très pâle.

— C'est horrible! murmura-t-elle.

— C'est bien mon avis.

— Il faut absolument lui procurer un excellent avocat, le meilleur qui se puisse trouver!

— Ces choses-là, dis-je, on n'imagine pas à quoi cela ressemble! C'est la première fois que j'assiste à une arrestation.

— Oui, on n'imagine pas...

Nous restâmes un long moment silencieux. Je songeais à ce désespoir que j'avais vu sur le visage de Brenda, alors qu'elle nous quittait. Il me rappelait quelque chose dont je me souvins brusquement. Cette même expression d'horreur, je l'avais vue à Magda Leonidès, le jour de ma première visite à *Three Gables*, alors qu'elle parlait de la pièce d'Edith Thompson.

— Jusqu'au moment, avait-elle dit, où je ferai passer sur la salle un frisson de terreur.

De la terreur! C'était cela, uniquement, que reflétait la physionomie de Brenda. La pauvre fille n'était pas une lutteuse. Qu'elle eût jamais eu assez de cran pour tuer, j'en doutais fort. Mais il était très probable que, le crime, elle ne l'avait pas commis elle-même. C'était vraisemblablement Laurence Brown qui, pour libérer la femme qu'il aimait, avait accompli les gestes nécessaires. Vider le contenu d'un petit flacon dans un autre, c'était si simple, si facile à faire!

— Ainsi, reprit Sophia, c'est terminé!

Elle poussa un long soupir.

— Mais, me demanda-t-elle, pourquoi les arrête-t-on maintenant? Je croyais que les preuves manquaient.

— On en a trouvé quelques-unes, répondis-je. Des lettres.

— Des lettres d'amour qu'ils échangeaient?

— Exactement.

— Faut-il que les gens soient bêtes pour conserver ça!

Vérité incontestable, évidemment. C'est idiot. Il n'est personne qui le conteste. Et, pourtant, il suffit d'ouvrir un journal pour constater que quelque pauvre échantillon d'humanité a, une fois encore et après tant d'autres, fait son malheur parce qu'il a voulu, lui aussi, se donner la satisfaction de conserver la preuve écrite de l'amour de l'être pour lequel il s'est perdu.

— Oui, Sophia, tout cela est horrible! Mais à quoi bon épiloguer là-dessus? Après tout, les choses ne finissent-elles pas comme nous l'avons toujours espéré? Avez-vous donc oublié ce que vous m'avez dit, chez *Mario*, le soir même de mon retour à Londres? Vous m'avez dit alors que tout irait bien si votre grand-père avait été tué par le « bon assassin ». Le « bon » assassin, n'était-ce pas elle? Elle ou Laurence?

— N'insistez pas, Charles! C'est horrible.

— Ça ne doit pas nous empêcher de raisonner! Maintenant, Sophia, rien ne s'oppose plus à notre mariage. Vous n'avez plus aucune raison de le différer. La famille Leonidès n'est plus dans le coup!

Elle posa ses yeux dans les miens. Jamais le bleu de son regard ne m'avait si vivement frappé.

— Est-ce bien sûr, Charles?

— Aucun de vous, ma chère enfant, c'est l'évidence même, n'avait l'ombre d'un mobile!

Elle était devenue livide.

— Aucun de nous, Charles, sauf moi! J'avais un mobile.

— Oui, si l'on veut...

J'étais stupéfait. Je poursuivis :

— Si l'on veut... Mais en réalité, vous n'en aviez pas. Vous ne connaissiez pas les dispositions du testament.

Elle dit, dans un souffle :

— Mais si, Charles! J'étais au courant.

— Hein?

Mon sang se glaçait.

— J'ai toujours su que c'était à moi que grand-père laissait sa fortune.

— Mais d'où le teniez-vous?

— Il me l'avait dit, une quinzaine de jours avant sa mort. Sans préambule, comme ça! « Sophia, c'est toi qui auras tout ce que je possède. C'est toi qui veilleras sur la famille quand je ne serai plus. »

— Et vous ne m'avez jamais dit ça?

— Non. Vous comprenez, quand il a été question de ce testament qu'il avait signé devant tout le monde, j'ai pensé que peut-être il s'était trompé et que, contrairement à ce que je croyais, il ne m'avait nullement laissé toute sa fortune. Ou bien que ce testament, qui faisait de moi son héritière, était perdu et ne serait jamais retrouvé. Personnellement, je ne tenais pas à ce qu'il le fût! J'avais trop peur...

— Trop peur? Mais de quoi?

— Je ne sais pas... Peut-être d'être accusée du meurtre...

Je me souvins du visage terrorisé de Brenda et de l'expression horrifiée que Magda avait donnée à sa physionomie et bannie au commandement, lorsqu'elle avait parlé devant moi de ce rôle de meurtrière qu'elle désirait jouer. Sophia, quoi qu'il arrivât, ne s'affolerait pas. Mais, esprit réaliste, elle se rendait compte qu'elle était suspecte, du fait même qu'elle connaissait les intentions du vieux Leonidès à son endroit. Je comprenais mieux maintenant — c'était, du moins, mon impression — pourquoi elle avait ajourné nos fiançailles et insisté pour que je découvrisse la vérité. Cette vérité, il était indispensable qu'elle la connût. « Je ne serai tranquille, m'avait-elle dit, que lorsque je saurai exactement ce qui s'est passé! »

Nous allions vers la maison. Et, soudain, je me souvins d'autre chose qu'elle m'avait dit au cours de la même conversation.

Elle m'avait dit avoir le sentiment qu'elle était parfaitement capable d'assassiner quelqu'un. « Seulement, avait-elle ajouté, il faudrait que cela en valût vraiment la peine! »

Roger et Clemency, cependant, marchaient allégrement à notre rencontre. Son costume de tweed, très ample, allait à Roger infiniment mieux que le sévère veston que je lui avais vu si souvent. Il avait l'air très surexcité. Clemency paraissait soucieuse.

— Alors, s'écria Roger, ça y est tout de même! Je finissais par croire que cette sale femme, ils ne se résoudraient jamais à l'arrêter! Ce qu'ils attendaient, je me le demande. Quoi qu'il en soit, c'est fait! Ils ont également coffré son petit ami... et j'espère bien qu'ils seront pendus tous les deux!

Clemency plissa le front.

— Roger! Pourquoi parler comme un sauvage?

— Comme un sauvage, vraiment? De sang-froid, on empoisonne un malheureux vieillard qui a en vous toute confiance... et, quand je déclare que je suis très content que les assassins soient pris et que j'espère bien qu'ils seront punis comme ils le méritent, c'est moi qu'on traite de sauvage! Je regrette, mais cette femme, je l'étranglerais volontiers de mes propres mains!

Il ajouta :

— Vous étiez avec elle quand on l'a arrêtée, n'est-ce pas? Comment a-t-elle pris ça?

Sophia répondit, à voix très basse :

— C'était horrible! Elle mourait de peur.

— Bien fait pour elle!

— Roger!

Roger se tourna vers sa femme.

— Je sais, ma chérie, mais tu ne peux pas comprendre. Ce n'était pas ton père! C'était mon père et je l'aimais! Tu comprends? Je l'aimais.

— Si je ne te comprends pas, après ça!

Plaisantant à demi, Roger poursuivit :

— La vérité, Clemency, c'est que tu manques d'imagination. Suppose que ce soit moi qui ai été empoisonné...

Je vis battre les paupières de Clemency.

— Même pour rire, je ne veux pas que tu dises des choses comme ça!

Il sourit.

— Très bien! Je n'insiste pas. D'ailleurs, chérie, dans quelque temps, nous serons bien loin de tout ça!

Nous nous remîmes en route, tous les quatre, vers la maison.

Roger et Sophia marchaient devant. Je formais l'arrière-garde avec Clemency.

— Croyez-vous, me demanda-t-elle, que maintenant on nous laissera partir?

— Vous êtes si pressés de vous en aller?

— Je n'en puis plus!

Je la regardai, surpris. Elle soutint mon regard avec un pauvre sourire.

— Vous ne vous êtes donc pas aperçu, Charles, que je ne cesse pas de me battre? Pour mon bonheur et pour celui de Roger. J'ai eu si peur que sa famille ne finisse par le persuader de rester en Angleterre et que nous ne nous retrouvions en définitive englués de nouveau avec tous les autres, paralysés par mille liens que j'abomine! Je craignais que Sophia ne lui offrît une rente, qui l'aurait décidé à ne pas quitter l'Angleterre. A cause de moi, bien entendu. Du confort, des facilités, dont il s'imagine que j'ai besoin. L'ennui, avec Roger, c'est qu'il n'écoute jamais ce qu'on lui dit. Il se met des idées dans la tête... et ce ne sont jamais les bonnes! Il ignore tout et il est trop Leonidès pour ne pas s'imaginer que le bonheur d'une femme dépend de son mobilier et de l'argent qu'elle peut dépenser. Mais, mon bonheur, je le veux et je l'aurai, quel que soit le combat à livrer! J'emmènerai Roger loin d'ici et je lui donnerai l'existence qui lui convient, une vie où il n'aura pas le sentiment qu'il lui est impossible de rien réussir! Roger est à moi et nous fuirons l'Angleterre, et le plus tôt possible!

Elle parlait très vite, d'une voix étouffée, dont l'accent était par instants comme désespéré. Je l'écoutais avec surprise. Elle était à bout. Je ne m'en étais pas rendu compte auparavant, pas plus que je n'avais deviné l'exaspération de cet amour exclusif qu'elle portait à Roger. Assez curieusement, cette remarque me remit en mémoire un propos d'Edith de Haviland, laquelle m'avait dit un jour, d'un ton tout particulier, qu'elle aimait les siens sans, toutefois, aller « jusqu'à les idolâtrer ». Ce disant, était-ce à Clemency qu'elle pensait?

Une voiture s'arrêtait devant le perron.

— Tiens! m'écriai-je. Voici Joséphine qui nous revient!

Suivie de sa mère, l'enfant descendait de l'auto. Elle avait un bandeau sur le front, mais, pour le surplus, semblait se porter le mieux du monde.

Tout de suite, elle dit :

— Il faut que j'aille voir mon poisson rouge!

Elle se mettait en route vers le bassin. Sa mère la rappela.

— Tu ne crois pas, ma petite chérie, qu'il vaudrait mieux, d'abord, aller t'étendre un peu, te reposer... et, peut-être, manger une bonne soupe qui te donnerait des forces?

Joséphine ne se laissa pas convaincre.

— Ne vous en faites pas, maman! Je me sens très bien... et j'ai horreur de la soupe!

Je savais que Joséphine aurait pu quitter l'hôpital depuis quelques jours déjà et que, si on l'y avait gardée plus longtemps qu'il n'eût été nécessaire, c'était sur la discrète recommandation de Taverner, qui, soucieux de ne point lui faire courir de risques, préférait ne pas voir l'enfant de retour à *Three Gables* avant que les assassins présumés n'en fussent éloignés.

— L'air ne peut pas lui faire de mal, dis-je à Magda. Je la rejoins et j'aurai l'œil sur elle!

J'arrivai au bassin en même temps que Joséphine et j'engageai la conversation.

— Il s'est passé toutes sortes de choses durant votre absence!

Elle ne me répondit pas. De ses yeux de myope, elle regardait les poissons.

— Je ne vois pas Ferdinand, dit-elle.

— Ferdinand? Lequel est-ce?

— Celui qui a quatre queues.

— C'est une variété amusante. Pour ma part, j'aime bien celui-ci, qui est d'un beau jaune doré.

— Il est d'une espèce bien commune!

— En tout cas, je le préfère à cet autre, qui a l'air d'être mangé aux mites!

Joséphine me lança un coup d'œil plein de mépris.

— C'est un « chebunkin »! Il vaut très cher...

J'essayai de parler d'autre chose.

— Ça ne vous intéresse donc pas de savoir ce qui s'est passé ici, Joséphine, pendant que vous n'étiez pas là?

— J'ai idée que je suis au courant.

— Vous savez qu'on a découvert un autre testament et que c'est à Sophia que votre grand-père a laissé toute sa fortune?

Elle hocha la tête, l'air excédé.

— Maman me l'a dit. D'ailleurs, je le savais!

— On vous l'avait dit à l'hôpital?

— Non. Ce que je veux dire, c'est que je savais que grand-père laissait tout à Sophia. Du reste, il le lui avait dit.

Tout de suite, elle ajouta :

— Nannie est furieuse quand elle me prend à écouter aux

portes. Elle dit que c'est une chose qu'on ne fait pas quand on est une petite dame.

— Elle a tout à fait raison.

Joséphine haussa les épaules.

— Des dames, aujourd'hui, il n'y en a plus! La radio l'a encore dit, l'autre jour...

Je passai à un autre sujet.

— Dommage que vous ne soyez pas revenue un peu plus tôt! Vous avez manqué quelque chose : l'arrestation de Brenda et de Laurence par l'inspecteur Taverner.

Je pensais que cette information passionnerait Joséphine, mais elle se contenta de dire, de ce ton blasé qui commençait à m'exaspérer :

— Je suis au courant.

— Mais ce n'est pas possible! m'écriai-je. Ça s'est passé il n'y a qu'un instant!

— Nous avons croisé la voiture sur la route. Il y avait dedans l'inspecteur Taverner, un autre policier — celui qui a des souliers de daim — Brenda et Laurence. J'ai compris qu'ils devaient être arrêtés. J'espère que Taverner leur a donné l'avertissement prescrit par la loi. C'était pour lui une obligation.

Je rassurai Joséphine : Taverner n'avait oublié aucune formalité et l'arrestation avait eu lieu dans les formes les plus légales. Comme m'excusant, j'ajoutai :

— J'ai dû parler des lettres à Taverner. Je les avais trouvées derrière la citerne. J'aurais préféré qu'elles lui fussent remises par vous, mais vous étiez hors de combat!

Délicatement, Joséphine porta la main à son front.

— Je me demande comment je n'ai pas été tuée sur le coup! Je vous avais dit que le second meurtre n'était plus loin. La chambre aux citernes était un bien mauvais endroit pour cacher ces lettres. Pour moi, j'ai deviné tout de suite, le jour où j'ai vu Laurence qui en sortait. Comme il n'est pas du genre « bricoleur », s'il était allé là, c'était forcément pour y cacher quelque chose!

— Mais je croyais...

Je me tus. Edith de Haviland appelait Joséphine.

Joséphine soupira.

— Il faut que j'y aille! Avec tante Edith, on ne peut pas se dérober!

Elle partit en courant, traversant la pelouse pour aller retrouver sa tante, avec qui elle échangea quelques mots avant de disparaître dans la maison. Je rejoignis Edith de Haviland sur la terrasse.

Ce jour-là, elle paraissait bien son âge. Toutes ses rides se voyaient et elle semblait terriblement lasse. A mon approche, elle essaya de sourire.

— Cette petite, me dit-elle, n'a pas l'air d'avoir trop souffert de sa mésaventure. Nous n'en devrons pas moins, à l'avenir, la surveiller un peu mieux. Il est vrai que, maintenant, ce sera sans doute moins indispensable.

Après un soupir, elle poursuivit :

— Je suis bien heureuse que tout soit enfin terminé. Mais quel lamentable spectacle! Quel manque de dignité! Je suis sans indulgence pour les gens qui s'effondrent et qui pleurnichent! Ceux-là n'ont aucun cran et c'est ce que je ne leur pardonne pas! Laurence Brown me faisait penser à un rat pris au piège.

— Pour moi, dis-je, je les plaindrais plutôt.

— Certes! reprit-elle. J'espère qu'elle saura mettre des chances de son côté, qu'elle aura un bon avocat...

L'attitude de la vieille demoiselle ne me semblait pas moins paradoxale que celle de Sophia. Comme Sophia, elle détestait Brenda et, comme Sophia, elle souhaitait que rien ne fût négligé pour assurer sa défense.

— Quand seront-ils jugés? me demanda-t-elle.

Je répondis qu'il était bien difficile de le dire. L'affaire instruite, ils seraient vraisemblablement renvoyés devant le tribunal. Ils ne passeraient pas en justice avant trois ou quatre mois, au moins. Naturellement, en cas de condamnation, ils feraient appel.

— Pensez-vous, reprit-elle, qu'ils seront condamnés?

— Je ne saurais dire. Il faudrait savoir quelles preuves on a de leur culpabilité. Je sais qu'il y a des lettres...

— Des lettres d'amour? Ils étaient donc amants?

— Ils s'aimaient.

Le visage d'Edith s'assombrit encore.

— Tout cela m'ennuie beaucoup, Charles! Je n'ai aucune sympathie pour Brenda et je puis même dire que, dans le passé, je l'ai détestée. J'ai tenu sur son compte des propos sévères, mais aujourd'hui, j'estime qu'il faut lui donner des chances, toutes ses chances. Aristide l'aurait souhaité, comme je le fais. Il est, je pense, de mon devoir de veiller à ce qu'elle ne soit victime d'aucune injustice!

— Et Laurence?

Elle eut un petit mouvement d'impatience.

— Laurence est un homme. A lui de se débrouiller! Mais, pour Brenda, Aristide ne nous pardonnerait jamais de...

Elle laissa sa phrase inachevée.

— Il est presque l'heure de déjeuner, reprit-elle. Rentrons!
Je lui dis que je me rendais à Londres.

— En auto?

— Oui.

— Me prendriez-vous avec vous? J'ai cru comprendre que
nous avions maintenant l'autorisation de bouger.

— Je vous emmènerai volontiers, mais je crois que Magda et
Sophia vont à Londres cet après-midi. Vous serez mieux installée
dans leur voiture que dans ma petite deux-places.

— Je ne tiens pas à aller avec elles. Partons et n'alertons personne!

Encore que très surpris, j'acceptai. En chemin, nous n'échangeâmes que de rares paroles. Je lui demandai où elle désirait être
déposée.

— Dans Harley Street*.

La réponse m'inquiéta, mais je ne le laissai pas voir.

Elle poursuivit :

— Ou, plutôt, non! Il est trop tôt. Laissez-moi chez *Debenhams*.
Je déjeunerai là et j'irai à Harley Street en sortant de table.

— J'espère que...

Ma phrase en restait là. Edith vint à mon secours.

— C'est justement pour ça que je ne voulais pas venir avec
Magda. Elle fait un drame avec rien!

— Je suis navré...

Elle m'interrompit.

— Vous auriez tort! J'ai eu une très belle vie. Très belle...

Avec un sourire, elle ajouta :

— Et ce n'est pas fini!

---

* *Harley Street, la rue des grands médecins.*

Il y avait quelques jours que je n'avais vu mon père. Je le trouvai occupé de toute autre chose que de l'affaire Leonidès et je me mis en quête de Taverner.

L'inspecteur, qui avait quelques instants de loisirs, accepta de venir boire quelque chose avec moi. Mon premier soin fut de le féliciter d'avoir élucidé le mystère de *Three Gables*. Mes congratulations lui firent plaisir. Il ne paraissait, cependant, qu'à demi satisfait.

— Quoi qu'il en soit, me dit-il, c'est fini et l'accusation tient debout! On ne peut pas prétendre le contraire.

— Croyez-vous qu'ils seront condamnés?

— Impossible à dire. Ainsi qu'il arrive presque toujours dans les affaires de meurtre, parce qu'il ne peut guère en aller autrement, nous n'avons que des preuves indirectes. Tout dépendra de l'impression qu'ils feront sur les jurés!

— Les lettres constituent-elles une charge sérieuse?

— A première vue, oui. On trouve dans plusieurs des allusions à ce que sera leur vie à tous deux lorsque le vieux sera mort. Des phrases comme : « Ce ne sera plus long maintenant! » Naturellement, la défense ergotera. Elle fera valoir que c'est là une formule très innocente, que Leonidès était si vieux que sa femme pouvait raisonnablement penser qu'il ne tarderait pas à mourir de sa belle mort. Jamais, il n'est noir sur blanc, question de poison, mais il y a des passages qui peuvent être interprétés de façon très fâcheuse pour les accusés. Tout dépendra du juge. Si nous avons le vieux Carberry, leur compte est bon! Il ne pardonne jamais à la femme adultère. J'imagine que c'est Eagles ou Humphrey Kerr que nous trouverons au banc de la défense. Humphrey, dans les affaires comme celle-là, est extraordinaire. Seulement, il aime bien que la tâche lui soit facilitée par les brillants états de service militaire de son client. Avec un objecteur de conscience, il sera moins étincelant qu'à l'habitude. Quant à l'impression qu'ils feront sur les jurés, on ne peut rien prévoir. Avec les jurés, on ne sait jamais! Ce qu'on peut dire, c'est qu'ils ne sont ni l'un ni l'autre très sympathiques. Elle, c'est une jolie femme qui a épousé un très vieil homme pour son argent, et lui un objecteur de conscience qui aurait tendance à faire de la neurasthénie. Le crime est banal en soi, tellement conforme aux traditions qu'on se demande comment ils n'ont pas imaginé autre chose! Bien entendu, il se peut qu'ils prétendent qu'il est seul coupable et qu'elle a tout ignoré ou, au contraire, que c'est elle qui a tout fait et que lui ne savait rien. Il n'est pas impossible non plus qu'ils disent avoir agi de concert.

— Vous, que croyez-vous?

Taverner tourna vers moi un visage hermétique.

— Moi, je ne crois rien du tout! J'ai établi des faits, j'ai adressé un rapport au D. P. P. et il a été décidé qu'il y avait lieu de poursuivre. Un point, c'est tout. J'ai fait mon devoir et le reste ne me regarde pas. Vous vouliez connaître ma position, la voilà!

J'étais renseigné, mais je quittai Taverner avec la conviction qu'il y avait dans tout cela quelque chose qui ne lui plaisait pas.

Ce fut seulement trois jours plus tard qu'il me fut donné de dire au paternel ce que j'avais sur le cœur. Il ne m'avait jamais parlé de l'affaire. En vertu d'un accord tacite, dont je connaissais les raisons, c'était un sujet que nous évitions d'aborder. Ce jour-là, je l'attaquai résolument.

— Il faut tirer ça au clair! dis-je. Taverner n'est nullement convaincu que ce sont bien les coupables qui ont été arrêtés... et tu ne l'es pas plus que lui!

Mon père secoua la tête et m'objecta que la question n'était pas de sa compétence. Un point lui paraissait acquis, qu'on ne pouvait contester : l'accusation était solide.

— Mais, répliquai-je, tu ne crois pas à leur culpabilité! Et Taverner non plus!

— C'est au jury qu'il appartient de décider!

— Je le sais bien! m'écriai-je. Mais ce qui m'intéresse, c'est ton opinion personnelle!

— Mon opinion personnelle, Charles, n'a pas plus d'importance que la tienne.

— Pardon! Ton expérience...

— Bon. Eh bien! je serai honnête avec toi. A franchement parler, je ne sais pas!

— Tu crois qu'ils pourraient être coupables?

— Certainement.

— Mais tu ne saurais dire que tu en es sûr?

Le « pater » haussa les épaules.

— Sûr, l'est-on jamais?

— Ne me dis pas ça! Il y a des fois où tu étais sûr de la culpabilité de tes bonshommes! Absolument sûr! Non?

— C'est arrivé quelquefois. Mais pas toujours!

— Et cette fois-ci, tu n'es pas sûr!

— Je voudrais bien l'être.

Nous restâmes silencieux. Je pensais à ces deux silhouettes

que j'avais aperçues dans le soir qui tombait, fuyantes et crain-
tives, presque dès mon arrivée à *Three Gables*. Dès le premier
jour, Brenda et Laurence m'avaient donné l'impression qu'ils
avaient peur de quelque chose. N'était-ce pas parce qu'ils ne se
sentaient pas la conscience tranquille? Je me posais la question et
j'étais obligé de me répondre : « Pas nécessairement! » Ils avaient,
l'un et l'autre, peur de la vie. Parce qu'ils manquaient de confiance
en eux-mêmes, parce qu'ils savaient ne pas être capables d'éviter
les dangers qui les menaçaient, parce qu'ils ne se rendaient que
trop bien compte que leurs coupables amours pouvaient, à tout
moment, les conduire au crime.

Mon père reprit, d'une voix grave et douce à la fois :

— Voyons, Charles! Regardons les choses en face. Tu per-
sistes à penser que l'assassin est un membre de la famille?

— A vrai dire, non. Je me le demande seulement.

— Tu le penses, Charles. Tu te trompes peut-être, mais tu le
penses!

— C'est vrai.

— Pourquoi?

— Parce que...

Essayant de voir clair en moi, j'hésitais. La phrase se forma
presque à mon insu.

— Parce que c'est ce qu'ils pensent eux-mêmes!

— Ce qu'ils pensent eux-mêmes! Intéressant. Très intéressant.
Veux-tu dire par là qu'ils se suspectent mutuellement ou qu'ils
connaissent effectivement le coupable?

— Je ne saurais dire. Tout ça est très nébuleux, très confus...
Dans l'ensemble, j'ai assez l'impression qu'ils font tout ce qu'ils
peuvent pour oublier quel est le vrai coupable.

Après un silence, j'ajoutai :

— Une exception, pourtant : Roger. Il est absolument convaincu
que c'est Brenda qui a tué et souhaite de tout son cœur qu'elle soit
pendue. Sa conversation est... reposante : il est simple, direct,
sans arrière-pensées. Les autres, au contraire, semblent mal à l'aise
et ont l'air de s'excuser. Ils tiennent à être sûrs que Brenda aura
un défenseur de premier ordre, que tout sera fait pour qu'elle
ne puisse être condamnée injustement. Pourquoi?

— Évidemment, répondit mon père, parce qu'au fond ils ne
croient pas qu'elle soit coupable.

Puis, très calme, il dit :

— Mais, alors, qui a tué? Tu leur as parlé. Quel serait, selon
toi, le coupable le plus plausible?

— Je n'en sais rien... et c'est bien ce qui me rend fou! Aucun d'eux ne ressemble, de près ou de loin à un assassin et, pourtant, l'assassin, c'est l'un d'eux!

— Sophia?

— Grands dieux, non!

— C'est pourtant une hypothèse à laquelle tu songes, Charles! Inutile de nier. Et tu y songes d'autant plus que tu ne veux pas l'admettre! *Quid* des autres? Philip?

— Ses mobiles seraient fantastiques!

— Il y a des mobiles qui sont fantastiques comme il y en a qui sont absurdes, parce que presque inexistants. Quels seraient les siens?

— Il est amèrement jaloux de Roger. Il l'a été toute sa vie. Son père a toujours eu une préférence pour Roger et Philip en a beaucoup souffert. Roger allait faire le plongeon. Le vieil Aristide l'a appris et a promis à Roger d'arranger ses affaires. Admettons que la chose soit venue aux oreilles de Philip. Que le vieux meure dans la nuit et Roger devra se passer du secours qu'il attend. Il sera bel et bien liquidé. Oh! je sais que c'est idiot...

Le « pater » protesta.

— Mais pas du tout! On voit des choses comme ça. Elles sont anormales, inhabituelles, mais humaines. Elles arrivent. Passons à Magda!

— Elle, c'est une enfant! Le réel lui échappe. A la vérité, sa culpabilité ne m'aurait jamais paru possible si je n'avais été très surpris de sa hâte à vouloir expédier Joséphine en Suisse. Je n'ai pu m'empêcher de penser qu'elle avait peur que la petite ne sût ou dît quelque chose...

— Et finalement, Joséphine a pris un grand coup sur la tête!

— Ce n'est évidemment pas sa mère qui...

— Et pourquoi pas?

— Mais, papa, parce qu'une mère...

— Tu ne lis donc jamais les faits divers, Charles... C'est tous les jours qu'une mère prend en grippe un de ses enfants. Générale-ment, elle continue à aimer les autres. Mais celui-là, pour une raison qu'il est souvent bien difficile de déterminer, elle le déteste, elle le hait...

— Elle appelait Joséphine sa « petite niaise », dis-je un peu à regret.

— Ça ennuyait l'enfant?

— Je ne crois pas.

— Qu'y a-t-il encore? Roger?

— Roger n'a pas tué son père. J'en suis sûr!

— Alors, laissons-le de côté! Sa femme... Comment s'appelle-t-elle donc?... Clemency?

— Si elle a assassiné le vieux Leonidès, elle, c'est encore pour une raison bien étrange!

Je racontai à mon père mes conversations avec Clemency, disant qu'il était possible qu'elle eût empoisonné son beau-père, à seule fin de pouvoir emmener Roger très loin de l'Angleterre.

— Elle avait réussi à convaincre Roger de partir sans prévenir son père. Là-dessus, le vieux apprend que son fils va déposer son bilan et décide de renflouer l'Associated Catering. Tous les espoirs, tous les plans de Clemency sont par terre du coup. Et elle adore son mari. Je dirai même qu'elle l'idolâtre!

— Tu reprends les mots d'Edith de Haviland.

— C'est juste. Celle-là aussi pourrait bien avoir tué, mais je ne saurais dire pourquoi. Je crois seulement que, si elle jugeait nécessaire de prendre la loi entre ses mains, elle considérerait que c'est là une raison justifiant pour elle toutes les décisions. Elle est comme ça!

— Et elle tient, elle aussi, à ce que Brenda soit bien défendue?

— Oui. Question de conscience probablement. Je ne pense pas, si elle a tué, qu'elle souhaitait qu'un autre fût accusé.

— Aurait-elle été capable d'assommer Joséphine?

— Ça, je ne peux pas le croire! Ça me fait penser que Joséphine m'a dit quelque chose qui m'a tracassé un bon moment, que je voudrais bien retrouver, mais qui m'est malheureusement sorti de l'esprit. Je sais seulement que ça ne collait pas avec tout le reste...

— Ça te reviendra! Ne cherche pas! Tu ne vois rien d'autre?

— Si! Des tas de choses! Es-tu renseigné sur la paralysie infantile? Sur les répercussions qu'elle peut avoir sur le caractère du malade?

— C'est à Eustache que tu penses?

— Oui. Plus j'y songe, plus il me semble qu'il pourrait fort bien avoir tué son grand-père. Il le haïssait. Avec ça, il est bizarre, lunatique. Pas normal, quoi!... Dans la famille, c'est le seul que je voie très bien assommant Joséphine de sang-froid, si la petite savait quelque chose sur lui. Et, s'il y avait quelque chose à savoir, elle le savait. Cette enfant sait tout. Elle prend des notes sur un petit carnet noir...

Je m'interrompis.

— Sapristi! m'écriai-je. Ce que je peux être bête!

— Qu'est-ce qui se passe?

— Je me souviens de ce qui ne collait pas. Taverner et moi,

nous avons admis comme un seul homme que, si l'on avait mis à sac la chambre de Joséphine, c'était parce qu'on cherchait les fameuses lettres que tu sais. Je m'étais dit alors que la petite, ayant mis la main dessus, les avait cachées dans la chambre aux citernes. Mais, l'autre jour, quand j'ai bavardé avec elle, elle m'a déclaré que c'était Laurence qui les avait placées où je les ai trouvées. Elle l'avait vu sortir du grenier. Elle est allée voir ce qu'il avait été faire là, elle a découvert les lettres, elle les a lues, mais elle les a laissées où elles étaient!

— Et alors?

— Alors! Ce n'était donc pas les lettres qu'on cherchait dans la chambre de Joséphine. C'était autre chose!

— Et cette autre chose...

— C'était son petit carnet noir! C'était cela qu'on cherchait! Mais je ne crois pas qu'on l'ait trouvé. Joséphine doit toujours l'avoir. Seulement, dans ce cas...

Je m'étais levé à demi.

— Dans ce cas, dit mon père, elle est toujours menacée. C'est ce que tu allais dire?

— Oui. Elle ne sera vraiment hors de danger que lorsqu'elle sera partie pour la Suisse. Je t'ai dit qu'il était question de l'envoyer là-bas.

— Il lui plaît, ce projet?

— Je ne pense pas.

— Alors, dit mon père d'un ton assez sec, elle n'ira sans doute pas. Mais, en ce qui concerne le danger, il existe et tu ferais peut-être bien de retourner là-bas le plus tôt possible.

J'étais affolé.

— Tu penses à Eustache?... A Clemency?

Mon père me sourit gentiment.

— A mon sens, Charles, les faits pointent tous dans une même direction et je m'étonne que tu ne t'en rendes pas compte. Je...

Glover entrebâilla la porte.

— Excusez-moi, monsieur Charles, on vous demande à l'appareil! C'est Miss Leonidès qui téléphone de Swinly. Il paraît que c'est très urgent...

J'avais l'impression de revivre une scène horrible. S'agissait-il d'un nouvel attentat contre Joséphine. Et, cette fois, réussi?

Je courus au téléphone.

— Allô, Sophia?

— C'est vous, Charles?

Il y avait, dans la voix de Sophia, une sorte de désespoir. Elle poursuivit :

— Rien n'est terminé, Charles! L'asssassin est toujours ici!

— Que voulez-vous dire?... Il s'est passé quelque chose?... Joséphine?...

— Ce n'est pas Joséphine. C'est Nannie!

— Nannie?

— Oui. Il y avait du chocolat... Le chocolat de Joséphine... Elle ne l'avait pas bu et il était resté sur la table. Nannie n'a pas voulu le laisser perdre. Elle l'a bu...

— Pauvre Nannie!... Elle est très mal?

La voix de Sophia se brisa.

— Oh! Charles... Elle est morte.

## CHAPITRE XXIV

Nous nous retrouvions en plein cauchemar.

La voiture nous emportait, Taverner et moi, vers *Three Gables* et j'avais l'impression de revivre des minutes que j'avais déjà vécues aux côtés de l'inspecteur. Cette randonnée ressemblait tellement à une autre que nous avions faite ensemble peu auparavant!

De temps à autre, il jurait. Pour moi, à intervalles presque réguliers, je répétais stupidement une même phrase : « Ainsi, ce n'étaient pas Laurence et Brenda! »

A dire le vrai, avais-je jamais cru à leur culpabilité? J'avais été heureux de faire semblant d'y croire. Parce que ça m'arrangeait, parce que cela m'épargnait d'envisager d'autres hypothèses, auxquelles je ne voulais même pas songer.

Ils s'aimaient. Romanesques, ils s'étaient écrit des lettres débordant de sentimentalité et passablement ridicules. Ils s'étaient laissé aller à espérer que le vieil époux de Brenda ne tarderait pas à s'éteindre en paix, mais on pouvait se demander s'ils avaient vraiment souhaité sa mort. J'avais comme une vague idée que, l'un comme l'autre, ils devaient, au fond d'eux-mêmes, préférer les traverses et les désespoirs d'un amour contrarié aux certitudes banales de la vie conjugale. Brenda n'était pas une créature dévorée de passion. Indolente, manquant d'énergie, ce qu'elle désirait, c'était seulement un peu de roman. Quant à Laurence il était, lui aussi, de ces êtres plus épris de rêves qu'ils ordonnent à leur gré que de satisfactions immédiates et concrètes. Ils avaient été pris dans un piège et, fous de terreur, n'avaient pas été capables d'en sortir. Brenda avait vraisemblablement brûlé les lettres de Laurence, puisqu'on ne les avait pas découvertes, mais Laurence, lui, poussant à l'extrême la stupidité, n'avait même pas détruit celles qu'il avait reçues de Brenda. Il n'était pas possible qu'il eût machiné l'attentat de la buanderie. Le coupable, ce n'était pas lui, mais quelqu'un qui se cachait encore derrière un masque.

Un policeman, que je ne connaissais pas, nous accueillit dans le hall. Il salua Taverner, qui l'entraîna dans un coin.

Mon attention fut attirée par des bagages, signe évident d'un départ imminent. J'étais en train de les examiner quand Clemency parut. Elle portait sa robe rouge avec une veste de tweed et un chapeau de feutre.

— Vous arrivez juste à temps pour nous dire au revoir! me dit-elle.

— Vous partez?

— Nous couchons à Londres ce soir. Notre avion prend l'air demain, à la première heure.

Elle souriait. Ses yeux, pourtant, semblaient refléter une certaine inquiétude.

— Mais, dis-je, il n'est pas possible que vous partiez aujourd'hui!

— Et pourquoi donc?

Sa voix était dure.

— Avec cette mort...

— La mort de Nannie n'a rien à voir avec nous!

— Peut-être que non! Pourtant...

— Pourquoi dites-vous : « Peut-être que non! »? Il n'y a pas de « peut-être »! Roger et moi, nous étions en haut, en train de finir nos bagages. Nous n'avons pas paru au rez-de-chaussée durant tout le temps que le chocolat est resté sur la table...

— Vous pouvez le prouver?

— Je réponds de Roger et Roger répond de moi.

— C'est peu!... N'oubliez pas que vous êtes mari et femme!

Elle s'emporta.

— Vous êtes impossible, Charles! Roger et moi, nous nous en allons... vers une vie nouvelle. Pourquoi diable voudriez-vous que nous eussions empoisonné une brave fille un peu bornée qui ne nous a jamais fait aucun mal?

— Ce n'était peut-être pas à elle que le poison était destiné!

— Nous sommes encore moins capables de vouloir empoisonner une enfant!

— Ça dépend de l'enfant!

— Que voulez-vous dire?

— Que Josephine n'est pas une enfant comme les autres!
Elle sait un tas de choses sur les gens. Elle...

Je m'interrompis brusquement. Joséphine arrivait par la porte
du couloir conduisant au salon. Elle croquait son inévitable
pomme et, au-dessus de ses joues roses, ses yeux brillaient de joie.

— Nannie a été empoisonnée! nous dit-elle. Exactement
comme grand-père. C'est passionnant! Vous ne trouvez pas?

Je pris un air sévère pour répondre :

— Vous n'êtes pas bouleversée? Vous ne l'aimiez donc pas?

— Pas spécialement. Elle était tout le temps en train de me
gronder! C'était une faiseuse d'histoires.

— Aimes-tu seulement quelqu'un, Joséphine?

L'enfant leva les yeux vers Clemency.

— J'aime tante Edith. Je l'aime beaucoup... Et j'aimerais
bien aussi Eustache, si seulement il n'était pas si méchant avec
moi et si ça l'intéressait de découvrir le criminel qui est responsable de tout.

— Joséphine, dis-je, vous feriez mieux de ne plus le chercher!
C'est dangereux.

Elle répliqua :

— Je n'ai plus besoin de le chercher. Je sais tout.

Il y eut un long silence. Joséphine, les yeux fixés sur Clemency,
la regardait sans ciller.

J'entendis dans mon dos un soupir. Je me retournai vivement.
Edith de Haviland descendait l'escalier. Mais je n'eus pas l'impression que, ce soupir, c'était elle qui l'avait poussé. Il devait
venir de derrière la porte par laquelle Joséphine était arrivée.
Vivement, j'allai l'ouvrir. Il n'y avait personne.

Je me sentis très inquiet. Quelqu'un, j'en étais sûr, s'était tenu
derrière cette porte et avait entendu les propos de Joséphine.
Je revins vers l'enfant, qui, tout en mangeant sa pomme, continuait à dévisager Clemency d'un air malicieux, et je la pris par le
bras.

— Venez, Joséphine! Nous avons à causer.

Je m'attendais à ce qu'elle protestât, mais j'étais bien décidé
à passer outre. Je l'entraînai dans une petite pièce dont on ne se
servait guère et où il était peu vraisemblable qu'on vînt nous
déranger. La porte fermée, j'invitai Joséphine à s'asseoir, puis,
prenant moi-même une chaise, je m'installai en face d'elle.

— Maintenant, dis-je, nous allons nous expliquer! Joséphine,
qu'est-ce que vous savez?

— Bien des choses!

— Je n'en doute pas. Vous avez certainement dans la tête des informations innombrables, dont certaines présentent de l'intérêt et d'autres non. J'imagine que vous avez fort bien compris ce que je vous demande. Je me trompe?

— Non. Je ne suis pas idiote, moi!

La pointe m'était-elle destinée ou visait-elle les policiers? Je ne perdis point mon temps à m'interroger là-dessus. Je poursuivis :

— Vous savez qui a mis quelque chose dans votre chocolat?

Elle hocha la tête affirmativement.

— Vous savez qui a empoisonné votre grand-père?

Nouveau hochement de tête.

— Et qui a essayé de vous tuer dans la buanderie?

Encore un hochement de tête.

— Alors, dis-je, vous allez me raconter tout ce que vous savez! Vous allez tout me dire... et tout de suite!

— Non.

— Vous ne pouvez pas faire autrement. Tous les renseignements que vous possédez ou que vous découvrez, vous êtes dans l'obligation de les transmettre à la police!

— Les policiers sont des imbéciles et je ne leur dirai rien du tout. Ils ont été s'imaginer que l'assassin c'était Brenda ou Laurence. Moi, je n'ai pas été si bête que ça! Je savais très bien qu'ils n'étaient pas coupables. J'ai eu ma petite idée tout de suite, dès le début. J'ai fait une expérience... et, maintenant, je sais que j'avais vu juste!

Elle avait terminé sur une note de triomphe.

Faisant appel à toute ma patience, je recommençai.

— Joséphine, vous êtes extrêmement forte, je tiens à le dire...

Elle parut très contente d'entendre ça. Je poursuivis :

— Seulement, à quoi vous servira-t-il d'avoir été très forte si vous n'êtes plus en vie pour savourer votre victoire? Vous ne vous rendez pas compte, petite sotte, qu'aussi longtemps que vous garderez pour vous seule les secrets que vous détenez, vous serez en danger?

— Je le sais très bien!

— Deux fois déjà vous avez failli y rester! La première, il s'en est fallu de peu que vous ne fussiez tuée! La seconde a coûté la vie à une autre personne. Vous ne comprenez donc pas que, si vous continuez à trotter par la maison en proclamant que vous connaissez l'assassin, il y aura encore de nouvelles attaques contre vous, dont vous serez victime... à moins que ce ne soit encore quelqu'un d'autre?

— Il y a des livres comme ça, où les gens sont tués les uns après les autres! On finit par trouver le coupable, parce qu'il ne reste pratiquement plus que lui!

— Nous ne sommes pas dans un roman policier, Joséphine. Nous sommes à *Three Gables*, Swinly Dean, et vous êtes une petite sotte qui a beaucoup trop lu pour son bien. Ce que vous savez, vous me le direz, quand je devrais vous secouer jusqu'à vous désarticuler les membres!

— Je pourrais toujours mentir!

— Bien sûr! Mais vous ne le ferez pas... Après tout, qu'est-ce que vous attendez?

— Vous ne comprenez pas! Il est très possible que je ne parle jamais. Le coupable, peut-être bien qu'il m'est sympathique! Vous saisissez?

Elle attendit, comme pour me laisser le temps de me bien pénétrer de cette idée nouvelle, puis elle reprit :

— Et, si je parle, je ferai les choses dans les règles. On réunira tout le monde dans une grande pièce, je raconterai tout et, à la fin brusquement je dirai : « Et c'était vous! »

Comme elle pointait l'index dans un geste dramatique, Edith de Haviland entra.

Après avoir invité Joséphine à jeter son trognon de pomme et à essuyer avec son mouchoir ses doigts poisseux, elle lui annonça qu'elle l'emmenait en automobile. Son regard me laissait entendre que c'était le meilleur moyen d'assurer la sécurité de l'enfant dans les deux heures à venir. La promenade semblant peu sourire à Joséphine, elle ajouta :

— Nous irons manger une crème glacée à Longbridge.

Les yeux de la fillette brillèrent.

— Deux!

— Nous verrons. Va chercher ton chapeau, ton manteau et ton écharpe bleu marine! Il fait frisquet aujourd'hui. Voulez-vous l'accompagner, Charles? J'ai deux petits mots à écrire.

Elle s'assit à un secrétaire, cependant que je quittais la pièce avec Joséphine, que je n'aurais lâchée pour rien au monde, même si la vieille demoiselle ne m'avait prié de veiller sur elle. Je restais convaincu que l'enfant était plus que jamais menacée.

Je mettais les dernières touches à la toilette de Joséphine quand Sophia entra dans la chambre. Elle parut stupéfaite de me voir.

— Vous êtes ici, Charles? Je ne savais pas! Et vous êtes devenu femme de chambre?

Joséphine annonça d'un ton important qu'elle allait à Longbridge avec tante Edith.

— Manger des glaces, précisa-t-elle.

— Brrr... Par ce temps-là?

— Les glaces sont bonnes par n'importe quel temps! répliqua Joséphine. Quand on a bien froid à l'intérieur, on a l'impression qu'on a plus chaud à l'extérieur!

Sophia fronça le sourcil. Sa pâleur me chagrinait, comme les cernes qu'elle avait sous les yeux.

Nous allâmes retrouver Edith de Haviland. Elle fermait sa seconde enveloppe. Elle se leva.

— Nous partons. J'ai dit à Evans de me sortir la Ford.

Nous traversâmes le hall, où je revis les bagages, avec leur étiquette bleue. A la porte, tout en boutonnant ses gants, Edith de Haviland regarda le ciel.

— Belle journée, dit-elle. Il fait froid, mais l'air est vif. Un vrai jour d'automne anglais. Sont-ils beaux, ces arbres, avec leurs branches nues, qui se détachent sur le ciel, avec, de loin en loin, une feuille d'or qui n'est pas encore tombée?

Elle se retourna et embrassa Sophia.

— Adieu, ma chérie! Ne te tracasse pas trop!... Il y a des choses inévitables et il faut savoir les affronter.

La Ford attendait en bas du perron. Edith monta dans la voiture, puis Joséphine. Elles nous adressèrent, l'une et l'autre, un petit signe d'adieu quand l'auto démarra.

— J'imagine, dis-je, que la tante Edith a raison et qu'il est sage d'éloigner Joséphine pendant une heure ou deux, mais je reste convaincu, Sophia, qu'il faut contraindre cette enfant à dire ce qu'elle sait.

— Il est probable qu'elle ne sait rien du tout! Elle se vante. C'est une petite qui a toujours aimé se donner de l'importance.

— Je crois qu'il y a autre chose. Sait-on quel poison on avait versé dans le chocolat?

— On croit que c'est de la digitaline. Tante Edith en prend pour son cœur. Elle avait dans sa chambre un flacon plein de petites pilules de digitaline. Il est vide!

— Elle aurait dû le garder sous clé!

— C'est bien ce qu'elle faisait. Mais il ne devait pas être bien difficile de découvrir où elle cachait sa clé!

De nouveau, mes yeux restaient fixés sur les bagages entassés dans le hall.

Brusquement, je me pris à dire à haute voix :

— Ils ne peuvent pas s'en aller! Il ne faut pas le leur permettre!

Sophia me regardait, étonnée.

— Roger et Clemency?... Mais, Charles, vous ne croyez pas...

— Et vous, que croyez-vous?

Elle eut un geste d'impuissance.

— Je ne sais pas, Charles! Je sais seulement que nous sommes revenus en... en plein cauchemar!

— Je sais, Sophia. Ce sont les mots mêmes que j'ai employés moi-même, dans la voiture qui m'amenait ici, avec Taverner.

— Justement, parce que c'est bien un cauchemar, Charles! On est au milieu de gens qu'on connaît, on se trouve devant un être qu'on ne connaît pas, un étranger, cruel et sans pitié...

Dans un cri, elle ajouta :

— Sortons, Charles, sortons!... Dehors, je me sens plus en sécurité... J'ai peur de rester dans cette maison.


CHAPITRE XXV


Nous demeurâmes longtemps dans le jardin. D'un commun accord nous évitâmes de parler de cette angoisse qui nous étreignait tous deux et j'écoutai Sophia évoquer avec affection le visage de la morte, cette brave femme avec qui elle avait joué alors qu'elle n'était encore qu'une enfant et qui avait été sa « Nannie », comme elle avait été celle de Roger, de Philip et de leurs frères et sœurs.

— Elle aimait nous parler d'eux, disait Sophia, parce que ceux-là c'étaient ses vrais enfants. Elle n'était revenue avec nous que pendant la guerre, quand Joséphine n'était qu'un bébé et Eustache un drôle de petit bonhomme, très amusant...

Ces souvenirs détendaient Sophia et je l'encourageais à continuer. Cependant, je me demandais ce que Taverner pouvait bien faire. Probablement interrogeait-il les uns et les autres. Une auto de la police prit la route de Londres, emportant le photographe et deux policemen. Peu après, une voiture d'ambulance arrivait, qui repartit bientôt. Le corps de la vieille Nannie s'en allait vers le dépôt mortuaire et l'autopsie.

Longtemps encore, nous nous promenâmes dans le jardin, poursuivant une conversation où les mots n'avaient d'autre objet que de nous dissimuler à nous-mêmes nos véritables pensées. Le jour baissait quand, un frisson l'ayant parcourue, Sophia proposa que nous rentrions.

— Il doit être tard... Tante Edith et Joséphine ne sont pas encore revenues. Elles devraient pourtant être là!

Je ne savais que répondre. Que s'était-il passé? Edith avait-elle délibérément pris le parti d'arracher l'enfant à la maison maudite?

Nous rentrâmes. Sophia tira les rideaux. Dans la cheminée, le feu flambait et le grand salon, avec son luxe d'un autre âge, avait comme un air de fête. Il y avait sur les tables d'énormes bouquets de chrysanthèmes d'un jaune vert bronzé.

Sophia sonna et une femme de chambre parut, que je reconnus, pour l'avoir vue quelque temps auparavant, alors qu'elle servait au premier étage. Elle avait les yeux rouges et reniflait sans cesse. Je remarquai aussi qu'elle jetait fréquemment de rapides regards par-dessus son épaule, comme si elle avait eu peur de quelque chose.

Philip se fit servir son thé dans sa bibliothèque, mais Magda vint nous rejoindre. Comme toujours, elle jouait un rôle : celui de la femme accablée de chagrin. Elle parlait fort peu. Elle prit un air soucieux pour s'informer d'Edith et de Joséphine, de qui le retard l'ennuyait.

Pour moi, je ne savais que penser et j'étais de plus en plus mal à l'aise. Je demandai si Taverner était toujours dans la maison. Magda m'ayant répondu qu'elle le croyait, je me mis à sa recherche. Je lui fis part de mes inquiétudes au sujet de Miss de Haviland et de Joséphine. Prenant immédiatement le téléphone, il donna certaines instructions. Il me dit ensuite qu'il me préviendrait dès qu'il aurait des nouvelles. Je le remerciai et regagnai le salon.

Eustache s'y trouvait avec Sophia. Magda était partie.

— S'il apprend quoi que ce soit, dis-je, Taverner me le fera savoir.

— Il leur est sûrement arrivé quelque chose, Charles! Sûrement!

— Il n'est pas tellement tard, Sophia!

Eustache ricana.

— Vous vous en faites pour pas grand-chose! Elles ont dû simplement aller au cinéma.

Il sortit, en traînant les pieds.

— Il est très possible, dis-je alors à Sophia, qu'elle ait emmené la petite à Londres. A mon avis, elle se rendait parfaitement compte que Joséphine était menacée... Peut-être s'en rendait-elle compte mieux que nous-mêmes...

Elle murmura, d'une voix qui s'entendait à peine :

— Elle m'a dit adieu et elle m'a embrassée.

Incapable de découvrir la signification précise de cette remarque, à supposer qu'elle en eût une, je demandai à Sophia si Magda était vraiment inquiète.

— Maman? Pas du tout! Elle n'a jamais eu le sens de l'heure. Si vous l'avez vue comme elle est aujourd'hui, c'est parce qu'elle lit une nouvelle pièce de Vavasour Jones, qui s'appelle *La Femme dispose*. C'est une comédie où il n'est question que d'assassinats, l'histoire d'une sorte de Barbe-Bleue femelle, qui, si vous voulez toute ma pensée, doit beaucoup à *Arsenic et Vieilles Dentelles*, mais où il y a un bon rôle de femme, celui d'une demi-folle qui a la manie du veuvage.

A six heures et demie, Taverner vint nous rejoindre. Son visage nous préparait à ce qu'il avait à nous dire.

Sophia se leva.

— Alors?

— Je suis désolé. Je vous apporte de mauvaises nouvelles. J'ai fait lancer un appel-radio. Un automobiliste a fait savoir qu'il avait aperçu la Ford recherchée, alors qu'elle quittait la grande route, en haut de la côte de Flackspur, pour s'engager dans les bois...

— Elle aurait pris le petit chemin qui va à la carrière?

— Oui.

Après quelques secondes, il ajouta :

— L'auto a été retrouvée dans la carrière. Les deux personnes qui l'occupaient étaient mortes. Ce sera pour vous une consolation que de savoir qu'elles ont été tuées sur le coup.

— Joséphine!

Magda était à la porte.

— Joséphine!... Mon enfant chérie...

Sophia courut à sa mère et la serra dans ses bras.

— Attendez! dis-je.

Quelque chose m'était brusquement revenu à la mémoire. Avant de sortir, Edith de Haviland avait écrit deux lettres. Dans le hall, elle tenait encore ses deux enveloppes à la main. Elle ne les avait plus au moment où elle était montée dans la voiture.

Je me précipitai dans le vestibule. Les deux enveloppes étaient là, sur le grand coffre de chêne, à peine dissimulées par la boîte à thé ancienne derrière laquelle elles avaient été posées. Celle du dessus était adressée à l'inspecteur Taverner.

Il m'avait suivi. Je lui tendis l'enveloppe, qu'il ouvrit. Nous prîmes en même temps que lui connaissance du message qu'elle contenait.

*Je pense que ce pli sera ouvert alors que je serai morte, je ne veux pas entrer dans les détails, mais je revendique la pleine responsabilité de la mort de mon beau-frère Aristide Leonidès et celle de Janet Rowe (Nannie).*

*Je déclare solennellement ici que Brenda Leonidès et Laurence Brown sont innocents du meurtre d'Aristide Leonidès. Le docteur Michael Chavasse, 783 Harley Street, confirmera que ma vie n'aurait pu être prolongée que de quelques mois. Je préfère la quitter comme j'ai résolu de le faire et épargner à deux innocents l'épreuve d'être jugés pour un crime qu'ils n'ont pas commis. Je suis parfaitement saine d'esprit et j'ai pleine conscience de ce que j'écris.*

*Edith-Elfrida de Haviland.*

Comme j'achevais ma lecture, je vis que Sophia était à côté de moi. Elle avait lu, elle aussi.

Elle dit, dans un souffle :

— Tante Edith...

Je revis la vieille demoiselle arrachant d'un geste énergique le liseron qui s'était accroché au bas de sa jupe. Je me souvins des soupçons qu'elle m'avait inspirés. Mais pourquoi...

Sophia posa la question, alors même qu'elle se formait en mon esprit.

— Pourquoi Joséphine? Pourquoi l'a-t-elle emmenée avec elle?

— Et, à vrai dire, ajoutai-je, pourquoi s'est-elle tuée?

Je le demandais, mais déjà, la réponse m'était connue. Tout, maintenant, m'apparaissait clairement. J'avais encore la seconde enveloppe à la main. Elle m'était adressée.

Elle était plus lourde et plus épaisse que l'autre et je crois bien que je sus ce qu'elle contenait avant même que de l'ouvrir. Je ne me trompais pas : c'était le petit carnet noir de Joséphine.

Penchée sur mon épaule Sophia lut la première ligne en même temps que moi.

*Aujourd'hui, j'ai tué grand-père.*

Je devais, plus tard, me demander comment j'avais pu rester aveugle à une vérité pourtant évidente. Seule, Joséphine pouvait être coupable. Sa vanité, l'importance qu'elle se donnait, le plaisir qu'elle prenait à parler, l'insistance qu'elle mettait à répéter qu'elle était très forte et que les policiers étaient stupides, tout l'indiquait.

Parce qu'elle n'était qu'une enfant, je n'avais jamais pensé qu'elle pouvait avoir tué. Pourtant, on a déjà vu des enfants assassins et le meurtre de *Three Gables* était bien de ceux qu'un enfant pouvait commettre. Le vieux Leonidès avait lui-même expliqué à la petite comment il fallait opérer et elle n'avait eu qu'à suivre ses indications. Il lui avait seulement fallu faire attention à ne pas laisser d'empreintes digitales et elle avait lu assez d'histoires policières pour ne pas l'ignorer. Tout le reste n'était qu'un salmigondis, en provenance directe des « romans-détectives » dont Joséphine faisait sa lecture ordinaire. Il y avait le carnet, l'enquête « personnelle » qu'elle disait mener, ses prétendus soupçons, sa volonté de ne rien révéler aussi longtemps qu'elle ne posséderait une certitude...

Et aussi, cet attentat qu'elle avait machiné contre elle-même.

Une folie, si l'on considère qu'elle aurait très bien pu se tuer. Mais qui s'expliquait, car c'était là une hypothèse que, comme une enfant qu'elle était, elle n'avait pas un instant envisagée. Elle était l'héroïne de l'aventure. L'héroïne ne meurt pas. Là, elle avait laissé derrière elle un indice : ces morceaux de terre qui se trouvaient sur la chaise. Elle était la seule personne de la maison à qui il était indispensable de monter sur quelque chose pour mettre le bloc de marbre en équilibre sur le battant de la porte. A plusieurs reprises, les trous dans le sol le prouvaient, l'affaire n'avait pas réusssi. Patiemment, elle avait recommencé, manipulant le lion de marbre en couvrant ses doigts avec son écharpe, pour ne pas laisser d'empreinte sur le bloc. La mort l'avait finalement frôlée de près.

De si près que la réussite était complète, le but atteint. Joséphine était menacée, elle « savait quelque chose », on avait essayé de la tuer. Comment douter?

Très adroitement, elle avait attiré mon attention sur la chambre aux réservoirs. Et c'est avec des intentions bien définies qu'elle avait mis sa chambre sens dessus dessous avant de descendre à la buanderie.

A son retour de l'hôpital, elle avait été très déçue. Brenda et Laurence arrêtés, l'affaire était terminée, elle cessait, elle, Joséphine, d'être dans la lumière des projecteurs. C'est pourquoi elle avait volé dans la chambre d'Edith la digitaline qu'elle avait versée dans sa tasse de chocolat, qu'elle ne buvait pas et laissait en évidence sur la table. Savait-elle que Nannie la boirait? Probablement. D'après ce qu'elle m'avait dit elle-même, elle acceptait mal les observations de la vieille bonne. Nannie, qui avait une longue expérience des enfants, soupçonnait-elle la vérité? Je ne suis pas très loin de le croire. Elle ne tenait pas Joséphine pour normale. Son intelligence s'était développée de façon précoce, mais non point son sens moral. L'hérédité, aussi, avait joué. Autoritaire, « impitoyable », comme l'étaient ses ancêtres du côté maternel, elle avait l'égoïsme de Magda, incapable de songer à autre chose qu'à elle-même. Très sensible, comme Philip, elle avait vraisemblablement souffert d'être laide, si laide que, malgré toute son intelligence, elle était appelée par sa mère la « petite niaise ». Enfin, de son grand-père, elle tenait une grande agilité d'esprit et beaucoup de finesse. Mais, alors que le vieux Leonidès avait des qualités de cœur, alors qu'il pensait aux autres, à sa famille et à tous ceux qu'il aimait, elle ne songeait, elle, qu'à elle-même.

Le grand-père, je le crois, s'était rendu compte, ce qui avait échappé à tous les autres, que Joséphine risquait d'être une source de malédictions diverses, non pas seulement pour sa famille, mais aussi pour elle-même et c'était vraisemblablement parce qu'il pressentait ce dont elle était capable qu'il avait tenu à ce qu'elle fût élevée à la maison. Il l'avait protégée contre elle-même et c'étaient les mêmes raisons qui l'avaient poussé à insister auprès de Sophia pour qu'elle veillât sur l'enfant.

Magda avait-elle deviné la vérité? Sa hâte à envoyer Joséphine en Suisse permet de poser la question. Elle ne savait rien, je pense, mais un vague instinct maternel peut-être lui faisait tout craindre. Et Edith de Haviland?

J'ouvris la lettre que je tenais à la main.

*Mon cher Charles,*

*Cette lettre est pour vous seul... et pour Sophia, si vous le jugez bon. Il est indispensable que quelqu'un connaisse la vérité. J'ai trouvé le carnet ci-joint dans le chenil abandonné qui est derrière la maison. C'est là qu'elle le cachait. Il confirme tout ce que je redoutais déjà. Ai-je raison ou non d'agir comme je vais le faire? Je l'ignore. Mais ma vie, de toute façon, aurait pris fin bientôt et je ne veux pas que l'enfant souffre le calvaire qui*

*serait inévitablement le sien s'il lui fallait rendre compte de ses actes.*
*Dans la nature, il y a souvent des petits qui ne sont « pas comme les autres ».*
*Si j'ai tort, que Dieu me pardonne! Mais c'est l'amour qui me guide. Dieu vous bénisse, tous les deux!*

Edith de Haviland.

Je n'hésitai qu'un court instant, puis je tendis la lettre à Sophia. Quand elle en eut pris connaissance, nous ouvrîmes de nouveau le petit carnet noir.

*Aujourd'hui, j'ai tué grand-père.*

Nous tournâmes les feuillets. Le texte était effarant.
Il intéresserait, je pense, un psychiatre. Un égoïsme forcené s'y affirmait à chaque page, l'enfant, avec une sincérité pitoyable, exposant les dérisoires mobiles de ses crimes.

*Grand-père ne veut pas que je devienne danseuse. Alors j'ai décidé de le tuer. Comme ça, j'irai vivre à Londres avec maman et je deviendrai ballerine.*

Les passages qui suivaient ne sont pas moins significatifs.

*... Je ne veux pas aller en Suisse et je n'irai pas. Si maman me force, je la tuerai, elle aussi. Seulement, je n'ai pas de poison. Je pourrais peut-être en fabriquer avec de la belladone. Il paraît que c'est un poison violent.*

*... Eustache m'exaspère. Il dit que je ne suis qu'une fille, que je ne connais rien à rien et qu'une femme ne fera jamais un bon détective. Il ne me croirait pas si sotte s'il savait que c'est moi qui ai tué grand-père.*

*... J'aime bien Charles, mais il est plutôt bête. Je ne sais pas encore qui je ferai accuser du crime. Brenda et Laurence, peut-être. Brenda me déplaît : elle dit que je n'ai pas toute ma tête. Mais j'aime bien Laurence. Il m'a parlé de Charlotte Corday. Elle a tué quelqu'un dans sa baignoire. Elle a, d'ailleurs, été très maladroite.*

Le dernier feuillet parlait de Nannie.

*Je déteste Nannie. Je la hais. Elle dit que je ne suis qu'une petite fille prétentieuse, qui veut se donner de l'importance. C'est elle qui pousse*

*maman à m'envoyer en Suisse. Je la tuerai. Je crois que les pilules de*
*tante Edith feront l'affaire. S'il y a un autre assassinat, la police reviendra*
*à la maison et tout redeviendra épatant.*

*... Nannie est morte. Je ne sais pas encore où je vais cacher le flacon*
*qui contenait les petites pilules. Peut-être dans la chambre de tante Cle-*
*mency, peut-être dans celle d'Eustache. Quand je mourrai, très vieille, je*
*m'arrangerai pour faire parvenir ce carnet au chef de la police. On se*
*rendra compte, alors, que j'étais un génie du crime.*

Je fermai le carnet. Sophia pleurait.
— Oh! Charles!... Charles!... C'est horrible!... Cette pauvre
petite était un monstre... et elle ne m'inspire que de la pitié!
J'éprouvais des sentiments analogues.
J'avais bien aimé Joséphine et je l'aimais encore. On n'aime
pas les gens moins parce qu'ils sont devenus tuberculeux ou que
la maladie les a frappés. Joséphine était un monstre, Sophia
venait de le dire, mais si pitoyable, tellement à plaindre!
Sophia se tourna vers moi.
— Si elle avait vécu, que serait-elle devenue?
— Comment savoir? répondis-je. On l'aurait sans doute
envoyée dans une institution pour enfants anormaux. Par la suite,
peut-être l'aurait-on rendue aux siens, peut-être l'aurait-on
internée...
Sophia frissonna.
— Les choses sont mieux comme elles sont, dit-elle. Mais
il n'est pas juste que tante Edith...
Je l'interrompis.
— Elle a choisi de se sacrifier. Je doute que sa lettre soit rendue
publique et que l'on sache jamais. Il est probable que l'accusation
sera abandonnée purement et simplement et que Brenda et
Laurence seront remis en liberté.
Je pris les mains de Sophia et, sur un tout autre ton, je poursuivis :
— Quant à vous, Sophia, vous m'épouserez! Je viens d'apprendre que j'étais nommé en Perse. Vous m'accompagnerez
là-bas et je saurai bien vous faire oublier la « petite maison
biscornue ». Votre mère montera des pièces, votre père conti-
nuera à acheter des livres et Eustache entrera à l'Université. Ne
vous faites plus de souci à leur sujet, Sophia, et pensez à moi!
Elle me regarda bien dans les yeux.
— Vous n'avez pas peur de m'épouser, Charles?
— Et que craindrais-je? La pauvre petite Joséphine s'était

chargée de toutes les tares de la famille, alors que vous héritiez, vous, de toutes les qualités des Leonidès. Votre grand-père avait une haute opinion de vous, Sophia, et j'ai l'impression que c'était un homme qui se trompait rarement. Relevez la tête, mon amour! L'avenir est à nous!

— Je le crois, Charles. Je vous aime, je vous épouserai et je vous rendrai heureux!

Les yeux baissés sur le petit carnet noir, elle ajouta à mi-voix :

— Pauvre Joséphine!

Je répétai les deux mots après elle.

. . .

— En fin de compte, me dit mon père, quel était le véritable assassin?

Au « pater », je ne mens jamais.

— Ce n'était pas Edith de Haviland, répondis-je. C'était Joséphine.

Il hocha la tête et dit, d'une voix grave :

— Il y a longtemps que je m'en doutais. Pauvre gosse!

# MEURTRE EN MÉSOPOTAMIE

Murder in Mesopotamia
*Traduit de l'anglais par Louis Postif*

*A mes nombreux amis,*
*archéologues en Irak et en Syrie.*
A. C.

# AVANT-PROPOS
*par le docteur Giles Reilly*

*Les événements rapportés dans ce récit eurent lieu voilà quatre ans. Vu les circonstances, il est nécessaire, à mon sens, qu'une relation fidèle et impartiale en soit donnée au public. Les bruits les plus invraisemblables ont fait croire à la suppression de témoignages essentiels et à d'autres bille- vesées du même genre. Ces fausses interprétations ont surtout été publiées dans la presse américaine.*

*Pour des raisons évidentes, il était préférable que ce compte rendu ne fût pas rédigé par un membre de l'expédition qu'on aurait pu accuser de parti pris.*

*Je conseillai donc à Miss Leatheran d'entreprendre cette tâche. Elle me semblait tout indiquée pour la mener à bien. Ses références professionnelles sont hors de pair, elle n'est pas suspecte d'avoir connu au préalable les membres de l'expédition de l'université de Pittstown séjournant en Irak. Intelligente et observatrice, elle fut un témoin oculaire des plus précieux.*

*Miss Leatheran se laissa difficilement persuader, et même, lorsqu'elle finit par accepter, je ne la décidai qu'avec peine à me montrer son manuscrit. Par la suite, je découvris que son hésitation était due en partie à certaines remarques faites par elle concernant ma fille Sheila. Je la rassurai sur ce point : en effet, de nos jours, les enfants ne se gênant guère pour critiquer leurs parents, ceux-ci sont trop heureux de voir, à leur tour, leur progéniture mise sur la sellette. De surcroît, elle éprouvait une extrême modestie à propos de son style. Elle espérait, me dit-elle, que je « redresserais son orthographe et sa syntaxe ». Au contraire, je me suis nettement opposé à en altérer un simple mot. Selon moi, Miss Leatheran écrit d'une manière vigoureuse, personnelle et tout à fait appropriée au sujet. Si elle appelle le petit détective belge « Poirot » dans un paragraphe et « Monsieur Poirot » dans le suivant, une telle variante est à la fois intéressante et suggestive. C'est que, tantôt, son éducation soignée reprend le dessus (n'oublions pas, en effet, que les infirmières anglaises respectent tout particulièrement l'étiquette) et qu'à d'autres moments, faisant abstraction de son voile et de ses manchettes, elle raconte les événements comme tout autre être humain l'eût fait à sa place.*

*La seule liberté que je me sois permise, c'est d'écrire le premier chapitre, aidé en cela par une lettre que m'a aimablement communiquée une amie de Miss Leatheran. Publiée en guise de frontispice, cette missive donnera au lecteur un bref aperçu sur le caractère de la narratrice.*

# CHAPITRE PREMIER

## *Frontispice*

Dans le hall du *Tigris Palace Hotel*, à Bagdad, une infirmière achevait la rédaction d'une lettre. Son stylographe courait sur le papier.

*... Voilà, chère amie, toutes les nouvelles pour cette fois. Certes, il m'a été agréable de connaître un nouveau coin du globe, encore que je préfère l'Angleterre à tous les autres pays ! Vous ne sauriez concevoir l'aspect sale et répugnant de Bagdad. Nous sommes loin de la féerie des « Mille et une nuits » ! C'est peut-être joli du côté du fleuve, mais la ville en elle-même est horrible... et l'on n'y voit guère de beaux magasins. Le major Kelsey m'a accompagnée dans les bazars dont on ne saurait nier le pittoresque... mais ce n'est qu'un ramassis d'objets hétéroclites et le martèlement des chaudronniers sur les casseroles de cuivre finit par vous donner la migraine. J'avoue que j'hésiterais à me servir de celles-ci, à moins d'être tout à fait sûre de leur propreté, car on doit toujours se méfier du vert-de-gris lorsqu'on emploie une batterie de cuisine en cuivre.*

*Je vous écrirai pour vous annoncer le résultat des démarches du docteur Reilly au sujet de la situation dont il m'a parlé. Le monsieur américain en question se trouve actuellement à Bagdad et doit venir me voir cet après-midi. Il s'agit de sa femme... D'après le docteur Reilly, elle aurait des « crises »... Il ne m'en a pas appris davantage, mais, chère amie, on sait ce que ce terme signifie d'habitude. (J'espère que cela ne va pas jusqu'au D. T. *.) Naturellement, le docteur Reilly s'est montré fort discret, mais*

---

\* *Delirium Tremens.*

*son regard en disait long. Vous me comprenez certainement. Ce professeur Leidner est un archéologue qui effectue des fouilles dans le désert pour le compte d'un musée américain.*

*Chère amie, je termine pour aujourd'hui et vous envoie mes meilleurs souvenirs.*

*Amy Leatheran.*

Après avoir glissé sa lettre dans une enveloppe, elle l'adressa à Sœur Curshaw, Hôpital Saint-Christophe, à Londres.

Comme elle replaçait le capuchon de son stylo, un serviteur indigène s'approcha d'elle.

— Un monsieur voudrait vous voir, mademoiselle. Le professeur Leidner.

L'infirmière se retourna et aperçut un homme de taille moyenne, aux épaules légèrement voûtées, à la barbe brune et aux yeux las.

Le professeur Leidner se trouva en face d'une femme de trente-cinq ans, très droite et pleine d'assurance. Dans son visage rayonnant de bonne humeur, encadré d'une jolie chevelure châtaine, deux yeux bleus, un tantinet proéminents, souriaient : avenante, robuste, intelligente et pratique, en un mot le type idéal de l'infirmière pour névropathes.

Miss Leatheran, songea le visiteur, ferait parfaitement l'affaire.


## CHAPITRE II

### *Amy Leatheran*

Je n'ai nulle prétention à la littérature et je n'entreprends ce récit que sur les instances du docteur Reilly. Quand le docteur Reilly vous demande quoi que ce soit, impossible de lui refuser.

— Oh! non, docteur! Je ne suis pas une femme de lettres, mais, là, pas du tout!

— Vous dites des sottises. Écrivez cela du même style que vous rédigeriez vos bulletins de santé.

Évidemment, c'est là, si on veut, un moyen de trancher la difficulté.

Le docteur Reilly me fit observer qu'un compte rendu de l'affaire du Tell Yarimjah, simple et véridique, s'imposait absolument.

— Si un des héros de cette histoire entreprenait de l'écrire, personne n'y ajouterait foi. On l'accuserait de partialité.

C'était la vérité même. Quoique témoin, j'étais tout de même en dehors du drame.

— Pourquoi ne pas vous en charger vous-même, docteur? lui demandai-je.

— Je n'étais pas sur place et vous y étiez. En outre, soupira-t-il, ma fille s'y oppose.

Sa façon de se plier aux caprices de cette gamine m'exaspère. J'allais le lui dire, lorsque je remarquai un éclair dans ses yeux. Avec lui, on ne sait jamais sur quel pied danser. Il parle toujours d'une voix lente et mélancolique, mais la moitié du temps son regard pétille de malice.

— Bah!... Si vous y tenez, peut-être pourrai-je m'y risquer.

— Je vous le recommande vivement.

— Le *hic* est de savoir par où commencer.

— Tout ce qu'il y a de plus aisé : commencez par le commencement, continuez jusqu'à la fin et le tour sera joué.

— Je ne sais pas du tout quand et comment cela a débuté.

— Croyez-moi, mademoiselle, la difficulté de commencer n'est rien en comparaison de celle où l'on doit s'arrêter. C'est du moins ce que j'éprouve lorsque je fais un discours. Quelqu'un doit me tirer par mes basques pour m'obliger à m'asseoir.

— Oh! vous plaisantez, docteur!

— Je parle tout à fait sérieusement. Alors, que décidez-vous?

Un autre scrupule me tourmentait. Après une courte hésitation, je lui répondis :

— Voici... docteur... je crains d'être parfois trop personnelle dans mon récit.

— Tant mieux! Tant mieux! Mettez-y du vôtre le plus possible. Conservez toute votre personnalité. Soyez mordante, téméraire dans vos jugements, mais relatez les faits à votre manière. Par la suite, il sera toujours temps de supprimer les passages un peu outrés. A la besogne, donc! Avec votre esprit pondéré, vous nous donnerez, j'en suis sûr, un compte rendu intelligent de l'affaire.

Le sort en était jeté et je promis de faire pour le mieux.

Tout d'abord, il me semble que je dois me présenter. J'ai trente-deux ans et me nomme Amy Leatheran. J'ai accompli mon stage d'infirmière à l'hôpital Saint-Christophe, à Londres. Ensuite, j'ai passé deux ans dans une maternité. Après avoir travaillé pendant quatre ans dans la maison de santé de Miss Bendix, dans le comté de Devon, je suis partie pour l'Irak avec une certaine Mrs. Kelsey. Je l'avais soignée à la naissance de son bébé. Elle accompagnait son mari à Bagdad et avait déjà retenu là-bas une nurse pour son enfant. De tempérament délicat, Mrs. Kelsey se faisait une montagne de ce voyage avec son bébé. Aussi le major Kelsey décida-t-il que je partirais avec eux pour prendre soin du nourrisson pendant le trajet. Ils me paieraient mes frais de retour, à moins que nous ne trouvions des Anglais désirant les services d'une nurse pour rentrer à Londres.

Inutile de vous dépeindre le ménage Kelsey : le bébé était un amour d'enfant et la maman, bien que très nerveuse, me témoigna toujours une exquise bienveillance. Le voyage me plut énormément : c'était ma première longue traversée.

Le docteur Reilly avait pris passage sur le même paquebot. Cet homme, aux cheveux noirs et à la longue figure, débitait toutes sortes de plaisanteries d'une voix basse et mélancolique. Il prenait plaisir à me taquiner et proférait devant moi les blagues les plus extravagantes pour voir si je les avalerais. Il était chirurgien à l'hôpital civil d'Hassanieh, à une journée et demie de Bagdad.

Je séjournais à Bagdad depuis une semaine lorsque je le croisai en ville. Il s'inquiéta de savoir quand je prenais congé des Kelsey. Cette demande m'étonna fort, car Mrs. Kelsey employait déjà la nurse attachée précédemment à Mr. et Mrs. Wright, qui, eux, regagnaient l'Angleterre.

Il m'apprit qu'il était au courant du départ des Wright et que, pour cette raison, il désirait connaître mes projets.

— Le fait est, mademoiselle Amy, que j'ai une situation à vous offrir.

— Chez un malade?

Ses traits prirent une expression grave.

— Ce n'est pas ce qu'on pourrait appeler un malade. Il s'agit d'une dame qui souffre parfois de... certaines crises.

— Oh!

(On sait ce que cela veut dire : la boisson ou la drogue.)

Le docteur Reilly s'en tint là.

— Oui, continua-t-il, une Mrs. Leidner. Son mari est Américain... un Américain-Suédois, pour plus de précision. Il dirige une vaste entreprise de fouilles archéologiques.

Il m'expliqua que cette expédition effectuait des recherches sur l'emplacement d'une grande ville assyrienne comparable à Ninive. Le quartier général était situé non loin d'Hassanieh, dans un endroit plutôt désert, et le professeur Leidner se tourmentait depuis quelque temps au sujet de la santé de sa femme.

— Il ne m'a guère fourni de détails, mais il semblerait que Mrs. Leidner soit sujette à de fréquentes terreurs nerveuses.

— La laisse-t-on seule toute la journée avec les serviteurs indigènes? m'informai-je.

— Oh! non. Ils sont toute une bande de Blancs... sept ou huit. Je ne crois pas qu'elle reste seule dans la maison. Toujours est-il qu'elle se met dans des états assez bizarres. Leidner est débordé de besogne, mais il adore sa femme et s'affecte de la voir souffrir ainsi. Il serait plus tranquille s'il la savait sous la surveillance d'une personne sérieuse et compétente.

— Et qu'en pense Mrs. Leidner?

— La belle Mrs. Leidner change tous les jours d'avis, répondit le docteur Reilly, mais, en général, l'idée ne lui déplaît point. C'est une femme étrange, pleine d'affection et, selon moi, la championne du mensonge; mais Leidner croit dur comme fer que sa femme est hantée par une terreur quelconque.

— Personnellement, que vous a-t-elle dit, docteur?

— Elle ne m'a pas le moins du monde consulté. J'ai l'impression de lui être antipathique. C'est Leidner qui est venu me voir pour m'exposer son projet. Eh bien! mademoiselle, que décidez-vous? Du moins, vous verriez du pays avant votre retour en Angleterre. Les fouilles prendront fin d'ici deux mois et ne manqueront pas de vous intéresser.

Après quelques moments de réflexion, je répliquai :

— Après tout, pourquoi ne pas essayer?

— A la bonne heure! s'écria le docteur Reilly. Leidner se trouve précisément à Bagdad aujourd'hui. Je vais lui dire de venir pour s'arranger avec vous.

Ce même après-midi, le professeur Leidner me demanda à l'hôtel. C'était un homme d'âge moyen, aux gestes nerveux, hésitants. Il se dégageait de sa personne une grande bonté et une certaine faiblesse.

Il me parut très épris de sa femme, mais il répondait évasivement dès qu'on l'interrogeait sur la maladie de Mrs. Leidner.

— Vous comprenez, disait-il en tirant sur sa barbe, ce qui, je le constatai par la suite, était chez lui une manie, ma femme traverse une crise nerveuse qui ne laisse pas de m'inquiéter.

— Jouit-elle d'une bonne santé physique?

— Oui, il me semble, du moins. Physiquement, je ne vois rien d'anormal, mais... elle se forge un tas d'idées.

— Quel genre d'idées? demandai-je.

Il éluda cette question et murmura d'un air perplexe :

— Elle se fait des montagnes de rien. Ses craintes, à mon avis, ne reposent sur rien de sérieux.

— De quoi a-t-elle peur, monsieur Leidner?

Il répondit vaguement :

— Ce sont des sortes de terreurs nerveuses.

Dix contre un qu'il s'agissait de stupéfiants! Et il n'y voyait goutte, à l'instar de maints autres maris. Ils se demandent pourquoi leurs épouses sont si susceptibles et changent d'humeur à tout bout de champ.

Je m'inquiétai de savoir si Mrs. Leidner consentait à me prendre chez elle.

Le visage du professeur s'éclaira.

— Oui. J'avouerai même que cela m'a surpris très agréablement. Elle approuva mon idée et ajouta qu'elle se sentirait ainsi plus en sûreté.

Cette expression « en sûreté » m'étonna. Je commençai à en déduire que Mrs. Leidner souffrait d'une maladie mentale.

Le professeur Leidner continua, avec un enthousiasme juvénile :

— Je suis persuadé, mademoiselle, que vous vous entendrez parfaitement avec elle. C'est une personne charmante... (Il eut un sourire engageant.) Elle a l'impression que votre présence près d'elle lui apportera un grand réconfort. Dès que je vous ai vue, j'ai eu la même conviction. Si vous me permettez ce compliment, je dirai que vous débordez de sens commun. Sans aucun doute, vous êtes toute désignée pour soigner Louise.

— Somme toute, rien ne me coûte d'essayer, monsieur le professeur, m'empressai-je de répondre. J'espère pouvoir être utile à Mrs. Leidner. Probablement le voisinage des indigènes et des gens de couleur lui inspire-t-il toutes ces frayeurs?

— Pas du tout! s'exclama le mari, amusé de cette supposition. Ma femme aime beaucoup les Arabes. Elle goûte fort leur simplicité et leur gaieté naturelles. C'est seulement son second séjour dans ce pays. Il y a deux ans à peine que nous sommes mariés, mais déjà elle se fait comprendre en arabe.

Après quelques instants de silence, je tâtai encore le terrain.

— Voyons, monsieur le professeur, ne pourriez-vous me donner une explication quelconque sur les frayeurs de votre femme?

Il hésita. Puis il déclara, lentement :

— J'espère... je souhaite... qu'elle-même vous l'apprenne.

Je n'en pus tirer davantage.

# CHAPITRE III

## *Bavardages*

Il fut décidé que je me rendrais à Tell Yarimjah la semaine suivante.

Mrs. Kelsey s'installait dans sa maison à Alwiyah et je fus heureuse de lui enlever le souci de mon rapatriement.

En attendant, je surpris une ou deux allusions relatives à l'expédition Leidner. Un ami de Mrs. Kelsey, un jeune chef d'escadron, pinça les lèvres de surprise et s'exclama :

— La belle Louise! Encore une des siennes!

Il se tourna vers moi :

— Sachez, mademoiselle, que nous l'avons surnommée la *belle Louise*. Nous ne l'appelons jamais autrement.

— C'est donc une beauté? demandai-je.

— Telle est du moins son opinion. Elle se croit une Vénus.

— Voyons, soyez galant, John, repartit Mrs. Kelsey. Vous savez pertinemment qu'elle n'est pas la seule de cet avis. Elle a ravagé bien des cœurs.

— Vous avez peut-être raison. Dommage qu'elle ait les dents un peu grandes! Je lui reconnais tout de même une certaine séduction.

— Elle a cependant bien failli vous faire perdre la tête, déclara Mrs. Kelsey avec un sourire.

Le jeune officier rougit et avoua, quelque peu confus :

— Ma foi, elle ne manque pas de charme. Quant à Leidner, il adore jusqu'au sol qu'elle foule... et, bien entendu, tout le reste de l'expédition est tenu de partager l'admiration du chef pour sa femme.

— Combien sont-ils en tout?

— Il y en a de toutes les races et de toutes les nationalités, répondit le jeune officier. Un architecte anglais, un missionnaire français, de Carthage, qui s'occupe de relever les inscriptions anciennes. Il y a aussi Miss Johnson, une Anglaise, qui rince les fioles au laboratoire, et un petit bonhomme rondouillard qui s'occupe de la photographie... un Américain. Et les Mercado... Dieu sait à quelle nationalité tortueuse tiennent ceux-là! Très jeune, elle a l'allure sinueuse du serpent. Ce qu'elle peut détester la belle Louise! Pour finir... deux jeunes gens. Un drôle de mélange, mais, dans l'ensemble, assez sympathique. N'êtes-vous point de cet avis, Pennyman?

Il interpellait un homme d'âge mûr, assis dans un coin, qui tortillait pensivement le lacet de son lorgnon.

Pennyman sursauta et leva les yeux.

— Oui, oui, très sympathique, en effet. Du moins, chacun pris séparément. Je vous concède que Mercado est un drôle de coco...

— Il porte une barbe si ridicule, interposa Mrs. Kelsey.

Le major Pennyman poursuivit, feignant d'ignorer cette interruption.

— Les deux jeunes gens sont très aimables. L'Américain est plutôt taciturne, alors que l'Anglais ne cesse de bavarder. D'habitude, c'est le contraire qui a lieu. Leidner est un garçon délicieux, si modeste et si simple! Je le répète : pris individuellement tous ces gens-là sont agréables, mais je me fais peut-être des idées. La dernière fois que je suis allé les voir, j'ai eu l'impression qu'il se passait quelque chose d'anormal. Je ne saurais préciser, mais aucun d'eux ne paraissait naturel. L'atmosphère était tendue. Je ne pourrais mieux m'expliquer qu'en disant qu'ils se faisaient trop de politesses.

Rougissant légèrement, car je répugne à exposer ma manière de voir, je répliquai :

— Un contact continuel avec les mêmes personnes finit par exaspérer les nerfs. Je le sais par mon séjour dans les hôpitaux.

— C'est juste, observa le major Kelsey. Mais nous ne sommes qu'au début de la saison et cette sorte d'irritation n'a pas encore eu le temps de se manifester.

— Une expédition ressemble en miniature à notre vie de garnison, opina le major Pennyman. Elle comporte ses coteries, ses rivalités et ses jalousies.

— Cette année, il y a de nouvelles têtes parmi eux, dit le major Kelsey.

Le chef d'escadron compta sur ses doigts.

— Attendez. Le jeune Coleman est un nouveau ainsi que Reiter. Emmott et les Mercado ne sont pas venus l'an dernier. Le père Lavigny est aussi une nouvelle recrue. Il remplace le docteur Byrd, qui n'a pu suivre l'expédition pour raison de santé. Carey est un ancien. Lui et Miss Johnson font partie de l'équipe depuis le début, c'est-à-dire depuis cinq ans.

— J'ai toujours cru que tous ces gens-là s'entendaient à merveille, observa le major Kelsey. Ils me produisaient l'effet d'une famille heureuse, fait assez surprenant, étant donné la nature humaine. N'est-ce pas, mademoiselle Leatheran?

— Euh... je ne sais jusqu'à quel point vous avez raison, major.

Les haines dont j'ai été témoin à l'hôpital ont souvent eu pour origine des vétilles, par exemple une discussion au sujet d'une théière.

— Oui, une trop grande promiscuité rend les hommes mesquins, reprit le major Pennyman. Cependant, je pressens qu'il doit y avoir quelque chose de plus grave dans le cas qui nous occupe. Leidner est tellement doux, modeste et plein de tact qu'il réussit toujours à faire régner la bonne entente entre les membres de son expédition. Et pourtant, l'autre jour, j'ai remarqué une certaine contrainte à Tell Yarimjah.

Mrs. Kelsey éclata de rire.

— N'en discernez-vous pas la raison? Elle saute aux yeux.

— Qu'entendez-vous par là?

— Je fais allusion, naturellement, à Mrs. Leidner.

— Allons, Mary, réfléchissez un peu; c'est une femme charmante et qui ne cherche noise à personne.

— Je ne dis pas qu'elle aime les querelles, mais elle les provoque!

— Comment? Pourquoi?

— Pourquoi? Pourquoi? Mais parce qu'elle s'ennuie. Elle n'est pas elle-même archéologue, mais seulement la femme d'un savant. Les découvertes scientifiques la laissent totalement indifférente : elle élabore elle-même ses petites émotions et prend plaisir à mettre les gens dos à dos.

— Mary, vous parlez sans savoir. Vous êtes le jouet de votre imagination.

— Pour l'instant, je ne fais qu'imaginer, mais vous ne tarderez pas à constater que j'ai raison. Ce n'est pas pour des prunes que la belle Louise ressemble à Mona Lisa. Elle n'a peut-être pas de mauvaises intentions; n'empêche qu'elle savoure d'avance le résultat de ses intrigues.

— Elle aime beaucoup son mari.

— Oh! bien sûr. Il n'est nullement question de liaisons vulgaires, mais la belle Louise est une grande coquette.

— Ah! les femmes! Comme elles sont tendres les unes pour les autres!

— Vous voulez dire comme des chattes qui se griffent, mais sachez que nous nous trompons rarement dans nos jugements sur les autres femmes.

Le major Pennyman prononça, d'un ton pensif :

— Supposez que les présomptions peu charitables de Mrs. Kelsey soient fondées, je ne pense pas que cela suffise à expliquer cette atmosphère d'hostilité...

J'avais l'impression nette que l'orage allait éclater d'une minute à l'autre.

— N'épouvantez pas Miss Amy, observa Mrs. Kelsey. Elle doit partir dans trois jours pour Tell Yarimjah. Vous allez lui donner des cauchemars.

— Il en faut plus que cela pour m'effrayer, répliquai-je en riant.

Toutefois, je méditai longuement sur les propos que je venais d'entendre et les étranges paroles du professeur Leidner : « Elle se sentirait plus en sûreté », me poursuivirent jusque dans mon sommeil. Les terreurs secrètes de sa femme réagissaient-elles mystérieusement sur les autres membres de l'expédition? Ou bien était-ce l'angoisse pesant sur le groupe qui affectait à ce point le système nerveux de cette femme?

Pour l'instant, le mieux pour moi était d'attendre.

## CHAPITRE IV

### *Mon arrivée à Hassanieh*

Trois jours plus tard, je quittais Bagdad.

Je laissai Mrs. Kelsey et son bébé avec bien des regrets. L'enfant se portait admirablement et devenait adorable. Le major Kelsey m'accompagna à la gare pour me faire ses adieux. Je devais arriver le lendemain matin à Kirkuk, où quelqu'un viendrait à ma rencontre.

Je passai une mauvaise nuit. Je ne dors jamais bien dans le train. Des cauchemars troublèrent mon sommeil.

Le lendemain matin, cependant, quand je regardai par la fenêtre du compartiment, il faisait un temps splendide et je sentis naître en moi une certaine curiosité au sujet du milieu où j'allais pénétrer.

Debout sur le quai, hésitante, je jetais les yeux autour de moi, lorsque je vis un homme s'avancer de mon côté. Le visage rond et poupin, il rappelait étonnamment un personnage sortant d'un roman de P. G. Wodehouse.

— Ah! bonjour, mademoiselle. Est-ce bien à Miss Leatheran que j'ai le plaisir de parler? Ah! je devine que oui. Ha! ha! Je me nomme Coleman. Le professeur Leidner m'a envoyé à votre rencontre. Avez-vous fait bon voyage? Quel long et fastidieux trajet! Ah! si je connais ces trains! Enfin, vous y voici.

Avez-vous déjeuné? C'est votre sac de voyage? A la bonne heure, vous ne vous encombrez pas de bagages. Ce n'est pas comme Mrs. Leidner! Il lui faut quatre valises et une malle, sans compter la boîte à chapeaux et un oreiller breveté, et ceci, et cela, et quoi encore? Vous allez me prendre pour un bavard, n'est-ce pas? Allons donc rejoindre la vieille patache.

Dehors, nous attendait un véhicule que j'entendis dénommer un peu plus tard « la voiture de la gare ». Cela tenait à la fois de l'omnibus, de la camionnette et un peu de l'automobile. Mr. Coleman m'aida à grimper tout en me recommandant de m'asseoir près du chauffeur pour être moins cahotée.

Moins cahotée! Je m'étonne encore maintenant que tout cet assemblage hétéroclite ne se soit pas brisé en mille morceaux. En fait de route, nous suivîmes une piste remplie d'ornières et de trous. Oh! l'Orient de mes rêves! Quand j'évoquai en mon esprit nos superbes routes anglaises, la nostalgie s'empara de moi. Mr. Coleman, penché en avant, me criait dans l'oreille : « Le chemin n'est pas du tout mauvais, n'est-ce pas? » au moment où nous venions d'être soulevés de nos sièges pour aller donner de la tête contre le toit de la voiture. Et il avait l'air de parler le plus sérieusement du monde!

— Ces secousses sont excellentes pour le foie. Vous devez savoir cela, mademoiselle?

— A quoi bon stimuler le foie quand on risque d'avoir le crâne ouvert? répliquai-je d'un air de mauvaise humeur.

— Vous devriez voir cela après une bonne averse! Les freins font merveille. A tout instant on a l'impression de chavirer.

Je m'abstins de répondre.

Peu après, nous dûmes traverser le fleuve, sur le bac le plus grotesque qu'on puisse imaginer. Je considérai comme un miracle que nous eussions gagné l'autre rive sains et saufs, mais chacun trouvait la chose toute naturelle.

Il nous fallut quatre heures pour gagner Hassanieh qui, à ma surprise, se révéla une grande ville, extrêmement pittoresque. De l'endroit où nous l'aperçûmes sur l'autre rive du fleuve, elle se dressait devant nous, toute blanche et féerique, avec ses innombrables minarets. Je déchantai quelque peu, cependant, lorsque, une fois passé le pont, nous fîmes notre entrée. Partout des masures menaçant ruine, des odeurs nauséabondes, de la boue et de la saleté.

Mr. Coleman m'accompagna chez le docteur Reilly où, m'annonça-t-il, celui-ci m'attendait pour déjeuner.

Toujours aimable, le docteur Reilly me fit les honneurs de sa coquette habitation où tout resplendissait de propreté. Je pris un bain délicieux, et, après avoir revêtu mon costume d'infirmière, je descendis tout à fait reposée des fatigues du voyage.

Le déjeuner étant prêt, le docteur nous fit passer dans la salle à manger en excusant sa fille, en retard selon son habitude.

Nous venions de terminer un plat d'œufs à la sauce lorsqu'elle parut. Le docteur Reilly me la présenta.

— Mademoiselle Amy Leatheran, voici ma fille Sheila.

Elle me serra la main, s'informa si j'avais fait bon voyage, lança son chapeau sur une chaise, salua froidement Mr. Coleman et prit place à table.

— Eh bien! Bill? Comment ça va?

J'observai la jeune fille tandis que Mr. Coleman lui parlait de différents amis qui devaient les rencontrer au club.

Je ne saurais affirmer qu'elle me plût beaucoup : je la jugeai un peu trop dédaigneuse, à mon goût. Primesautière et plutôt jolie, elle avait les cheveux noirs et les yeux bleus, le teint pâle et les lèvres peintes. Son parler froid et sarcastique m'agaçait. Je me souviens d'avoir eu sous mes ordres une novice qui lui ressemblait : son travail me donnait satisfaction, mais ses manières m'horripilaient.

Je crus deviner que Mr. Coleman en était entiché. Il bafouillait un peu et sa conversation devint encore plus stupide qu'auparavant, si toutefois la chose était possible! Il me produisit l'effet d'un molosse qui agite la queue et essaie de plaire.

Après déjeuner, le docteur Reilly nous quitta pour se rendre à l'hôpital. Mr. Coleman s'absenta pour faire quelques emplettes en ville. Miss Reilly me demanda si je préférais rester à la maison ou sortir. Mr. Coleman ne reviendrait me chercher que dans une heure.

— Qu'y a-t-il d'intéressant à voir?

— Il y a certains coins assez pittoresques, répondit Miss Reilly, mais je ne sais si vous prendrez plaisir à les visiter, car la crasse s'y étale partout.

Le ton de cette remarque m'irrita. Je ne puis, en effet, admettre que le pittoresque excuse la saleté.

Enfin, elle me conduisit à son club, très agréablement situé et d'où l'on avait une vue admirable sur le fleuve; je trouvai là les derniers journaux et magazines anglais.

Quand nous rentrâmes à la maison, Mr. Coleman n'était pas encore de retour. En attendant, nous nous assîmes pour bavarder, mais une certaine gêne pesait sur nous.

Elle me demanda si j'avais déjà vu Mrs. Leidner.

— Non, lui répondis-je, je ne connais que son mari.

— Je serais curieuse de savoir quelle sera votre opinion sur cette personne...

Devant mon silence, elle poursuivit.

— J'aime beaucoup le professeur Leidner. Chacun le trouve sympathique.

En d'autres termes, pensai-je à part moi, tu détestes sa femme. Je crus bon de continuer à me taire et elle me posa à brûle-pour-point cette question :

— Que peut-elle bien avoir? Le professeur Leidner vous a-t-il dit?

Je n'allais tout de même pas médire d'une malade à qui je n'avais même pas été présentée! Je répliquai donc, vaguement :

— Je crois savoir qu'elle est déprimée et que son état nécessite beaucoup de soins.

Elle éclata d'un rire mauvais.

— Bonté divine! N'a-t-elle pas assez de neuf personnes pour s'occuper d'elle?

— Chacune doit avoir sa part de travail à remplir.

— Sa part de travail? Bien sûr, mais n'empêche que Louise passe avant tout... et elle sait parfaitement se rendre intéressante.

« Non, décidément, ma fille, tu ne l'aimes pas », me dis-je.

— Je ne vois tout de même pas pourquoi elle a besoin d'une infirmière professionnelle, poursuivit Miss Reilly. Selon moi, une dame de compagnie ferait mieux l'affaire qu'une nurse qui lui fourrera le thermomètre dans la bouche, lui tâtera le pouls et finira par constater qu'elle n'a rien du tout.

Sans aucun conteste, elle venait, cette fois, d'éveiller ma curio-sité.

— Alors, vous ne la croyez pas malade?

— Mais non! Elle n'a rien. Cette femme est forte comme un bœuf. Ah! elle sait se faire plaindre! « Cette pauvre Louise n'a pas dormi de la nuit! » « Elle a des cernes sous les yeux! » Oui, tracés au crayon bleu! Tout pour attirer l'attention, pour que les gens s'apitoient sur sa santé.

Il y avait sans doute du vrai là dedans. Comme toutes les infir-mières, j'ai eu affaire à des hypocondriaques dont la seule joie était de mettre toute la maisonnée sur pied pour se faire soigner. Si jamais un médecin ou une infirmière s'avisaient de leur dire : « Mais, voyons, vous ne souffrez pas du tout! » d'abord, elles ne le croyaient pas et manifestaient une indignation non feinte.

Mrs. Leidner entrait peut-être dans cette catégorie de malades imaginaires et le mari était, cela va de soi, le premier dupé. J'ai remarqué que les maris, en général, témoignent d'une crédulité inouïe dès qu'il s'agit de la santé de leur femme. Toutefois, les paroles de Miss Reilly ne cadraient pas avec l'expression « en sécurité » prononcée par le professeur Leidner et qui me trottait toujours par l'esprit.

Y songeant en cet instant même, je demandai :

— Mrs. Leidner est-elle d'un tempérament timide? S'effraie-t-elle de vivre si loin de tout?

— De quoi aurait-elle peur? Elles sont dix personnes dans la maison et montent la garde à tour de rôle pour surveiller leurs antiquités. Oh! non, ce n'est pas une femme timide... du moins...

Elle sembla frappée par une pensée soudaine et s'interrompit, pour reprendre quelques instants après :

— Votre question m'étonne.

— Pourquoi?

— Le lieutenant aviateur Jervis et moi sommes allés jusque-là l'autre matin. Les membres de l'expédition travaillaient déjà aux fouilles. Mrs. Leidner, assise à une petite table, écrivait une lettre. Sans doute ne nous entendit-elle pas venir et le domestique indigène chargé d'introduire les visiteurs ne se trouvait pas là en sorte que nous entrâmes directement dans la véranda. Elle vit l'ombre du lieutenant Jervis projetée sur le mur... et se mit à hurler. Elle se confondit en excuses, alléguant qu'elle avait cru voir un inconnu pénétrer chez elle. Bizarre, n'est-ce pas? Je veux dire par là, même si elle s'était figuré avoir affaire à un étranger, pourquoi s'affoler ainsi?

J'approuvai d'un signe de tête.

Miss Reilly se tut quelques secondes, puis éclata :

— Je ne sais ce qui hante l'esprit de tous ces gens-là, cette année! Ils ont la frousse. Miss Johnson prend un air renfrogné et ne desserre plus les dents; David ne parle que quand il ne peut faire autrement. Pour ce qui est de Bill, c'est un vrai moulin à paroles et son bavardage contraste avec le mutisme des autres. Carey se comporte comme s'il craignait à tout instant de tomber dans un piège. Et tous s'épient comme si... comme si... Je ne sais pas au juste ce qu'il y a, mais tout cela me paraît drôle.

Il me semblait étrange, en effet, que deux personnes aussi dissemblables que Miss Reilly et le major Pennyman eussent éprouvé la même impression.

À ce moment précis, Mr. Coleman arriva en trombe.

Si sa langue avait pendu hors de sa bouche et qu'il se fût trémoussé de joie à notre vue, je n'en eusse pas été surprise.

— Ah! me revoici, mesdemoiselles. J'ai fait toutes les commissions : si quelqu'un prétend s'en acquitter mieux que moi, qu'il se présente! Avez-vous montré à Miss Leatheran les beautés de la ville?

— Oui, mais elles ne l'ont guère impressionnée, observa Miss Reilly.

— Je ne l'en blâme point, déclara Mr. Coleman en riant. Jamais je n'ai vu un tel amoncellement de ruines.

— Ah! vous n'êtes guère amoureux des chefs-d'œuvre de l'Antiquité, n'est-ce pas, Bill? Pourquoi donc avez-vous embrassé la carrière d'archéologue?

— Ne m'en veuillez pas. La faute en revient à mon tuteur. C'est un savant, un vrai rat de bibliothèque qui passe son temps en pantoufles à bouquiner. Il est scandalisé d'avoir un pupille de ma trempe!

— Vous êtes ridicule de vous être laissé imposer une profession pour laquelle vous n'avez aucun goût, gourmanda Sheila Reilly.

— Erreur! On ne me l'a pas imposée du tout. Le vieux m'a demandé si je me sentais attiré vers une profession quelconque. Je lui répondis que non, alors il a pris ses dispositions pour m'envoyer passer une saison ici.

— Vous ne savez vraiment pas ce que vous voulez faire dans la vie? Il est pourtant nécessaire d'avoir un but.

— Oh! j'ai mon idée et la voici : je voudrais envoyer promener tout travail, rouler sur l'or et faire des courses d'autos.

— Quelle sottise! s'exclama Miss Reilly, l'air furieuse.

— Je me rends compte de l'absurdité de mes aspirations, répondit gaiement Mr. Coleman. Mais, si je dois m'astreindre à une tâche quelconque, peu importe le genre de travail, pourvu que je ne sois pas enfermé toute la journée dans un bureau. En outre, j'étais ravi de voyager. « C'est bien, ai-je dit à mon tuteur, j'accepte. » Et me voici.

— Et vous devez rendre de piètres services là-bas.

— Là, vous vous trompez grossièrement, chère amie. Il n'y en a pas un comme moi pour crier *Y'Allah* lorsqu'on a déterré une curiosité quelconque! De plus, je ne suis pas mauvais en dessin. Au collège, ma spécialité consistait à imiter les écritures. J'aurais fait un faussaire de premier ordre. D'ailleurs, il n'est jamais trop tard pour bien faire. Si jamais un de ces jours je vous éclabousse avec ma Rolls-Royce au moment où vous attendrez l'autobus, vous saurez que j'ai réussi dans cette nouvelle carrière.

Miss Reilly dit froidement :

— Ne feriez-vous pas mieux de vous mettre en route plutôt que de bavarder de la sorte?

— A la bonne heure! Voilà au moins de l'hospitalité, n'est-ce pas, mademoiselle Leatheran?

— Je suis sûre que Miss Leatheran est pressée d'arriver à destination?

— Vous êtes sûre de tout, chère amie.

Tel était, d'ailleurs, mon avis. Cette gamine ne doutait de rien.

— Il serait peut-être temps de partir, monsieur Coleman, dis-je.

— Qu'à cela ne tienne, mademoiselle. Je suis prêt.

Je serrai la main de Miss Reilly et la remerciai, puis nous nous mîmes en route.

— Très jolie, la fille du docteur Reilly, n'est-ce pas, mademoiselle, mais ce qu'elle aime à taquiner les gens!

Nous traversâmes la ville en auto et empruntâmes une sorte de piste entre des champs de culture maraîchère, raboteuse et pleine d'ornières.

Au bout d'une demi-heure, Mr. Coleman me désigna du doigt une petite butte auprès du fleuve et annonça :

— Tell Yarimjah.

Je distinguai de minuscules formes noires qui allaient et venaient comme des fourmis.

A ce même instant, tous descendirent en courant le long de la pente.

— Encore une journée de finie! dit Mr. Coleman. On lève la séance une heure avant le coucher du soleil.

La maison était située à quelque distance du fleuve.

Le chauffeur tourna à angle droit et passa sous une voûte très étroite : nous étions arrivés.

Les différents corps de bâtiments entouraient une vaste cour rectangulaire. A l'origine, la maison occupait le côté sud de cette cour avec quelques appentis à l'est. L'expédition avait continué à bâtir sur les autres côtés. Étant donné l'importance que présentera, au cours de ce récit, la disposition des lieux, je crois devoir reproduire ici un plan sommaire de la demeure habitée par les membres de l'expédition.

Toutes les pièces s'ouvraient sur la cour ainsi que toutes les fenêtres, à l'exception des pièces du bâtiment sud; celles-ci avaient également des fenêtres donnant sur la campagne, et munies de barreaux de fer. A l'angle sud-ouest, un escalier donnait accès à un long toit en terrasse garni d'une balustrade sur toute la partie méridionale légèrement plus élevée que le reste de la construction.

Mr. Coleman me fit longer la partie est de la cour jusqu'à un grand porche qui occupait le centre de la partie sud. Il poussa une porte à droite et nous pénétrâmes dans une pièce où plusieurs personnes étaient assises autour d'une table.

— Bonjour la compagnie! Je vous présente Sarah Camp \* !
La dame placée à la tête de la table se leva et vint me saluer.
Pour la première fois, je vis Louise Leidner.

## CHAPITRE V

## *Tell Yarimjah*

Je n'hésite pas à avouer que la vue de Mrs. Leidner me causa
une violente surprise. On finit par s'imaginer le physique d'une
personne à force d'entendre parler d'elle. Je m'étais fourré dans la
tête que Mrs. Leidner était une femme brune à l'air revêche, toujours à bout de nerfs. Je m'attendais également à la trouver...
euh... disons le mot... quelque peu vulgaire.

Elle ne répondait nullement au portrait que je m'étais tracé
d'elle. Tout d'abord, je vis devant moi une femme très blonde,
de cette beauté blonde et délicate des Scandinaves. Elle n'était
pas Suédoise comme son mari, mais elle aurait pu facilement
passer pour sa compatriote. Elle n'était plus de la première jeunesse; je lui donnai entre trente et quarante ans; quelques fils
gris se mêlaient à ses cheveux blonds.

Ses grands yeux, légèrement cernés, présentaient une nuance
d'un pur violet que je n'ai jamais remarquée chez d'autres personnes. Mince et fragile, elle avait un air las tout en paraissant
pleine d'énergie, ce qui constitue un paradoxe : mais telle est
l'impression qu'elle me causa. Je fus également convaincue que
j'avais affaire à une femme distinguée jusqu'au bout des ongles,
phénomène qui, à notre époque, ne court pas les rues.

Elle me tendit la main en souriant. Sa voix, basse et douce,
trahissait un léger accent américain.

— Je suis heureuse de vous voir, mademoiselle. Voulez-vous
prendre le thé ? Ou désirez-vous tout d'abord aller à votre
chambre?

J'optai pour le thé et elle me présenta les autres convives.

— Voici Miss Johnson et Mr. Reiter, Mrs. Mercado, Mr. Emmott, le père Lavigny. Mon mari sera ici dans quelques instants.
Veuillez vous asseoir entre le père Lavigny et Miss Johnson.

J'obéis et Miss Johnson m'entreprit sur mon long voyage.

\* *Infirmière professionnelle, ainsi désignée d'après Mrs. Sarah Camp, personnage
de* Martin Chuzzlewitt, *roman de Charles Dickens.*

Cette personne me plut tout de suite. Elle me rappelait une infirmière en chef que nous admirions toutes et pour qui nous travaillions avec beaucoup de zèle.

Elle approchait de la cinquantaine, affectait des manières plutôt masculines, avait des cheveux gris coupés court et une voix rude assez agréable. Son visage aux traits irréguliers était agrémenté d'un nez comiquement retroussé qu'elle frottait chaque fois qu'elle éprouvait une contrariété ou un tracas. Elle portait un tailleur de tweed gris. Bientôt, elle m'apprit qu'elle était originaire du comté d'York.

Le père Lavigny m'intimida quelque peu. De haute stature, il avait une longue barbe noire et des lorgnons. Mrs. Kelsey m'avait parlé d'un moine français qui vivait à Tell Yarimjah : je constatai, en effet, que le père Lavigny était vêtu d'une robe monacale de laine blanche. Ce qui ne laissa pas de me surprendre, car j'avais toujours cru que les moines s'enfermaient dans des monastères pour ne plus jamais en sortir.

La plupart du temps, Mrs. Leidner s'adressait à lui en français, mais il me parlait dans un anglais assez correct. Son regard fin et observateur allait d'un visage à l'autre.

En face de moi se trouvaient les trois autres personnes. Mr. Reiter était un gros blond à lunettes. Ses cheveux étaient longs et bouclés et il avait des yeux bleus et ronds. Jadis, il avait dû être un joli bébé, mais il n'en restait guère de traces pour l'instant. En réalité, il ressemblait à un goret. L'autre jeune homme avait les cheveux coupés ras, un long visage, de très belles dents et un sourire des plus aimables. Mais il parlait peu, répondait par signes de tête ou par monosyllabes. Tel Mr. Reiter, il était Américain. Venait enfin Mrs. Mercado. Je ne pouvais l'observer à mon aise : chaque fois que je regardais de son côté, elle me dévisageait d'un air arrogant qui, pour le moins, me déconcertait. Je lui faisais l'effet d'une bête curieuse : manque total d'éducation!

Tout à fait jeune, elle ne dépassait sûrement pas vingt-cinq ans. Brune, à l'allure furtive, elle était jolie, mais, comme disait sa mère, elle avait reçu « une légère couche de goudron ». Elle arborait un tricot rouge vif et le vernis de ses ongles était assorti à cette couleur. Elle avait une tête d'oiseau inquiet avec de grands yeux et une bouche aux lèvres pincées et soupçonneuses.

Le thé me parut excellent : un mélange agréable et fort qui contrastait avec le faible thé de Chine de Mrs. Kelsey, dont le goût me mettait chaque fois à une dure épreuve.

Il y avait des rôties, de la confiture, des petits gâteaux secs et une tarte. Mr. Emmott me combla d'attentions. Cet homme

discret ne manquait jamais de me passer les friandises chaque fois que mon assiette était vide.

Mr. Coleman avait pris place de l'autre côté de Miss Johnson et, selon sa coutume, il ne cessait de bavarder.

Mrs. Leidner poussa un soupir et jeta un coup d'œil las dans sa direction, mais il ne se tut pas pour autant. Le fait que Mrs. Mercado, avec qui il avait lié conversation, s'occupait trop de ma présence pour répondre de façon précise à ses questions n'affecta pas davantage cet écervelé.

A la fin du goûter, le professeur Leidner et Mr. Mercado arrivèrent des fouilles. Le professeur, toujours bienveillant, vint me saluer. Je remarquai que son regard inquiet se porta vivement vers sa femme et il parut soulagé de la voir si calme. Il alla s'asseoir à l'autre bout de la table et Mr. Mercado prit la chaise vacante auprès de Mrs. Leidner. Celui-ci était un homme grand et mince, mélancolique, au teint maladif et à la barbe flottante, beaucoup plus âgé que son épouse. Son arrivée me débarrassa de la curiosité insolite de Mrs. Mercado, qui reporta toute son attention vers lui et l'observa avec une nervosité qui me parut pour le moins bizarre. Il remuait son thé d'un air rêveur. Une tranche de gâteau demeurait intacte sur son assiette.

Il restait encore une place inoccupée. Bientôt la porte s'ouvrit et un homme entra.

Dès que mes yeux se portèrent sur Richard Carey, j'eus l'impression de me trouver en présence d'un des plus beaux spécimens d'hommes qu'il m'eût été donné de contempler... et pourtant je me demande si je n'étais pas le jouet d'une illusion. Dire qu'un homme est beau et affirmer en même temps qu'il a une tête de mort est une flagrante contradiction. On eût dit que la peau de son visage était tendue à craquer sur les os... mais des os d'un modelé très esthétique. Le contour de la mâchoire, des tempes et du front était si finement dessiné que l'ensemble évoquait en mon esprit une figure de bronze. Dans cette face brune et émaciée brillaient deux yeux d'un bleu intense. Cet homme mesurait six pieds de haut et pouvait approcher de la quarantaine.

— Mademoiselle Leatheran, je vous présente Mr. Carey, notre architecte, dit le professeur Leidner.

Il murmura quelques mots d'une voix douce et agréable et vint s'asseoir à côté de Mrs. Mercado.

— Je crains que le thé ne soit un peu froid, monsieur Carey, observa Mrs. Leidner.

— Ne vous inquiétez pas, madame. C'est ma faute si j'arrive en retard. Je voulais absolument finir de relever le plan de ces murs.

— De la confiture, monsieur Carey? demanda Mrs. Mercado. Mr. Reiter avança l'assiette de rôties.

Alors me revint à l'esprit la réflexion de Mr. Pennyman : « Je ne pourrais mieux m'exprimer qu'en disant qu'ils échangeaient, entre eux, trop de politesses. »

Oui, leur attitude exagérément courtoise décelait, en effet, quelque chose d'étrange.

N'étaient-ils pas, vraiment, un peu trop maniérés?

On eût dit une réunion d'inconnus plutôt que de gens qui — certains d'entre eux, du moins — se connaissaient depuis plusieurs années.

## CHAPITRE VI

### *Première soirée*

Après le thé, Mrs. Leidner me conduisit à ma chambre.

Je crois devoir donner ici un bref aperçu de la disposition des lieux, du reste fort simple, comme on pourra le constater en consultant le plan ci-après.

De chaque côté de la véranda s'ouvrait une porte, celle de droite donnait accès à la salle à manger où nous venions de prendre le thé, l'autre, en face, à une pièce similaire que j'appellerai la salle commune, qui nous servait à la fois de salon et de salle de travail. On y faisait du dessin, et on y recollait les pièces de poterie délicates et fragiles. De cette salle commune, on passait dans la salle des antiquités, où, sur des rayons, dans des casiers ou sur des bancs et des tables, étaient rassemblées toutes les trouvailles provenant des fouilles. Cette pièce n'avait d'autre issue que la salle commune.

La pièce contiguë était la chambre à coucher de Mrs. Leidner, dans laquelle on pénétrait par une porte donnant sur la cour. Ainsi que toutes les pièces situées du côté sud, celle-ci avait deux fenêtres grillagées prenant vue sur les champs. Faisant suite à la chambre de Mrs. Leidner, sur le côté est de la construction, se trouvait la chambre de Mr. Leidner, sans communication directe avec celle de sa femme. Immédiatement après venait la chambre qui m'était destinée, puis celle de Miss Johnson et celles de Mr. et Mrs. Mercado, suivies de deux prétendues salles de bains.

Un jour que je me servais de ce terme devant le docteur Reilly, celui-ci s'esclaffa en disant qu'une salle de bains était une salle de bains ou n'en était pas une! Toutefois, lorsqu'on est habitué à la robinetterie et à la plomberie modernes, on s'étonne d'entendre appeler salles de bains deux réduits boueux, pourvus chacun d'un tub en fer-blanc où l'on apportait une eau bourbeuse dans de vieux bidons à pétrole!

Ce côté de la construction avait été ajouté par le professeur Leidner à la maison arabe originale. Les chambres à coucher se ressemblaient toutes et avaient une porte et une fenêtre donnant sur la cour.

La partie nord comprenait le bureau des architectes, le laboratoire et les ateliers de photographie.

La disposition des pièces était sensiblement la même de l'autre côté de la véranda.

De la salle à manger on pénétrait dans le bureau où l'on conservait les archives, dressait les catalogues et effectuait les travaux de dactylographie. La chambre du père Lavigny faisait pendant à celle de Mrs. Leidner; on lui avait réservé une des deux grandes chambres à coucher parce qu'elle lui tenait également lieu de bureau pour déchiffrer les tablettes.

Dans ce même angle montait l'escalier conduisant à la terrasse. A l'ouest était d'abord la cuisine, puis quatre petites chambres à coucher occupées par les jeunes gens : Carey, Emmott, Reiter et Coleman.

A l'angle nord-ouest se trouvaient l'atelier de photographie et la chambre noire communiquant ensemble, puis venait le laboratoire.

Au milieu de la façade nord, s'ouvrait l'unique entrée : une grande voûte sous laquelle nous avions passé. A l'extérieur, on voyait les bâtiments où logeaient les serviteurs indigènes, le poste de garde pour les soldats, et les écuries. La salle de dessin des architectes occupait, à droite de l'entrée, la majeure partie du côté nord.

Je me suis étendue un peu longuement sur le plan général de la maison pour ne pas avoir à y revenir dans la suite de ce récit.

Comme je l'ai déjà dit, Mrs. Leidner me fit elle-même visiter les lieux et m'installa enfin dans ma chambre à coucher en m'exprimant l'espoir que j'y trouverais toutes commodités voulues.

Les meubles : un lit, une commode, une table de toilette et un fauteuil, quoique simples, étaient d'aspect agréable.

— Les domestiques vous apporteront de l'eau chaude avant le déjeuner et le dîner... et, cela va de soi, chaque matin. Si vous en désirez à toute autre heure de la journée, sortez dans la cour, frap-

pez des mains et, quand vous verrez apparaître le *boy*, dites-lui :
« *Jim mai' har*. » Croyez-vous pouvoir vous en souvenir?

Je répondis dans l'affirmative et répétai cette phrase avec quelque hésitation.

— Très bien. Mais n'oubliez pas de crier : les Arabes ne comprennent pas lorsqu'on leur parle sur le ton ordinaire.

— Cette question des langues est très bizarre, observai-je. Je me demande pourquoi il y en a tant.

Mrs. Leidner sourit.

— En Palestine, il existe une église où le *Pater* est écrit en quatre-vingt-dix langues différentes.

— Eh bien! il faut que je fasse part à ma vieille tante de cette particularité qui l'intéressera fort.

Mrs. Leidner toucha distraitement le pot à eau et la cuvette, puis déplaça de quelques centimètres le porte-savon.

— Je me plais à croire que vous serez bien ici et que vous ne vous ennuierez pas trop.

— Je m'ennuie très rarement, déclarai-je. La vie est trop brève.

Sans répondre, elle continua, d'un air absent, à déplacer les objets sur la table de toilette.

Soudain, elle me regarda fixement de ses yeux violet foncé.

— Que vous a dit exactement mon mari, nurse?

Dans notre profession on répond à peu près toujours de la même manière à des questions de ce genre.

— J'ai cru comprendre que vous étiez légèrement déprimée, madame Leidner, déclarai-je d'un air naturel, et qu'il vous fallait quelqu'un pour vous tenir compagnie et vous décharger de tous soucis.

Pensive, elle inclina la tête.

— En effet, votre présence me soulagera énormément.

Cette réplique me sembla plutôt énigmatique, mais je ne tenais point à approfondir les choses.

— Je compte bien que vous me confierez tous les devoirs que comporte la conduite de cette maison et que vous ne me laisserez pas oisive.

Elle me gratifia d'un sourire.

— Merci, nurse.

Alors, elle s'assit sur le lit et, à ma grande surprise, se mit à me poser toutes sortes de questions. Je répète « à ma grande surprise », car, dès l'instant où mes yeux s'étaient posés sur elle, j'avais été convaincue que Mrs. Leidner était une grande dame. Or, à mon avis, une personne distinguée s'abstient en général d'interroger les autres sur leurs affaires privées.

Cependant, Mrs. Leidner me parut avide d'apprendre les moindres détails me concernant : où j'avais fait mon stage et combien de temps il avait duré, ce qui m'amenait en Orient, comment il se faisait que le docteur Reilly m'avait recommandée. Elle alla jusqu'à me demander si j'avais vécu en Amérique, où si j'y avais de la famille. Elle me posa encore deux ou trois autres questions qui, sur le moment, me parurent insignifiantes, mais dont je devais découvrir plus tard toute la portée.

Soudain, elle changea d'attitude, son visage s'épanouit en un sourire ensoleillé. D'une voix douce, elle m'assura qu'elle se félicitait de ma venue, persuadée que je lui apporterais un immense réconfort.

Se levant, elle ajouta :

— Vous plairait-il de monter sur la terrasse pour admirer le coucher du soleil? Ce spectacle est d'ordinaire merveilleux à cette heure du jour.

J'acceptai volontiers. Comme nous sortions de ma chambre, elle me demanda :

— Y avait-il beaucoup de monde dans le train de Bagdad? Des hommes?

Je répondis n'avoir remarqué personne en particulier, à l'exception de deux Français aperçus la veille au wagon-restaurant et un groupe de trois hommes qui, d'après ce que je surpris de leur conversation, s'occupaient de la *Pipe-Line*.

Elle hocha la tête et un léger soupir de soulagement sortit de ses lèvres.

Ensemble nous montâmes à la terrasse.

Mrs. Mercado s'y trouvait déjà, assise sur la balustrade, et le professeur Leidner, penché sur des pierres et des fragments de poterie, admirait ses trouvailles. Il y avait là de gros cailloux qu'il désignait sous le nom de meules à main, des pilons, des haches et autres instruments en pierre, des morceaux de vases, ornés des plus étranges dessins que j'aie jamais vus.

— Venez donc par ici! s'écria Mrs. Mercado. N'est-ce pas magnifique?

Le coucher de soleil était en effet de toute beauté. Dans le lointain, Hassanieh, derrière laquelle s'enfonçait l'astre du jour, prenait un aspect féerique, et le Tigre, coulant entre ses deux larges rives, paraissait un fleuve de rêve.

— Quel joli tableau, n'est-ce pas, Eric? dit Mrs. Leidner.

Le professeur releva la tête et regarda, les yeux dans le vague, puis murmura d'un ton détaché : « Oui, très joli, très joli », et se remit à classer ses tessons.

Mrs. Leidner sourit en disant :

— Les archéologues ne s'intéressent qu'à ce qui se trouve sous leurs pieds. Pour eux, le ciel n'existe pas.

Mrs. Mercado ricana :

— Oh! ce sont des êtres bizarres. Vous ne tarderez pas à vous en apercevoir, mademoiselle Leatheran.

Après une légère pause, elle ajouta :

— Nous sommes tous très heureux de votre présence parmi nous. L'état de notre chère Mrs. Leidner nous causait tant de soucis!

— Pas possible! s'exclama Mrs. Leidner d'un ton peu encourageant.

— Mais si! Elle était vraiment malade, nurse, et plus d'une fois elle nous a effrayés. Chacun disait : « Oh! ce n'est qu'une question de nerfs! » Eh bien! moi, je prétends que les nerfs vous font abominablement souffrir. Ne sont-ils pas le centre de notre organisme, nurse?

« Cajoleuse, va! » pensai-je en moi-même.

Mrs. Leidner repartit d'une voix sèche :

— Désormais, inutile de vous tracasser à mon sujet. Nurse prendra soin de moi.

— Je m'y emploierai de mon mieux, m'empressai-je de répondre.

— Je suis persuadée que bientôt nous constaterons de bienfaisants résultats, énonça Mrs. Mercado. Tous nous étions d'avis qu'elle consultât un médecin ou qu'elle fît quelque chose, n'importe quoi. Son système nerveux a subi un rude assaut, n'est-ce pas, ma chère Louise?

— Au point que je commençais à vous donner sur les nerfs, observa Mrs. Leidner. Si nous abordions un sujet plus intéressant que mes propres misères?

A cet instant je compris que Mrs. Leidner appartenait à ce genre de femmes qui excellent à se créer des ennemis. Sa voix contenait une certaine arrogance froide, — je serais la dernière à lui en faire un reproche — qui amena un flux de sang aux joues, d'ordinaire pâles, de Mrs. Mercado. Elle marmotta quelques paroles inintelligibles, mais Mrs. Leidner s'était levée pour rejoindre son mari à l'autre bout de la terrasse. Sans doute ne l'entendit-il pas venir, car, lorsqu'elle lui posa la main sur l'épaule, il leva vivement vers elle un regard interrogateur.

Mrs. Leidner répondit d'un signe de tête, puis, le prenant par le bras, elle le conduisit jusqu'à l'escalier et tous deux descendirent ensemble.

— Il est plein d'attentions pour sa femme, n'est-ce pas? observa Mrs. Mercado.

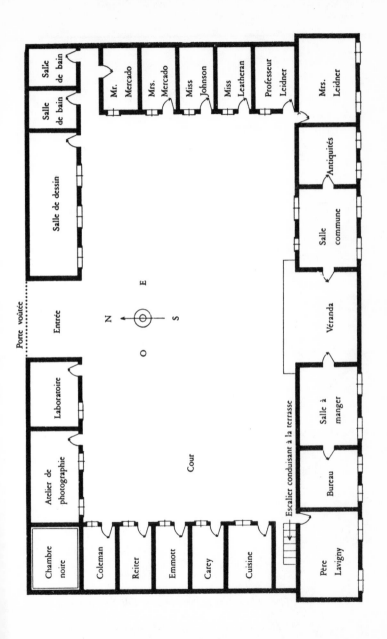

Salle de bain

Salle de bain

Salle de dessin

Porte voûtée

Entrée

Laboratoire

Atelier de photographie

Chambre noire

Coleman

Reiter

Emmott

Carey

Cuisine

Mr. Mercado

Mrs. Mercado

Miss Johnson

Miss Leatheran

Professeur Leidner

Mrs. Leidner

Antiquités

Salle commune

Véranda

Salle à manger

Bureau

Père Lavigny

Cour

Escalier conduisant à la terrasse

N

E

O

S

*Plan de la maison de l'expédition à Tell Yarimjah.*

— Oui, répondis-je, cela fait plaisir à voir.

Elle me lança un regard inquisiteur.

— A votre avis, de quoi souffre-t-elle, nurse? demanda-t-elle, baissant un peu la voix.

— Oh! elle n'a rien de grave... un peu de dépression nerveuse, ce me semble.

Son regard insistant se vrilla sur mon visage, comme tout à l'heure pendant le thé.

— Soignez-vous spécialement les gens atteints de maladies nerveuses?

— Nullement. Pourquoi cette question?

Après un moment de silence, elle me demanda :

— Savez-vous à quel point cette femme est anormale? Le professeur Leidner ne vous a donc pas mise au courant?

Je déteste les commérages au sujet de mes malades. D'autre part, je sais par expérience combien il est difficile d'arracher la vérité aux proches et, tant qu'on ignore la nature du mal, on tâtonne sans résultats. Évidemment, lorsqu'un médecin suit le malade, il en va tout autrement. Lui-même vous donne toutes les indications voulues, mais aucun praticien ne s'occupait de Mrs. Leidner. Le docteur Reilly n'avait pas été consulté professionnellement et je n'aurais pu affirmer que le professeur Leidner m'avait révélé tout ce qu'il savait sur le compte de sa femme. Habituellement le mari se montre réticent sur ces questions et on ne peut que l'en féliciter. Cependant, mieux informée, j'eusse pu agir en connaissance de cause et au mieux de la santé de ma patiente. Mrs. Mercado, cette petite langue de vipère, mourait d'envie de parler. De mon côté, tant au point de vue humain qu'au point de vue professionnel, je désirais entendre ce qu'elle avait à raconter. Accusez-moi, si bon vous semble, de simple curiosité.

— A ce qu'il paraît, lui dis-je, Mrs. Leidner n'a pas été tout à fait normale ces temps derniers?

Mrs. Mercado émit un ricanement désagréable.

— Normale? Ah! non. Elle a failli nous faire mourir de peur. Une nuit, elle entendait des doigts frapper sur sa fenêtre, puis ce fut une main sans bras... Et lorsqu'elle vient vous certifier qu'une face jaune s'écrasait contre sa vitre et que, s'étant précipitée vers la fenêtre, elle ne vit plus rien... dites-moi un peu s'il n'y a pas de quoi vous donner la chair de poule?

— Peut-être quelqu'un lui jouait une farce, suggérai-je.

— Oh! non. Tout cela sort de son imagination. Tenez, il y a seulement trois jours, à l'heure du dîner, les gosses du village, à un kilomètre d'ici, s'amusaient à tirer des pétards. Bondissant de sa chaise, elle poussa des cris de folle, à nous glacer le sang. Alors, le professeur Leidner se précipita vers elle et se comporta de façon ridicule. « Ce n'est rien, chérie », ne cessait-il de répéter. Selon moi, nurse, certains hommes ne font qu'encourager les femmes dans des crises d'hystérie. Ils ont tort, car on ne doit pas favoriser ces hallucinations.

— Évidemment, s'il ne s'agit que d'hallucinations.

— Que voulez-vous que ce soit?

Incapable de donner une réponse, je gardai le silence. Ces incidents ne laissaient pas de me troubler. Je passe volontiers sur les cris poussés par Mrs. Leidner en entendant les coups de pétard, mais cette histoire de figure et de main spectrales me parut bien étrange. De deux choses l'une : ou bien Mrs. Leidner l'avait inventée de toutes pièces tout comme un enfant débite des mensonges pour se rendre intéressant, ou bien, ainsi que j'y avais d'abord songé, il s'agissait là d'une sinistre plaisanterie, telle qu'un joyeux drille dénué d'imagination, comme le jeune Coleman, pouvait en forger. Je résolus donc de le surveiller de près. Un de ces tours démoniaques peuvent conduire une personne nerveuse à la folie.

— Ne lui trouvez-vous pas des allures très romanesques, nurse? me demanda Mrs. Mercado. Pareille femme est vouée à toutes les aventures!

— Lui en est-il déjà arrivé beaucoup?

— Son premier mari a été tué à la guerre, alors qu'elle avait seulement vingt ans. N'est-ce pas là un début des plus pathétiques, nurse?

— Gardons-nous bien de confondre une oie avec un cygne, répliquai-je d'un ton sec.

— Oh! mademoiselle, quelle extraordinaire remarque!

— En tout cas, elle est des plus exactes. Que de femmes soupirent : « Ah! si Pierre, Paul ou Jacques étaient seulement revenus!... » Quant à moi, je ne puis m'empêcher de songer que ces jeunes hommes seraient à présent des maris d'âge mûr, prosaïques et bedonnants, au caractère bougon.

Comme la nuit tombait, je proposai à Mrs. Mercado de descendre. Celle-ci acquiesça et m'offrit de me faire visiter le laboratoire.

— Mon mari y sera, en train de travailler, ajouta-t-elle.

Elle me conduisit dans une pièce éclairée par une lampe, mais il n'y avait personne. Mrs. Mercado me montra des appareils où des ornements de cuivre étaient soumis à un traitement chimique, et aussi des ossements recouverts d'une couche de cire.

— Où diable peut être Joseph? s'exclama Mrs. Mercado.

Elle jeta un coup d'œil dans l'atelier des architectes où Carey dessinait. A peine s'il leva les yeux à notre entrée, et je fus frappée par l'expression de grande fatigue sur son visage. Une idée se présenta à mon esprit : « Cet homme est au bout de son rouleau; il ne saurait continuer longtemps ainsi. » Et je me souvins qu'une autre personne avait émis la même réflexion à son sujet.

Au moment de sortir, je détournai la tête pour l'observer une dernière fois. Penché sur son papier, les lèvres serrées, il évoquait d'une façon étonnante une « tête de mort », tant les os de sa figure ressortaient. Peut-être était-ce simple imagination de ma part, mais il me faisait l'effet d'un chevalier de jadis partant pour la guerre avec la certitude de périr sur le champ de bataille.

De nouveau, je ressentis toute la force d'attraction qu'il dégageait inconsciemment.

Nous découvrîmes Mr. Mercado dans la salle commune. Il exposait un nouveau procédé scientifique à Mrs. Leidner, assise sur une chaise à dossier droit et en train de broder des fleurs sur un tissu soyeux. Derechef, je fus stupéfaite par son aspect fragile et éthéré. On eût dit une créature féerique, plutôt qu'un être en chair et en os.

Mrs. Mercado cria d'une voix perçante et aigre :

— Ah! te voilà, Joseph! Nous pensions te trouver au labo.

Il sursauta, étonné et confus, comme si l'entrée de sa femme venait de rompre le charme. Il balbutia :

— Je... Il faut que je m'en aille à présent. J'arrive au milieu de... au milieu de...

Il n'acheva point sa phrase et se dirigea vers la porte.

Mrs. Leidner lui dit, de sa voix douce et légèrement traînante :

— Vous me raconterez la fin une autre fois. C'est passionnant.

Elle nous considéra avec un sourire aimable, mais évasif, puis elle reprit sa broderie.

Au bout d'un instant, elle prononça :

— Nous avons là un bon choix de livres, nurse. Choisissez-en un et venez donc vous asseoir.

Je me dirigeai vers le rayon, Mrs. Mercado s'attarda encore une minute, puis, se retournant brusquement, s'en alla. Comme elle passait devant moi, je remarquai l'expression de ses traits qui me déplut souverainement. Elle paraissait hors d'elle-même.

Malgré moi, je me rappelai certains détails auxquels Mrs. Kelsey avait fait allusion touchant Mrs. Leidner. Il me répugnait de les approfondir, car Mrs. Leidner m'inspirait une vive sympathie; toutefois, je me demandais s'ils ne contenaient pas une parcelle de vérité.

Évidemment, on ne pouvait en tenir grief à Mrs. Leidner, mais il n'empêche que la chère vieille Miss Johnson, avec toute sa laideur, et cette chipie de Mrs. Mercado, vulgaire au possible, ne lui arrivaient pas à la cheville en matière de séduction. Et, nous autres nurses, sommes bien placées pour le savoir; les hommes sont des hommes sous tous les climats.

Mercado n'avait rien d'un don Juan, et j'ai tout lieu de supposer que Mrs. Leidner n'attachait aucune importance à ses galantes attentions, mais sa femme s'en offusquait. Si je ne me trompe, elle prenait la chose au tragique et n'eût pas reculé, le cas échéant, à jouer un mauvais tour à Mrs. Leidner.

J'observai Mrs. Leidner, assise là, en train de broder ses jolies fleurs, l'air si hautain et détaché de toutes contingences. Je me demandai s'il convenait de l'avertir. Peut-être ignorait-elle jusqu'où peuvent aller la violence et la haine déchaînées par la jalousie et comme il faut peu de chose pour attiser cette passion.

Puis, je me dis : « Amy Leatheran, tu es une sotte! Mrs. Leidner n'est pas née d'hier. Elle frise la quarantaine et doit posséder une expérience suffisante de la vie. »

En mon for intérieur, j'en doutais cependant.

Elle avait l'air si pur!

Quelle sorte d'existence avait-elle pu mener? Je savais qu'elle avait épousé le professeur Leidner deux ans auparavant et, suivant les dires de Mrs. Mercado, son premier mari était mort voilà une vingtaine d'années.

Je m'assis près d'elle avec un livre et, au bout d'un certain temps, j'allai me laver les mains avant le dîner. Le repas fut excellent... surtout le curry, au-dessus de tout éloge. Tout le monde se retira de bonne heure, à ma plus grande satisfaction, car je tombais de fatigue.

Le professeur Leidner m'accompagna jusqu'à ma chambre et s'inquiéta de savoir s'il ne me manquait rien.

Il me serra chaleureusement la main et me dit d'un ton aimable :

— Elle vous aime beaucoup, nurse. Vous lui avez plu immédiatement. Je m'en félicite. J'ai l'impression, dès maintenant, que tout s'arrangera pour le mieux.

Son enthousiasme avait quelque chose de juvénile.

De mon côté, je sentais que Mrs. Leidner éprouvait envers moi de la sympathie et je m'en réjouissais.

Cependant, je ne partageais pas l'optimisme du mari. Il devait ignorer certains faits, que je ne pouvais préciser, mais que je flairais dans l'air.

Mon lit, bien que douillet, ne me procura pas le sommeil.

Toute la nuit, je fus pourchassée par des rêves. Les vers d'un poème de Keats, que j'avais appris par cœur dans mon enfance, me trottaient par la tête. Chaque fois je les récitais mal, et cette pensée m'exaspérait. J'avais toujours détesté ce poème, sans doute parce que j'avais dû, autrefois, l'apprendre de force. Or, pour la première fois, à mon réveil, j'y découvris une sorte de beauté.

*Oh! quel mal te ronge, chevalier solitaire...*

Pour la première fois, j'entrevis la face pâle du chevalier... sous les traits de Mr. Carey : un visage bronzé, aux traits tirés et exsangues, qui me rappelait maints jeunes hommes que, fillette, j'avais vus au cours de la guerre... et je le plaignis. Bientôt je m'assoupis et la Belle Dame sans Merci m'apparut sous les traits de Mrs. Leidner. Penchée sur la selle d'un cheval, elle tenait à la main sa broderie fleurie. Puis le coursier trébucha et le sol fut jonché d'ossements recouverts de cire. Je m'éveillai avec la chair de poule et constatai, une fois de plus, que le curry ne me réussissait pas le soir.

# CHAPITRE VII

## *L'homme à la fenêtre*

Peut-être vaut-il mieux vous avertir dès maintenant que mon récit n'offrira aucune couleur locale. J'ignore tout de l'archéologie et j'avoue ma complète indifférence pour cette question. A mon sens, il est ridicule d'aller troubler le repos de gens et de villes disparus depuis des siècles. Mr. Carey n'avait pas tort lorsqu'il me reprochait de ne point posséder le tempérament d'une archéologue.

Dès le premier matin qui suivit mon arrivée, Mr. Carey me proposa de me faire visiter le palais dont il... traçait les plans, suivant sa propre expression. Comment parvenait-il à dresser le plan d'un édifice depuis longtemps en ruine ? Voilà qui passe mon entendement. J'acceptai son offre et, à vrai dire, avec une certaine curiosité. Ce palais, paraît-il, datait de trois mille ans. Quel genre de palais pouvait exister à cette époque lointaine ? Cette construction me rappelait-elle les photographies que j'avais vues du tombeau de Toutankhamon ? Mais le croiriez-vous ? — il n'y avait rien à voir, sauf de la boue. Des murs de boue de soixante centimètres de haut. Voilà tout ce qui restait du palais.

Mr. Carey me conduisit dans tous les coins, me donnant des tas d'explications : ici, c'était la cour d'honneur ; là, des chambres ; plus loin, l'escalier montant à l'étage supérieur, où d'autres pièces donnaient sur la cour centrale. Et je me disais en moi-même : « Comment peut-il le savoir ? » Mais, par politesse, je m'abstins de l'interroger là-dessus. Quelle déception j'éprouvai ! Tous ces travaux d'excavation n'offraient à mes yeux qu'un étalage de boue... pas un morceau de marbre, ou d'or, rien de beau. La maison de ma tante, à Crikdewood, eût laissé des vestiges plus imposants ! Et dire que ces vieux Assyriens ou... appelez-les comme bon vous semblera... s'affublaient du titre de rois !

Quand Mr. Carey m'eut montré son vieux « palais », il me confia au père Lavigny qui me fit voir le reste des fouilles. Ce père Lavigny m'inspirait une certaine frayeur par le fait qu'il était moine, étranger, et parlait d'une voix caverneuse. Toutefois, je me plais à dire qu'il fut aimable et courtois, mais ses explications demeurèrent plutôt vagues. Je commençais à me demander s'il se passionnait plus que moi pour l'archéologie.

Mrs. Leidner m'en fournit plus tard la raison : le père Lavigny s'intéressait seulement aux « documents écrits », comme elle les appelait. Les anciens gravaient tout sur l'argile, se servaient de signes païens mais non dénués de sens. Il y avait même des tablettes d'écoliers, avec la leçon du maître d'un côté et le devoir de l'élève de l'autre. Je reconnais que je pris plaisir à étudier ces documents au demeurant très humains, du moins à mon avis.

Le père Lavigny fit avec moi le tour des excavations et me désigna l'emplacement des temples, des palais ou des résidences privées, et même les traces d'un ancien cimetière akkadien. Il parlait d'une voix saccadée, lançait des bribes de renseignements, puis passait à d'autres sujets.

— Votre présence ici ne laisse pas de m'intriguer, mademoiselle. Mrs. Leidner serait-elle vraiment malade ? me demanda-t-il.

— Pas exactement malade, répondis-je sans trop me compromettre.

— C'est une personne bizarre, une femme dangereuse, je crois !

— Qu'entendez-vous par là ? Dangereuse ? A quel point de vue ?

Il hocha pensivement la tête.

— C'est une femme cruelle, sans cœur.

— Excusez-moi, monsieur. Vous vous méprenez lourdement sur son compte.

Il hocha la tête.

— On voit bien que vous ne connaissez pas les femmes comme moi, répliqua-t-il.

Cette réflexion me parut pour le moins drôle dans la bouche d'un moine. Peut-être, après tout, avait-il appris bien des secrets de la part de ses pénitentes. Encore n'étais-je pas très sûre que les religieux eussent l'autorisation de confesser, ou si ce droit appartenait exclusivement aux prêtres séculiers. Je tenais le père Lavigny pour un moine, avec sa longue robe de bure, balayant la poussière, et son rosaire.

— Si, cette femme est impitoyable. J'en suis persuadé, ajouta-t-il, pensivement. Et pourtant, malgré son cœur dur comme roche, elle est sujette à la peur. De quoi est-elle effrayée? (Tout le monde, pensai-je en moi-même, aimerait à le savoir!) Du moins, son mari doit être fixé à ce sujet, si les autres ignorent tout.

Il plongea soudain ses yeux sombres dans les miens.

— L'atmosphère, ici, ne vous semble-t-elle pas bizarre? Ou bien la trouvez-vous naturelle?

— Pas tout à fait naturelle. Du point de vue matériel, rien à dire; cependant on éprouve une espèce de gêne.

— Si vous voulez mon avis, je ne m'y sens pas du tout à l'aise. (A ce moment, son accent étranger s'accentua quelque peu.) J'ai le sentiment qu'il se prépare quelque chose d'anormal. Le professeur Leidner lui-même n'est pas dans son assiette. Des soucis le minent.

— La santé de sa femme?

— Peut-être. Mais ce n'est pas tout. Une sorte d'inquiétude flotte dans l'air.

Il avait raison : l'inquiétude régnait partout.

Pour cette fois, la conversation s'en tint là, car le professeur Leidner avançait vers nous. Il me montra une tombe d'enfant qu'on venait de mettre au jour. Spectacle pathétique : de minuscules ossements, un ou deux vases, et des points qui, au dire du professeur, étaient les vestiges d'un collier de perles.

La vue des terrassiers me divertit beaucoup. Jamais je n'avais vu une telle bande d'épouvantails... tous dans de longs jupons en guenilles et la tête enveloppée comme s'ils souffraient du mal de dents. Dans leurs allées et venues pour emporter les paniers de terre, ils chantaient — si du moins on peut appeler cela chanter — une sorte de mélopée qui n'en finissait pas. Tous avaient les yeux horribles, couverts de poussière, et un ou deux semblaient aveugles. Je m'apitoyais sur leur triste état, quand le professeur Leidner me dit : « Voilà de beaux spécimens d'humanité, qu'en dites-vous? » Drôle de monde où deux personnes placées devant le même spectacle peuvent recevoir des impressions diamétralement opposées!

Au bout d'un moment, le professeur Leidner annonça qu'il rentrait à la maison pour prendre une tasse de thé avant le déjeuner. Lui et moi fîmes route ensemble et il me raconta beaucoup de choses. Lorsque j'entendis ses explications, tout prit un autre aspect à mes yeux. Je pus alors m'imaginer les rues et les maisons telles qu'elles existaient autrefois dans ce pays. Il me montra des fours à pain et m'apprit que les Arabes, de nos jours, se servaient de fours semblables.

En arrivant à la maison, nous trouvâmes Mrs. Leidner levée. Elle paraissait en meilleur état de santé, et le visage reposé. Le thé fut servi aussitôt et le professeur Leidner raconta à sa femme ce qu'ils avaient découvert dans les fouilles au cours de la matinée. Il nous quitta pour reprendre son travail et Mrs. Leidner m'invita à aller examiner quelques-unes des trouvailles les plus récentes. J'acceptai d'enthousiasme et elle me conduisit à la salle des antiquités. De tous côtés s'étalaient des objets hétéroclites, pour la plupart des vases brisés, du moins à ce qu'il me sembla, ou d'autres raccommodés et recollés. Tout cela, selon moi, n'était bon qu'à jeter aux ordures.

— Mon Dieu, mon Dieu! Quel dommage qu'ils soient tous brisés! Est-ce vraiment la peine de les conserver?

Avec un léger sourire, Mrs. Leidner observa :

— Ne dites jamais cela devant Eric! Les poteries l'intéressent plus que tout au monde, et quelques-unes de ces pièces remontent à sept mille ans.

Elle m'expliqua que certaines provenaient d'une tranchée très profonde. Voilà des milliers d'années, plusieurs avaient été brisées et recollées avec du bitume, preuve incontestable que les gens de cette époque-là tenaient autant à leurs biens que ceux de nos jours.

— Et maintenant, ajouta-t-elle, vous allez voir quelque chose de curieux.

Elle prit une boîte sur l'étagère et me montra un magnifique poignard en or dont le manche était incrusté de pierres bleu sombre.

Je poussai un cri de ravissement.

Mrs. Leidner se mit à rire.

— Tout le monde aime l'or, sauf mon mari!

— Pourquoi cette aversion?

— D'abord, parce que ce métal lui revient très cher. Il faut payer aux ouvriers qui l'ont découvert le poids de cet objet en or.

— Bonté divine! Pour quelle raison?

— C'est l'usage. D'abord, pareille mesure prévient les vols. Cet objet ne les tenterait pas pour sa valeur archéologique, mais pour sa valeur intrinsèque. Ils le fondraient. Ainsi, grâce à nous, l'honnêteté ne leur coûte rien.

Elle prit un plateau et me fit admirer une superbe coupe en or sur laquelle étaient gravées des têtes de béliers.

De nouveau, je m'extasiai.

— N'est-ce pas que c'est beau? Ce joyau provient de la tombe d'un prince. Nous avons découvert d'autres tombes royales, mais elles avaient déjà été pillées. Cette coupe constitue notre meilleure trouvaille. C'est un spécimen unique au monde.

Soudain, le front plissé, Mrs. Leidner approcha la coupe de ses yeux et, de son ongle, la gratta délicatement.

— Tiens, c'est drôle! Une tache de cire! Quelqu'un a dû venir ici avec une bougie.

Elle détacha la pellicule de cire et remit la coupe à sa place.

Ensuite, elle me présenta d'étranges figurines de terre cuite, pour la plupart indécentes. Quel esprit pervers avaient ces gens-là! Quand nous regagnâmes la véranda, nous y surprîmes Mrs. Mercado, assise, en train de se polir les ongles. Les doigts allongés devant ses yeux, elle admirait l'effet du vernis. Pour moi, je ne trouve rien de plus odieux que ce rouge orangé!

Mrs. Leidner avait emporté, de la salle des antiquités, une délicate soucoupe brisée en plusieurs morceaux. Elle se mit en devoir d'en recoller les fragments. Je l'observai un instant et lui offris mes services.

— Avec plaisir! Il n'en manque pas à raccommoder.

Elle alla chercher tout un lot de poteries brisées et nous nous mîmes à l'œuvre. J'attrapai très vite le tour de main et elle me félicita de mon adresse. Une infirmière doit, avant tout, avoir des doigts agiles.

— Comme tout le monde s'occupe dans cette maison! s'exclama Mrs. Mercado. J'ai l'impression de ne servir à rien ici. Je ne suis qu'une paresseuse!

— Libre à vous de rester oisive, dit Mrs. Leidner d'un ton indifférent.

On s'attabla à midi pour le déjeuner. Après le repas, le professeur Leidner et Mr. Mercado décapèrent quelques poteries au moyen d'une solution d'acide chlorhydrique. Un vase révéla une superbe coloration prune et un dessin représentant des cornes de taureau apparut sur un autre. Cette opération avait quelque chose de magique. La boue séchée, qu'aucun lavage n'eût enlevée, bouillonnait et s'en allait en vapeur.

Messrs. Carey et Coleman retournèrent aux fouilles, tandis que Mr. Reiter se rendait à l'atelier de photographie.

— Que comptez-vous faire, Louise? demanda le professeur Leidner à sa femme. Sans doute vous reposer un peu?

Mrs. Leidner avait l'habitude de s'accorder une petite sieste l'après-midi. Je l'appris par la suite.

— Je m'étendrai pendant une heure. Ensuite, j'irai faire un tour de promenade.

— Bien. Miss Leatheran pourra vous accompagner.

— Très volontiers, m'empressai-je de répondre.

— Non, non, merci! J'aime à sortir seule. Je ne veux pas que nurse se juge obligée de me suivre pas à pas.

— Ne croyez pas un seul instant que cela m'ennuie de sortir.

— Franchement, je préfère sortir seule, appuya Mrs. Leidner d'un ton péremptoire. De temps à autre, la solitude me plaît. Elle m'est même nécessaire.

Je n'insistai pas. Cependant, tout en me rendant à ma chambre, pour y faire un petit somme, je trouvai étrange que Mrs. Leidner, toujours en proie à des frayeurs nerveuses, se complût à se promener seule, sans aucune protection.

Lorsque, vers trois heures et demie, je quittai ma chambre, je vis au milieu de la cour un gamin qui lavait des poteries dans une baignoire en cuivre. Mr. Emmott les triait au fur et à mesure. Comme je m'avançais vers eux, Mrs. Leidner rentra par la porte voûtée, l'air plus alerte que jamais. Ses yeux brillaient; elle paraissait tout à fait remontée et presque joyeuse.

Le professeur Leidner sortit de son laboratoire et la rejoignit pour lui montrer un grand plat orné de cornes de taureaux.

— Les couches préhistoriques sont d'une richesse inouïe! La saison promet. La découverte de cette tombe, dès le début de nos excavations, fut un heureux présage. Le seul qui pourrait se plaindre est le père Lavigny. Jusqu'ici, nous n'avons guère mis de tablettes au jour.

— Il ne me paraît pas avoir tiré parti de celles que nous lui avons remises, remarqua Mrs. Leidner d'un ton sec. Il est peut-être un éminent épigraphiste, mais à mon sens il est doublé d'un remarquable paresseux. Il dort tous les après-midi.

— Byrd nous manque, soupira le professeur Leidner. Ce père Lavigny ne me semble pas tout à fait orthodoxe, bien que je ne me targue pas d'être compétent en la matière. Toutefois, une ou deux de ses traductions m'ont plutôt surpris, pour ne pas dire davantage. J'ai peine à croire, par exemple, à l'exactitude du texte gravé sur ce bloc de pierre. Bah! il doit tout de même bien savoir.

Après le thé, Mrs. Leidner me demanda s'il me plairait de me promener jusqu'au fleuve. Peut-être craignait-elle que son refus de me permettre de l'accompagner au début de l'après-midi n'eût blessé mon amour-propre.

Afin de lui montrer mon caractère accommodant, je m'empressai d'acquiescer.

La soirée était délicieuse. Nous traversâmes des champs d'orge et des vergers en fleurs et arrivâmes enfin au bord du Tigre. Immédiatement à notre gauche, nous vîmes le chantier où les ouvriers fredonnaient toujours leur chanson monotone. Un peu à notre droite, une énorme roue à eau, ou noria, tournait en produisant un curieux grincement qui, tout d'abord, me porta sur les nerfs; mais je finis par m'y habituer et bientôt je constatai qu'il exerçait sur moi un effet calmant. Au-delà de cette roue à eau se dressait le village d'où venaient la plupart de nos terrassiers.

— Le paysage ne manque pas de beauté, n'est-ce pas? énonça Mrs. Leidner.

— Oui, il est très reposant. On est étonné de se trouver si loin de tout.

— Si loin de tout..., répéta Mrs. Leidner. En effet, ici, du moins, on s'attendrait à jouir d'une sécurité absolue.

Je lui jetai un coup d'œil rapide, mais je crois qu'elle parlait plutôt à elle-même qu'à moi et ne se doutait nullement que ses paroles venaient de trahir sa pensée.

Nous reprîmes lentement le chemin de la maison.

Tout à coup, Mrs. Leidner me serra le bras si violemment que je faillis pousser un cri de douleur.

— Qui est cet homme, nurse? Et que fait-il là?

Un individu se tenait à quelque distance devant nous, à l'endroit où le sentier tournait vers la maison. Vêtu à l'européenne, il se haussait sur la pointe des pieds et essayait de regarder par une des fenêtres.

Ensuite, il promena ses yeux autour de lui, nous aperçut et aussitôt se mit en marche sur le chantier dans notre direction. Les doigts de Mrs. Leidner se resserrèrent sur mon bras.

— Nurse, murmura-t-elle. Nurse!...

— Calmez-vous, chère madame, ce n'est rien, lui dis-je d'une voix rassurante.

L'homme poursuivit son chemin et passa devant nous. C'était un Irakien, et, lorsqu'elle le vit de près, Mrs. Leidner me lâcha le bras avec un soupir.

— Oh! ce n'est qu'un Irakien, dit-elle.

Nous continuâmes notre route. Tout en avançant, je jetai un coup d'œil aux fenêtres. Non seulement elles étaient munies de barreaux, mais elles étaient placées trop haut pour qu'on pût y plonger le regard : en effet, le niveau du sol à cet endroit était plus bas qu'à l'intérieur de la cour.

— C'était un simple curieux, observai-je.

Mrs. Leidner acquiesça d'un signe de tête.

— N'empêche qu'à ce moment j'ai soupçonné...

Elle s'interrompit.

Je pensai en moi-même : « Que soupçonniez-vous donc? Voilà ce que j'aimerais savoir. Que pouviez-vous bien soupçonner? »

Du moins, j'avais acquis une certitude : Mrs. Leidner redoutait une créature en chair et en os.

## CHAPITRE VIII

### Alerte nocturne

J'éprouve quelque difficulté à classer les incidents qui se déroulèrent au cours de ma première semaine à Tell Yarimjah.

Jugeant les choses avec un peu de recul à la lumière des connaissances acquises depuis, je discerne maints détails qui, à l'époque, m'avaient complètement échappé.

Mais, afin de donner plus d'exactitude à mon récit, je crois devoir essayer de me replonger dans la même atmosphère de doute, de malaise et de mauvais pressentiments qui m'enveloppait alors.

Un fait demeure certain : cette tension et cette contrainte dans lesquelles nous vivions n'étaient pas l'effet de notre imagination; elles étaient bel et bien réelles. Bill Coleman lui-même, cet homme impassible, ne cessait d'y faire allusion.

Je l'entendis prononcer plus d'une fois :

— Tous ces gens me tapent sur le système. Sont-ils toujours aussi lugubres?

Il s'adressait à David Emmott, son collègue. Ce jeune Emmott m'inspirait assez de sympathie; son humeur taciturne n'avait rien de désagréable. Son air franc et résolu vous rassurait au milieu de ces fantoches qui passaient leur temps à se suspecter mutuellement.

— Non, répondit-il à Mr. Coleman. L'année dernière c'était tout à fait différent.

Mais il ne s'étendit point sur le sujet et se garda d'insister.

— Je n'arrive pas à deviner ce qui se passe, ajouta Mr. Coleman d'un ton chagrin.

Pour toute réponse, Emmott se contenta de hausser les épaules.

J'eus une conversation plutôt édifiante avec Miss Johnson. J'estimais fort cette personne capable, pratique et intelligente. De toute évidence, elle tenait le professeur Leidner pour un véritable héros.

En cette occasion, elle me raconta la vie de cet homme depuis son enfance. Elle connaissait les endroits qu'il avait fouillés et le résultat de tous ses travaux. Je jurerais qu'elle aurait pu citer par cœur des passages entiers de ses conférences. Elle le considérait, me dit-elle, comme le plus éminent archéologue de l'époque.

— Et il est si simple, si détaché des choses de ce monde! Il n'a jamais commis le péché d'orgueil. Seul un homme supérieur peut se montrer aussi modeste.

— C'est bien vrai, les gens de valeur n'éprouvent nullement le besoin de se faire ressortir.

— Et il est d'un caractère si jovial! Je ne saurais vous exprimer à quel point nous nous divertissions, lui, Richard Carey et moi, durant nos premiers séjours ici. Nous formions une bande si joyeuse! Richard Carey travaillait déjà avec lui en Palestine. Leur amitié remonte à une dizaine d'années. Quant à moi, je le connais depuis sept ans.

— Quel bel homme, ce Mr. Carey! m'exclamai-je.

— Oui, pas mal, répliqua-t-elle d'un ton bref.

— Mais, à mon gré, il est un peu trop renfermé.

— Il n'était pas ainsi auparavant, répondit vivement Miss Johnson. Ce n'est que depuis...

Elle s'interrompit net.

— Depuis quoi? questionnai-je.

— Bah! Maintes choses ont changé aujourd'hui, ajouta-t-elle avec un haussement caractéristique des épaules.

Je n'insistai point, dans l'espoir qu'elle parlerait encore. Et elle reprit, faisant précéder ses remarques d'un petit ricanement, comme pour en atténuer la portée :

— Je suis peut-être un peu vieux jeu, mais j'estime que, si la femme d'un archéologue ne s'intéresse pas aux travaux de son époux, mieux vaut qu'elle ne l'accompagne point dans ses expéditions. Sa présence suscite des frictions.

— Mrs. Mercado... suggérai-je.

— Oh! celle-là! (Miss Johnson repoussa mon idée d'un geste.) En réalité, je pensais à Mrs. Leidner. C'est une charmante femme et je comprends fort bien que le professeur se soit entiché d'elle. Mais elle n'est pas à sa place ici. Sa présence jette le trouble parmi nous.

Ainsi Miss Johnson, d'accord avec Mrs. Kelsey, rendait responsable Mrs. Leidner de l'atmosphère tendue qui régnait entre les membres de l'expédition. Mais alors, comment expliquer les terreurs nerveuses de Mrs. Leidner?

— Elle accapare trop ses pensées, continua Miss Johnson. Il ressemble, si vous voulez, à un vieux chien fidèle et jaloux. Cela me chagrine de le voir ainsi fatigué et rongé de soucis. Il devrait songer exclusivement à ses recherches et ne pas être distrait par sa femme et ses stupides craintes! Si elle redoutait tant le séjour dans ce pays perdu, que n'est-elle demeurée en Amérique? Je ne puis supporter les gens qui s'expatrient volontairement et, une fois en pays étranger, ne font que geindre et se plaindre.

Puis, craignant d'en avoir trop dit, elle essaya de se rétracter :

— Naturellement, j'éprouve pour elle une sincère admiration. C'est une très jolie femme et, quand elle le désire, elle sait se rendre extrêmement agréable.

A ce point, nous laissâmes tomber le sujet.

A part moi, je pensais qu'ici se renouvelait l'éternelle histoire : lorsque les femmes vivent en communauté, le démon de la jalousie se glisse toujours entre elles. Il était visible que Miss Johnson détestait la femme de son patron (ce qui était, peut-être, dans l'ordre des choses) et je ne crois pas me tromper en affirmant que Mrs. Mercado, de son côté, exécrait Mrs. Leidner.

Sheila Reilly ne tenait guère non plus Mrs. Leidner en odeur de sainteté. Elle vint à l'excavation à plusieurs reprises : une fois en auto et deux autres fois à cheval, accompagnée d'un jeune cavalier. En mon for intérieur, je la soupçonnais d'éprouver un sentiment tendre envers Emmott, ce jeune Américain taciturne. Quand il travaillait aux fouilles, elle restait bavarder avec lui et il semblait lui témoigner une vive sympathie.

Un jour, au déjeuner, Mrs. Leidner émit à ce sujet une réflexion plutôt maladroite, selon moi.

— Miss Reilly court toujours après David, dit-elle en ricanant. Elle le poursuit jusqu'aux fouilles. Que les jeunes filles modernes sont donc sottes!

Mr. Emmott crut bon de ne pas relever cette incongruité, mais sous son hâle ses joues s'empourprèrent. Levant les yeux, il la regarda bien en face d'un air de défi.

Elle sourit et détourna le regard.

Le père Lavigny murmura quelques mots, mais, lorsque je le priai de répéter ses paroles, il hocha la tête et se tut.

Cet après-midi-là, Mr. Coleman me dit :

— Le fait est que tout d'abord Mrs. Leidner ne me plaisait guère. Elle me sautait à la gorge chaque fois que j'ouvrais la bouche pour parler. A présent, je comprends mieux son caractère et je dois reconnaître qu'il n'existe pas de meilleure femme au monde. On lui parle à cœur ouvert et on finit par lui raconter toutes ses fredaines sans même s'en apercevoir. Elle en veut à mort à Sheila Reilly. Rien d'étonnant si Sheila a fait montre envers elle, plusieurs fois, d'une grossièreté inouïe. Cette jeune personne manque tout à fait de savoir-vivre et elle a un caractère de chien!

Je le crus sans peine. Le docteur Reilly la gâtait de façon exagérée.

— Évidemment, elle se gobe un peu trop, parce qu'elle se sent la seule jeune fille parmi nous; cette particularité ne l'autorise pourtant point à traiter Mrs. Leidner comme sa grand-tante. Mrs. Leidner n'est plus de la première jeunesse, soit, mais elle est bigrement séduisante! On dirait de ces gracieuses nymphes qui, sortant des marécages au milieu de feux follets, vous font perdre la tête et vous détournent de votre chemin.

Il ajouta :

— Ce n'est pas Sheila qui aurait ce pouvoir! Elle est tout juste bonne à faire remarquer un soupirant!

Je me souviens seulement de deux autres incidents offrant quelque intérêt.

Un jour, je me rendis au laboratoire pour y prendre de l'acétone afin d'enlever de mes mains la matière gluante provenant du recollage des poteries. Assis dans un coin, Mr. Mercado, la tête sur les bras, semblait dormir. Je pris le flacon et l'emportai.

Ce même soir, à ma grande surprise, Mrs. Mercado m'entreprit.

— Est-ce vous qui avez pris le flacon d'acétone du labo?

— Oui, c'est moi, répondis-je.

— Vous n'êtes pas sans savoir qu'on en garde toujours un flacon dans la salle des antiquités?

Elle me parlait d'un ton furieux.

— Tiens! Première nouvelle!

— Je doute fort que vous ignoriez ce détail. Vous veniez simplement pour espionner. On connaît la réputation des infirmières d'hôpital.

Je la dévisageai.

— Mrs. Mercado, je ne sais à quoi vous faites allusion! répliquai-je, avec dignité. Je vous jure que je ne suis pas venue ici pour espionner qui que ce soit.

— Oh! non, certes! Alors, vous vous imaginez que je ne connais pas les motifs de votre présence dans cette maison?

Pendant un instant, je ne pus m'empêcher de croire que cette femme avait bu. Je m'éloignai sans mot dire, mais cette scène me parut pour le moins étrange.

L'autre incident semblerait encore plus insignifiant. J'essayais d'attirer un petit chien en lui tendant un morceau de pain. Timide comme tous les chiens arabes, il s'imaginait que je lui voulais du mal. Il s'éloigna et je le suivis au dehors. Je venais de franchir la porte voûtée et je tournais au coin de la maison lorsque je butai dans le père Lavigny et un autre homme avec qui il conversait. En un clin d'œil je reconnus le personnage que Mrs. Leidner et moi avions surpris en train d'essayer de regarder par la fenêtre.

Je m'excusai et le père Lavigny sourit. Prenant congé de son compagnon, il rentra avec moi à la maison.

— Si vous saviez à quel point je suis ennuyé! Très versé dans l'étude des langues orientales, je constate avec humiliation qu'aucun des ouvriers ne me comprend! Aussi, je tentais de parler arabe avec l'homme que vous venez de voir. C'est un citadin et j'espérais qu'il m'entendrait mieux. Malheureusement, le résultat n'est pas plus encourageant, Leidner prétend que j'emploie un arabe trop classique.

Ce fut tout. Mais, après réflexion, je trouvai bizarre que ce même individu rôdât encore autour de la maison.

Et cette nuit-là nous faillîmes mourir de peur.

Il était environ deux heures du matin. Comme toute infirmière digne de ce nom, j'ai le sommeil très léger. J'étais éveillée et assise dans mon lit, quand ma porte s'ouvrit.

— Nurse! Nurse!

C'était la voix de Mrs. Leidner, basse et pressante.

Je craquai une allumette et allumai la bougie.

Vêtue d'une longue robe de chambre bleue, elle se tenait debout dans l'encadrement de la porte, pétrifiée de terreur.

— Il y a quelqu'un... quelqu'un dans la chambre voisine de la mienne. Je l'ai entendu gratter sur le mur.

Je sautai à bas de mon lit et vins près d'elle.

— N'ayez pas peur, madame, je suis ici. Calmez-vous!

— Allez chercher Eric! murmura-t-elle.

Je courus frapper à la porte de la chambre de son mari. Au bout d'une minute, il nous rejoignait. Mrs. Leidner était assise sur mon lit, haletante d'émotion.

— Je l'ai entendu, répéta-t-elle. Je l'ai entendu... gratter sur le mur.

— Quelqu'un dans la salle des antiquités? s'écria le professeur Leidner.

Il se précipita hors de la pièce. J'entrevis en un éclair la façon tout à fait différente dont ces deux êtres avaient réagi : les craintes de Mrs. Leidner étaient tout à fait personnelles, tandis que le professeur songeait avant tout à ses précieux trésors.

— La salle des antiquités! soupira Mrs. Leidner. Bien sûr!... Que je suis sotte!

Se levant et se drapant dans sa robe de chambre, elle me pria de la suivre. Toute trace de sa panique avait disparu.

En arrivant dans la salle des antiquités, nous vîmes le professeur Leidner et le père Lavigny. Celui-ci, ayant également entendu un bruit, s'était levé pour se rendre compte et avait cru apercevoir une lumière dans la salle des antiquités. Il s'était attardé à enfiler ses pantoufles, puis à se munir d'une lampe de poche, et n'avait vu personne; de plus, ainsi que chaque nuit, la porte de cette salle était fermée à clef.

Tandis qu'il s'assurait que rien n'avait disparu, le professeur l'avait rejoint.

Impossible d'en apprendre davantage. La porte extérieure était également fermée à clef. Le gardien jura que personne n'avait pu entrer du dehors, mais, comme il avait sans doute dormi à poings fermés, cette déposition n'était nullement concluante. On ne releva aucune empreinte ni trace de pas, et rien n'avait été enlevé.

Peut-être Mrs. Leidner s'était-elle alarmée en entendant le bruit produit par le père Lavigny qui avait descendu les boîtes des étagères afin de vérifier si tout était en ordre?

D'autre part, le père Lavigny se montrait affirmatif. Il déclara, premièrement, avoir entendu un bruit de pas sous sa fenêtre, et, deuxièmement, avoir vu de la lumière, peut-être la lueur d'une lampe électrique, dans la salle des antiquités.

Personne d'autre n'avait rien vu ni entendu.

Cet incident revêt une certaine valeur dans mon récit, car il incita Mrs. Leidner à me faire des confidences, dès le lendemain.

## CHAPITRE IX

## L'histoire de Mrs. Leidner

Aussitôt après déjeuner, Mrs. Leidner se rendit dans sa chambre pour y faire sa sieste habituelle. Je l'installai sur son lit, lui glissai des coussins derrière la tête et lui donnai un livre. J'allais quitter la pièce, lorsqu'elle me rappela.

— Ne partez pas, nurse. Je voudrais vous dire quelque chose.

Je retournai près d'elle.

— Veuillez fermer la porte.

J'obéis.

Elle se leva et se mit à faire les cent pas dans la chambre. Visiblement, elle réfléchissait avant de prendre une décision et j'hésitai à l'interrompre.

Enfin, après avoir rassemblé toute son énergie, elle se tourna vers moi et me dit brusquement :

— Asseyez-vous.

Je m'assis près de la table. Elle débuta d'une voix tremblante :

— Tout ce qui vient de se passer n'a pas manqué de vous intriguer, n'est-ce pas?

Je me contentai de hocher la tête.

— J'ai pris la décision de vous mettre au courant de tout..., absolument de tout! Il faut que je me confie à quelqu'un, sans quoi je deviendrai folle.

— Je ne saurais trop, madame, vous encourager dans cette voie. Il m'est très difficile de discuter la meilleure façon de remplir mon devoir si l'on me cache tout.

Elle s'arrêta de marcher et me regarda bien en face.

— Savez-vous ce qui me fait peur?

— Un homme!

— Oui... Mais je n'ai pas dit *qui*, mais ce *qui* me fait peur.

J'attendis. Elle continua :

— J'ai peur d'être assassinée.

Voilà. Elle avait parlé. Inutile de lui montrer mon émotion. Elle-même était assez près de piquer une crise de nerfs sans que j'y aidasse.

— Vraiment? lui dis-je. Ah! c'est cela?

Elle se mit à rire... à rire... à rire au point que les larmes roulèrent bientôt sur ses joues.

— La façon dont vous avez dit cela... soupira-t-elle. La façon dont vous avez dit cela...

— Voyons, voyons! Madame, parlons sérieusement, prononçai-je d'une voix ferme.

Je la poussai dans un fauteuil, me dirigeai vers la table de toilette, humectai une éponge dans de l'eau froide et lui baignai le front et les poignets.

— Soyez raisonnable et dites-moi, tranquillement, ce dont il s'agit.

Ces paroles eurent le don de la calmer subitement. Elle se redressa et elle exprima d'un ton naturel :

— Vous êtes un ange, nurse. Avec vous, je me retrouve une âme d'enfant. Je vais tout vous avouer...

— A la bonne heure! Prenez tout votre temps. Ne vous pressez pas.

Elle déclara d'une voix lente :

— A l'âge de vingt ans, j'épousai un jeune homme, employé dans un de nos ministères. Cela se passait en 1918.

— Je sais. Mrs. Mercado me l'a raconté. Il a été tué pendant la guerre.

Mais Mrs. Leidner hocha la tête.

— C'est du moins ce qu'elle s'imagine... ainsi que tout le monde, d'ailleurs. Mais la vérité est différente. J'étais à cette époque une jeune fille enthousiaste, fervente patriote et débordante d'idéalisme. Après quelques mois de mariage, je découvris, à la suite d'un incident tout à fait fortuit, que mon mari était un espion à la solde de l'Allemagne. J'appris que les renseignements fournis par lui avaient provoqué le torpillage d'un paquebot de transport américain et la perte de centaines de vies humaines. J'ignore comment d'autres auraient agi à ma place, mais voici ce que je fis. Je révélai toute la vérité à mon père, lui-même en fonctions au ministère de la Guerre. Effectivement, Frederick a bien été tué pendant la guerre... mais tué en Amérique... fusillé comme espion.

— Oh! mon Dieu! m'exclamai-je. C'est affreux!

— Oui, dit-elle, affreux! Mon mari se montrait avec moi si doux et si affectueux! Et dire que pendant tout ce temps... Mais je n'ai pas hésité une seconde. Peut-être ai-je eu tort.

— Il est difficile de se prononcer là-dessus. Votre cas aurait embarrassé bien des femmes.

— En dehors du ministère, cette histoire demeura secrète. Officiellement, mon mari partit pour le front et fut tué. Mes amis et connaissances me témoignèrent une grande sympathie en tant que veuve de guerre.

Maintenant elle s'exprimait d'une voix amère.

— Je fus assaillie de demandes en mariage, mais je les repous-

sai toutes. Le coup avait été trop pénible et je me sentais incapable après cela d'avoir confiance en qui que ce fût.

— A votre place, j'aurais éprouvé les mêmes sentiments.

— Quelques années plus tard, je m'entichai d'un certain
jeune homme, mais j'hésitais encore à lui accorder ma main,
quand un événement étonnant se produisit. Je reçus une lettre
anonyme... de Frederick, menaçant de me tuer si je me remariais.

— De Frederick? De votre défunt mari?

— Oui. D'abord, je me crus folle et me demandai si je rêvais.
En fin de compte, j'allai consulter mon père. Il m'apprit la vérité :
mon mari n'avait pas été fusillé. Il s'était échappé, mais sa fuite
ne lui profita guère. Quelques semaines plus tard, victime d'un
déraillement de train, on identifia son cadavre parmi les autres
morts. Mon père m'avait caché son évasion, mais à présent qu'il
était mort, il ne voyait aucun danger à me révéler les faits exacts.

« Cette lettre remettait tout en question. Était-il possible
que mon mari fût encore vivant?

« Mon père reprit l'affaire en main et déclara que le cadavre
inhumé sous le nom de Frederick n'était autre que Frederick
lui-même, du moins autant qu'on pouvait l'attester, car le visage
était méconnaissable. Selon lui, Frederick était bel et bien mort,
et cette lettre n'était qu'une sinistre farce.

« Le même fait se renouvela : chaque fois que je me liais
d'amitié avec un homme, je recevais une lettre de menaces.

— De l'écriture de votre mari?

Elle répondit lentement :

— Question assez embarrassante : je ne possédais de lui aucune
lettre. Seule ma mémoire aurait pu me guider.

— N'avez-vous remarqué dans ces lettres aucune expression
pouvant confirmer vos soupçons?

— Non. Dans nos conversations privées, nous employions
certains termes familiers — connus seulement de nous deux — et
s'ils s'étaient retrouvés dans l'une de ces lettres, mes doutes eussent
été dissipés.

— En effet. C'est bizarre. Tout semble indiquer qu'il ne
s'agissait pas de votre mari. Mais, en ce cas, qui cela pouvait-il
bien être?

— Frederick avait un jeune frère d'une douzaine d'années
à l'époque de notre mariage. Il adorait Frederick et celui-ci se
dévouait beaucoup pour lui. Qu'advint-il de ce gamin? Je ne
l'ai jamais su. Peut-être le jeune William, aveuglé par l'affection
fraternelle, me considérait-il comme responsable de la mort
de son aîné. Il s'était toujours montré un peu jaloux envers moi

et il a peut-être inventé ce moyen de me châtier.

— Possible, dis-je. Les enfants se souviennent toujours du mal qu'on leur a fait.

— Je sais. Ce garçon a peut-être juré de venger son frère.

— Veuillez continuer.

— Oh! je n'ajouterai pas grand-chose. Voilà trois ans, j'ai fait connaissance d'Eric, sans aucune intention de l'épouser. Mais il triompha de mes hésitations. Jusqu'au jour de notre mariage, j'attendis une autre lettre de menaces, mais aucune n'arriva. J'en conclus que l'auteur de ces lettres anonymes était mort, ou las de ce sport cruel. Deux jours après la cérémonie, voici ce que je reçus.

Prenant une petite serviette de cuir placée sur la table, elle l'ouvrit à l'aide d'une clef, en tira une lettre et me la tendit.

L'encre avait légèrement pâli. L'écriture, fortement inclinée, semblait être celle d'une femme.

*Vous avez désobéi. Maintenant, impossible d'échapper à votre sort. Vous ne serez que l'épouse de Frederick Bosner. Préparez-vous à mourir!*

— Je fus d'abord effrayée, mais la présence d'Eric me rassura. Un mois plus tard, une seconde lettre me parvenait.

*Je n'ai pas oublié. Je dresse mes plans. Vous allez mourir. Pourquoi m'avez-vous désobéi?*

— Votre mari est-il au courant de toutes ces menaces?

Mrs. Leidner répondit lentement :

— Il sait que mes jours sont en jeu. Quand j'ai reçu la seconde lettre, je lui ai montré les deux. Il penchait à croire qu'il s'agissait d'une plaisanterie de mauvais goût. L'idée lui vint également qu'un maître chanteur tentait de m'intimider en essayant de me faire croire que mon premier mari était toujours au nombre des vivants.

Elle fit une pause et poursuivit :

— Quelques jours après la réception de la seconde lettre, nous faillîmes mourir asphyxiés. Quelqu'un pénétra dans notre appartement pendant notre sommeil et ouvrit un robinet à gaz. Par bonheur, je me réveillai à temps et fus frappée de cette odeur insolite. Incapable de me taire davantage, je racontai à Eric les persécutions dont j'avais été l'objet depuis des années, et j'ajoutai que ce fou songeait réellement à me tuer. Pour la première fois, j'eus l'impression nette que Frederick me voulait réellement du mal. Sous ses manières douces, j'avais discerné chez lui un fond de sauvagerie.

« Eric prit la chose moins au tragique que moi. Il voulait s'adresser à la police. Je m'y opposai formellement. En fin de compte, nous convînmes que je l'accompagnerais ici et qu'il serait prudent pour moi de rester à Londres ou à Paris, au lieu d'aller passer l'été en Amérique.

« Nous mîmes ce projet à exécution et tout alla bien. Je me sentais pleine de confiance en l'avenir. Somme toute, nous étions séparés de mon ennemi par la moitié du globe.

« Lorsque, voilà environ trois semaines, je reçus une lettre affranchie avec un timbre de l'Irak.

Elle me tendit une troisième lettre.

*Vous avez cru pouvoir m'échapper. Vous vous trompiez. Je ne vous permettrai pas de vivre infidèle à ma mémoire. Ne vous ai-je pas suffisamment avertie? La mort approche à grands pas.*

— Et voici ce que j'ai trouvé sur cette table, il y a une semaine. Cette lettre ne m'a même pas été transmise par la poste.

Je lui pris des mains la feuille de papier. Une phrase avait été griffonnée en travers.

*Je suis arrivé.*

Elle me regarda fixement.

— Cette fois, vous comprenez? Que ce soit Frederick... ou le petit William... il va sûrement me tuer.

Sa voix tremblait. Je lui pris le poignet.

— Allons... allons, lui dis-je pour la consoler, reprenez courage! Nous veillerons sur vous. Avez-vous un flacon de sels?

Elle me désigna la table de toilette et je lui en administrai une bonne dose.

— Cela va mieux, lui dis-je, comme la couleur revenait à ses joues.

— Oui, je me sens bien à présent. Mais, nurse, comprenez-vous maintenant la raison de mes frayeurs? Lorsque j'ai vu cet homme regarder par ma fenêtre, j'ai pensé : c'est lui... Je vous ai même soupçonnée le jour de votre arrivée. Je vous prenais pour un homme déguisé en femme.

— Quelle idée!

— Évidemment, cela semble absurde, mais vous auriez pu être son complice... et non une véritable infirmière.

— Cette fois, vous déraisonnez!

— Peut-être, car souvent je n'ai plus ma tête à moi.

Frappée par une idée subite, je lui dis :

— Sans doute reconnaîtriez-vous votre premier mari?

Elle répondit lentement :

— Je n'en suis rien moins que certaine. Songez que ce drame remonte à plus de quinze ans. Sa physionomie a pu se modifier.

Alors elle frémit.

— J'ai vu son visage une nuit, mais c'était celui d'un mort.

J'entendis frapper à la fenêtre, puis j'aperçus une tête qui grimaçait contre la vitre. Je poussai des cris et des hurlements... et l'on m'assura qu'il ne s'y trouvait rien!

Je me rappelai, à ce moment, la version de Mrs. Mercado.

— N'auriez-vous pas plutôt rêvé?

— Oh! non, je puis vous l'affirmer!

Moi, je n'en étais pas aussi certaine. Étant donné les circonstances, de tels cauchemars avaient pu être pris pour la réalité. Comme j'ai pour principe de ne jamais contredire un patient, j'essayai de réconforter de mon mieux Mrs. Leidner et lui fis remarquer que, si un étranger rôdait dans les parages, on en serait aussitôt averti.

Je la laissai, je crois, un peu rassurée, puis j'allai trouver Mr. Leidner et le mis au courant de ma conversation avec sa femme.

— Je suis heureux qu'elle se soit confiée à vous, me dit-il simplement. Ces menaces m'ont affreusement tourmenté. Je suis persuadé que cette tête vue à la fenêtre et les coups frappés sur la vitre sont le produit de son imagination. Je ne savais comment la calmer. Que pensez-vous de tout cela, nurse?

Le ton de sa voix me parut énigmatique, mais je répondis sans hésiter :

— Il est possible que ces lettres ne soient qu'une cruelle plaisanterie.

— Oui, tout me porte à le croire. Mais qu'y faire? Elle en perd la raison. Je ne sais moi-même quelle décision prendre.

Moi non plus, du reste. Je soupçonnai une femme là-dessous. Ces lettres trahissaient une main féminine. Je concevais une arrière-pensée contre Mrs. Mercado.

Supposé que, par hasard, elle eût appris la vérité touchant le premier mariage de Mrs. Leidner, elle pouvait fort bien terroriser celle-ci pour assouvir sa jalousie.

Il me répugnait d'en faire allusion au professeur Leidner. On ne peut jamais prévoir l'attitude de certaines gens en telle ou telle circonstance.

— Oh! il n'y a pas lieu de désespérer, lui dis-je en manière de consolation. Je crois même que Mrs. Leidner paraît rassérénée à la suite de notre entretien. Cela soulage de raconter ses peines. Elles finissent par vous détraquer les nerfs si vous vous repliez trop sur vous-même.

— Je suis très heureux qu'elle se soit confiée à vous, répéta-t-il. C'est bon signe. Elle vous donne là une preuve de sympathie. Quant à moi, j'avoue avoir épuisé tous les moyens pour la tranquilliser.

J'étais sur le point de lui demander s'il avait discrètement averti la police locale, mais, par la suite, je ne me repentis point d'avoir gardé le silence.

Le lendemain, Mr. Coleman devait se rendre à Hassanieh pour chercher le salaire des ouvriers. En même temps, il emporterait notre correspondance pour la remettre à l'avion postal.

Tous, nous jetâmes nos lettres, aussitôt écrites, dans une boîte en bois placée sur le rebord de la fenêtre dans la salle à manger. Ce soir-là, avant d'aller se coucher, Mr. Coleman prit le courrier, en fit plusieurs paquets qu'il entoura de bandes en caoutchouc.

Soudain, il poussa un cri.

— Que se passe-t-il? demandai-je.

Il me tendit une lettre en ricanant.

— Décidément, notre belle Louise déraille. Elle envoie une lettre à la 42e Rue, à Paris, France. Je doute que ce soit correct. Auriez-vous l'obligeance de la lui porter afin qu'elle rectifie cette adresse? Elle vient d'aller se coucher.

Je pris l'enveloppe et courus chez Mrs. Leidner pour la prier de faire la correction nécessaire. Pour la première fois je voyais l'écriture de Mrs. Leidner, et pourtant elle me semblait familière.

Vers le milieu de la nuit, une idée me frappa tout à coup : cette écriture ressemblait étonnamment à celle des lettres anonymes, sauf qu'elle était plus grande et moins régulière.

De nouvelles présomptions affluèrent à mon esprit.

Mrs. Leidner avait-elle écrit ces lettres elle-même?

Et son mari mettait-il en doute les affirmations de sa femme?


CHAPITRE X

*Le samedi après-midi*


Mrs. Leidner m'avait raconté son histoire le vendredi.

Le samedi matin, une atmosphère de détente planait sur la maison.

Mrs. Leidner me traita de façon un peu brusque et évita tout tête-à-tête avec moi. Je n'en fus nullement surprise. J'ai été plusieurs fois témoin de ces sautes d'humeur chez les femmes du monde. Dans un moment d'expansion, elles vous ouvrent leur cœur, quitte, le lendemain, à éprouver de la gêne en votre société et à regretter de vous avoir fait leurs confidences. Après tout, ce sentiment est très humain.

Je pris bien garde de faire la moindre allusion à ce qu'elle m'avait dit la veille, me bornant à lui parler seulement de choses banales.

Le matin, Mr. Coleman s'était mis en route pour Hassanieh et conduisait lui-même la camionnette. Il emmenait le courrier dans un havresac. En outre, il avait une ou deux commissions à faire pour les membres de l'expédition et, comme le samedi était le jour de paie des ouvriers, il devait se rendre à la banque et rapporter l'argent en menue monnaie. Tout cela lui prendrait beaucoup de temps et il ne comptait être de retour qu'au milieu de l'après-midi. Je soupçonnai fort qu'il avait dessein de déjeuner en compagnie de Sheila Reilly.

On ne travaillait guère aux fouilles les après-midi de paie et le règlement des salaires commençait vers trois heures et demie.

Le jeune *boy*, Abdullah, dont les fonctions consistaient à laver les poteries, s'installa, comme d'habitude, au centre de la cour et entonna son interminable mélopée. Le professeur Leidner et Mr. Emmott se disposèrent à continuer le classement des vases jusqu'au retour de Mr. Coleman, tandis que Mr. Carey se rendait aux excavations.

Mrs. Leidner alla se reposer dans sa chambre. Comme de coutume, je m'installai et, n'ayant nulle envie de dormir, je pris un livre et m'enfermai dans ma propre chambre. Il pouvait être une heure moins le quart et deux autres heures s'écoulèrent agréablement pour moi. Je lisais *La Mort dans une Maison de Santé*, un roman des plus amusants, encore qu'à mon avis l'auteur ignorât ce qui se passe dans ces établissements. En tout cas, moi, je n'ai jamais rien vu de ce genre. Je fus sur le point d'écrire à cet écrivain pour corriger son jugement sur certains détails tout à fait erronés.

Lorsque, enfin, je déposai le volume (la servante aux cheveux joux avait commis le crime et je ne l'avais pas du tout soupçonnée), re consultai ma montre et fus toute surprise de constater qu'elle marquait trois heures moins vingt.

Je me levai, rectifiai ma tenue et sortis dans la cour.

Abdullah, toujours en train de frotter, continuait de fredonner sa chanson déprimante. David Emmott, debout près de lui, triait des vases propres, rangeait dans des caisses, en vue du recollage, les fragments de ceux qui étaient brisés. Je m'avançai vers eux lorsque je vis le professeur Leidner descendre l'escalier de la terrasse.

— Quel bel après-midi! nous dit-il gaiement. Je viens de faire un sérieux rangement. Louise sera satisfaite. Ces jours derniers, elle se plaignait qu'il n'y eût point de place pour se promener là-haut. Je cours lui annoncer la bonne nouvelle.

Il se dirigea vers la porte de sa femme, frappa et entra.

Au bout d'une minute ou deux, il ressortit. Je regardais précisément vers la porte à ce moment-là. Je crus vivre un cauchemar. Il était entré gai et alerte et maintenant, les yeux hagards, il avait l'aspect d'un homme ivre.

— Nurse! cria-t-il d'une voix rauque. Nurse!

Aussitôt je compris qu'il se passait un événement anormal et je me précipitai vers le professeur Leidner. Il avait un air terrifiant, son visage, couleur de cendre, était crispé d'angoisse et je crus qu'il allait s'évanouir.

— Ma femme! s'exclama-t-il. Ma femme! Oh! mon Dieu!

Je l'écartai d'un geste et me ruai dans la pièce. Le spectacle dont je fus témoin faillit me couper la respiration.

Mrs. Leidner gisait, auprès du lit, affaissée sur elle-même.

Je me penchai sur elle. La mort avait fait son œuvre et devait remonter au moins à une heure. La cause en était évidente : un coup terrible sur le front, juste au-dessus de la tempe droite. La malheureuse femme avait dû se lever et être frappée à l'endroit même où elle était tombée.

Je touchai le cadavre le moins possible.

Je jetai un regard autour de la chambre pour voir si je découvrais quelque indice, mais tout me sembla en ordre. Les fenêtres étaient bien fermées et le meurtrier n'avait pu se cacher nulle part. De toute évidence, il était parti depuis longtemps.

Refermant la porte derrière moi, je sortis.

A présent, le professeur Leidner avait tout à fait perdu connaissance. David Emmott se tenait à son côté. Il tourna vers moi un visage pâle et interrogateur.

En quelques mots, je le mis au courant de ce qui venait de se passer.

Comme je l'avais toujours jugé, c'était un homme sur qui on pouvait compter dans un moment critique. Parfaitement calme et maître de lui-même, il ouvrait ses yeux bleus d'un air étonné.

Après un instant de réflexion, il me dit :

— Nous devrions prévenir la police sans tarder. Bill sera de retour d'une minute à l'autre. Qu'allons-nous faire de Leidner?

— Aidez-moi à le transporter dans sa chambre.

Emmott acquiesça d'un signe de tête.

— Il conviendrait peut-être de fermer d'abord cette porte à clef.

Il fit un tour de clef dans la serrure.

— Prenez donc ceci, nurse, me dit-il en me remettant la clef.

Ensemble, nous portâmes le professeur Leidner sur son lit. Mr. Emmott alla chercher une bouteille de brandy et reparut en compagnie de Miss Johnson. Elle avait l'expression angoissée, mais elle demeurait calme et en possession de tous ses esprits. Je lui confiai la garde du professeur Leidner.

D'un pas alerte, je sortis dans la cour. La camionnette passait à ce moment sous la porte voûtée. Nous fûmes tous scandalisés en voyant le visage rose et joyeux de Bill. Il sauta de son siège et poussa son habituel : « Hello! Hello! Me voici avec la guimbarde! Nous n'avons pas rencontré de voleurs de grand chemin. »

Il s'arrêta net.

— Eh bien! que se passe-t-il ici? Qu'est-ce que vous avez tous? Ne dirait-on pas que le chat vient de tuer votre canari?

— Mrs. Leidner est morte... assassinée.

— Quoi?

Son visage réjoui changea aussitôt d'expression. Les yeux arrondis, il regardait devant lui.

— Mrs. Leidner est morte! Vous vous moquez de moi?

— Morte!

Ce cri aigu me fit retourner et je vis Mrs. Mercado derrière moi.

— Vous dites que Mrs. Leidner a été assassinée?

— Oui, répondis-je. Assassinée.

— Non! s'écria-t-elle. Jamais je ne pourrai croire cela. Peut-être s'est-elle suicidée.?

— Les gens qui se suicident ne se frappent pas derrière la tête, répondis-je sèchement. C'est bel et bien un crime, madame Mercado.

Elle s'assit tout à coup sur une caisse retournée.

— Oui! Mais c'est horrible! Horrible!

Bien sûr, c'était horrible! Nous n'avions pas besoin d'elle pour nous l'apprendre! Peut-être, pensai-je, la brave dame éprouvait-elle quelque remords des mauvaises pensées qu'elle avait nourries contre la défunte et des propos malveillants tenus par elle sur son compte.

Au bout d'un instant, elle demanda, haletante :

— Qu'allez-vous faire?

Mr. Emmott, avec son sang-froid habituel, prit les décisions nécessaires.

— Bill, vous devriez retourner le plus vite possible à Hassanieh. Je ne suis guère au courant de la procédure à suivre. Tâchez de voir le capitaine Maitland, chef de la police. Consultez d'abord le docteur Reilly. Il vous indiquera la marche à suivre.

Coleman acquiesça d'un signe de tête.

Il avait pris un air grave, comme un enfant effrayé.

Sans dire une parole, il sauta dans la camionnette et repartit.

Mr. Emmott proféra, d'un air non convaincu :

— Peut-être ferions-nous bien de jeter un coup d'œil aux alentours.

Puis, haussant le ton, il appela :

— Ibrahim!

— *Na'am!*

Le jeune domestique arriva en courant. Mr. Emmott s'adressa à lui en langue arabe et un dialogue animé s'ensuivit entre eux. Le *boy* semblait nier quelque chose avec véhémence. Enfin, Mr. Emmott déclara, perplexe :

— Il prétend qu'il n'est entré âme qui vive ici cet après-midi. Absolument personne. L'assassin a dû s'introduire sans se faire voir.

— Naturellement, dit Mr. Mercado. Il s'est faufilé pendant un moment d'inattention des *boys*.

— C'est peut-être cela, fit Mr. Emmott.

Son hésitation m'incita à l'interroger du regard.

Il se retourna vers le jeune Abdullah et lui posa une question, à laquelle le gamin répondit longuement en protestant de toutes ses forces.

Les rides s'accentuèrent sur le font de Mr. Emmott.

— Je n'y comprends rien, mais rien du tout, murmura-t-il.

Mais il omit de m'expliquer ce qui l'intriguait à ce point.

## CHAPITRE XI

### *Une drôle d'affaire*

Autant que possible, je me borne à exposer mon rôle personnel dans ce drame. Je glisserai donc sur les événements qui se déroulèrent au cours des deux heures suivantes : l'arrivée du capitaine Maitland accompagné de la police, et celle du docteur Reilly. Leur présence détermina dans la maison une consternation générale; on procéda aux interrogatoires et à toutes les formalités habituelles en pareilles circonstances.

Vers cinq heures, les travaux préliminaires se trouvaient déjà bien avancés, lorsque le docteur Reilly me pria de l'accompagner dans le bureau.

Après avoir fermé la porte, il s'assit dans le fauteuil du professeur Leidner, m'indiqua un siège en face de lui et me dit à brûle-pourpoint :

— Allons, nurse, arrivons au fait : il se passe ici quelque chose de louche.

Je remontai mes manchettes et lui lançai un regard interrogateur. Il tira un calepin de sa poche.

— Pour une satisfaction personnelle, je désirerais savoir à quelle heure exactement le professeur Leidner découvrit le corps de sa femme.

— Il ne devait pas être loin de trois heures moins le quart.

— Comment pouvez-vous l'affirmer ?

— Je consultai ma montre en me levant, et à ce moment-là elle marquait trois heures moins vingt.

— Permettez-moi de jeter un coup d'œil sur votre montre.

Je la fis glisser de mon poignet et la lui tendis.

— Exacte à la minute. Mes compliments. Voilà du moins une question réglée. Selon vous, depuis combien de temps était-elle morte ?

— Vraiment, docteur, je n'ose répondre à cette question.

— Allons, sortez un peu de votre réserve professionnelle. Je veux simplement savoir si votre opinion concorde avec la mienne.

— Ma foi, je crois qu'elle avait cessé de vivre depuis une heure environ.

— Parfait. J'ai examiné le cadavre à quatre heures et demie et j'inclinerais à établir l'heure de la mort entre une heure quinze et une heure quarante-cinq, disons vers une heure et demie au plus juste...

Il s'interrompit et, d'un air pensif, tambourina sur la table.

— Voilà une drôle d'histoire ! Que pouvez-vous m'apprendre ? Vous vous reposiez, disiez-vous ? Avez-vous entendu un bruit quelconque ?

— A une heure et demie ? Non, docteur. Je n'ai rien entendu à une heure et demie, ni à aucun autre moment. Étendue sur mon lit d'une heure moins le quart à trois heures moins vingt, je n'ai perçu d'autre son que les fredonnements du *boy* dans la cour et quelques appels de Mr. Emmott au professeur Leidner sur la terrasse.

— Le petit domestique arabe, oui...

Il fronça le sourcil.

A ce moment, la porte s'ouvrit, livrant passage au professeur Leidner et au capitaine Maitland. Celui-ci était un curieux petit bonhomme avec des yeux gris, pétillants de malice.

Le docteur Reilly se leva et poussa le professeur Leidner dans son fauteuil.

— Asseyez-vous donc. Je suis heureux de vous voir. Nous

aurons besoin de vous. Quelque chose m'échappe dans cette affaire.

Le professeur Leidner baissa la tête, puis me regarda.

— Je sais. Ma femme a confié la vérité à Miss Leatheran. Au point où en est l'enquête, nous ne devons rien cacher à la justice. Veuillez donc raconter au docteur Reilly et au capitaine Maitland ce qui s'est passé hier entre ma femme et vous.

Aussi exactement que possible, je répétai notre entretien.

De temps à autre, le capitaine Maitland poussait une exclamation. Lorsque j'eus terminé, il se tourna vers le professeur Leidner.

— Tout cela est bien exact, professeur, n'est-ce pas?

— Tout ce que vient de dire Miss Leatheran est absolument exact.

— Quel drame extraordinaire! remarqua le docteur Reilly. Pouvez-vous nous montrer ces lettres?

— Nul doute que vous les trouviez parmi les objets personnels de ma femme.

— Elle les a tirées de la serviette en cuir placée sur sa table, dis-je.

— Elles doivent y être encore.

Il se tourna vers le capitaine Maitland et son visage, d'ordinaire aimable, s'assombrit.

— Il ne saurait être question d'étouffer cette histoire, capitaine. L'essentiel est de trouver le coupable et de le punir.

— Croyez-vous que ce soit le premier mari de Mrs. Leidner? demandai-je.

— N'est-ce point votre opinion, nurse? me répliqua le capitaine Maitland.

— Il y a tout de même place au doute, observai-je d'une voix hésitante.

— En tout cas, déclara le professeur Leidner, le coupable n'est qu'un vulgaire assassin, et, j'ajouterai, un fou dangereux. Il faut absolument le prendre. Cela doit être relativement facile.

Le docteur Reilly proféra lentement :

— La tâche offre peut-être plus de difficultés que vous ne pensez. N'est-ce pas, Maitland?

Le capitaine Maitland tira sur sa moustache sans répondre. Soudain, je frémis.

— Excusez-moi, messieurs, mais je songe à un détail qui peut présenter quelque intérêt.

Je leur racontai l'histoire de l'Irakien que nous avions vu tentant de regarder par la fenêtre et que j'avais aperçu le lendemain autour de la maison, essayant de faire parler le père Lavigny.

— Bon. Nous allons en prendre note, dit le capitaine Maitland. Ce sera déjà une piste pour la police. Cet individu peut être mêlé au crime.

— Probablement en qualité d'espion à la solde du criminel, suggérai-je. Sans doute devait-il le prévenir lorsque le champ serait libre.

Le docteur Reilly se frotta le nez d'un geste las.

— Ce point était indispensable. Admettons que quelqu'un se fût trouvé sur le passage de l'assassin... Alors?

Je le considérai d'un œil perplexe.

Le capitaine Maitland se tourna vers le professeur Leidner.

— Je vous prie de m'écouter avec attention, Leidner. Je passe en revue les témoignages recueillis jusqu'ici. Après le lunch servi à midi et terminé à une heure moins vingt-cinq, votre femme s'est rendue à sa chambre, accompagnée de Miss Leatheran, qui l'a installée confortablement. Vous-même êtes monté sur la terrasse, où vous êtes resté les deux heures suivantes. Tous ces points sont-ils bien exacts?

— Oui.

— Pendant tout ce temps, êtes-vous descendu de la terrasse?

— Non.

— Quelqu'un est-il monté vous voir?

— Oui, Emmott, à plusieurs reprises. Il faisait la navette entre moi et le gamin qui lavait les poteries en bas dans la cour.

— Avez-vous regardé ce qui se passait dans la cour?

— Une ou deux fois... pour demander un renseignement à Emmott.

— Chaque fois, le *boy* était-il assis au milieu de la cour en train de laver ses poteries?

— Oui.

— Quelle fut la plus longue période de temps où Emmot demeura près de vous et s'absenta de la cour?

Le professeur Leidner réfléchit.

— C'est assez difficile à se rappeler... peut-être dix minutes. Personnellement, je pourrais aussi bien dire deux ou trois minutes, mais je sais par expérience que je perds la notion du temps lorsque je suis absorbé dans mon travail.

Le capitaine regarda le docteur Reilly. Celui-ci dit, en hochant la tête :

— Nous ferons bien de tirer tout cela au clair.

Le capitaine Maitland reprit son calepin et l'ouvrit :

— Écoutez, Leidner, je vais vous lire, d'après leurs déclarations, ce que faisait chacun des membres de votre expédition cet après-midi entre une et deux heures.

— Mais...

— Attendez... Dans une minute vous comprendrez où je veux en venir. D'abord, parlons de Mr. et Mrs. Mercado. Mr. Mercado travaillait dans son laboratoire et Mrs. Mercado se lavait les cheveux dans sa chambre à coucher. Miss Johnson prenait des impressions de cachets cylindriques dans la salle commune. Mr. Reiter développait des plaques photographiques dans la chambre noire. Le père Lavigny se livrait à ses travaux habituels dans sa chambre. Quant aux deux derniers, Carey et Coleman, le premier était aux fouilles et Coleman à Hassanieh. Voilà pour ce qui concerne les membres de l'expédition. Passons à présent aux domestiques. Le cuisinier, votre jeune Hindou, assis devant la porte voûtée, bavardait avec le gardien tout en plumant une couple de volailles. Ibrahim et Mansur, chargés du service intérieur de la maison, le rejoignirent vers une heure quinze. Tous les deux demeurèrent là pour rire et plaisanter jusqu'à deux heures trente. A ce moment-là, votre femme avait cessé de vivre.

Le professeur se pencha en avant.

— Je ne suis guère plus avancé... Où donc voulez-vous en venir ?

— Existe-t-il, de l'extérieur, un moyen d'accès à la chambre de Mrs. Leidner en dehors de la grande porte de la cour ?

— Non. Il y a deux fenêtres, mais elles sont munies de gros barreaux et, de plus, je crois qu'elles étaient fermées.

Il me lança un regard interrogateur.

— Elles étaient fermées à la crémone, m'empressai-je d'expliquer.

— N'importe, dit le capitaine Maitland, même si elles eussent été ouvertes, personne n'aurait pu entrer ni sortir par là. Mes compagnons et moi nous en sommes assurés. Elles sont toutes pourvues de barreaux de fer en excellent état. Pour pénétrer dans la chambre de votre femme, un étranger doit nécessairement avoir passé par la porte voûtée et traversé la cour. Mais le cuisinier, le gardien et les jeunes domestiques attestent n'avoir vu personne.

Le professeur Leidner se leva d'un bond.

— Qu'insinuez-vous par là ? Expliquez-vous !

— Du calme, cher ami, lui conseilla le docteur Reilly. Je comprends que le coup soit dur pour vous, mais il ne faut pas craindre d'affronter les faits : l'assassin n'est pas venu du dehors... il se trouvait donc à l'intérieur. Tout laisserait donc supposer que Mrs. Leidner a été tuée par un membre de votre propre expédition.

# CHAPITRE XII

## «*Je ne croyais pas...*»

— Non! Non!

Le professeur Leidner arpenta la pièce d'un pas agité.

— Ce que vous venez de dire est impossible, Reilly, absolument impossible! Comment? L'un de nous? Voyons, tout le monde ici aimait beaucoup Louise!

Une légère moue affaissa les coins de la bouche du docteur Reilly. Vu les circonstances, il lui était difficile d'émettre une opinion, mais, si jamais un silence fut éloquent, celui du docteur en disait long.

— Tout à fait impossible! répéta le professeur Leidner. Tout le monde l'adorait. Louise exerçait un charme étonnant, et chacun, ici, en était pénétré.

Le docteur Reilly toussota.

— Excusez-moi, Leidner, mais, somme toute, vous exprimez là un sentiment personnel. Si un membre quelconque de votre expédition avait nourri une aversion pour votre femme, il se serait bien gardé de vous en avertir.

Le professeur Leidner parut décontenancé.

— Oui... je vous l'accorde. Cependant, Reilly, je crois que vous faites erreur. Je vous assure que tout le monde ici éprouvait une grande sympathie envers Louise.

Il se tut un instant, puis éclata de colère :

— Votre insinuation est une infamie. Non, je ne puis y croire!

— Vous ne pouvez nier l'évidence.

— L'évidence? L'évidence? Des mensonges racontés par un cuisinier hindou et deux serviteurs arabes. Vous connaissez comme moi ces indigènes, Reilly, et vous aussi, Maitland. La vérité ne prend aucune valeur à leurs yeux. Ils répètent, par simple politesse, ce qu'on veut leur faire dire.

— Dans le cas présent, remarqua d'un ton sec le docteur Reilly, ils disent précisément ce que nous ne voudrions pas leur entendre dire. Devant la porte stationne continuellement un club de bavards. En outre, je connais suffisamment les mœurs de votre maison. Chaque fois que je suis venu ici l'après-midi, j'ai trouvé vos gens rassemblés à cet endroit. C'est leur lieu habituel de réunion.

— Vous concluez trop vite, ce me semble. Pourquoi cet homme — ce démon — n'aurait-il pas pénétré plus tôt dans la journée pour se cacher quelque part?

— Votre hypothèse est soutenable, prononça froidement le docteur Reilly. Admettons qu'un étranger ait réussi à s'introduire inaperçu. Il aurait dû, en ce cas, se dissimuler jusqu'à l'heure du crime (et certainement dans la chambre de Mrs. Leidner, où il n'y a aucune cachette) et courir le risque d'être découvert à l'instant où il entrait chez sa victime et en sortait, puisque Emmott et le *boy* sont demeurés presque tout le temps dans la cour.

— Le *boy*. Je n'y pensais plus! s'exclama le professeur Leidner. Ce gamin, très éveillé, doit avoir vu le meurtrier entrer dans la chambre de ma femme.

— Nous avons élucidé ce point. Tout l'après-midi, il a lavé les poteries, sauf pendant un moment. Emmott est monté avec vous sur la terrasse vers une heure et demie : il n'arrive pas à préciser davantage.

« Il y est resté une dizaine de minutes. C'est bien cela, n'est-ce pas?

— Oui. Moi-même je ne saurais vous indiquer l'heure exacte.

— Très bien. Le *boy* profita de ce court laps de temps pour rejoindre les autres devant la porte et bavarder avec eux. A son retour, Emmott constata l'absence du gamin. Furieux, il l'appela et lui demanda pourquoi il avait quitté son travail. Selon toute apparence, votre femme a dû être assassinée durant ces dix minutes.

Poussant un gémissement, le professeur Leidner s'assit et cacha son visage dans ses mains.

Le docteur Reilly continua, d'une voix calme :

— Cette heure-là coïncide avec mes propres constatations. Mrs. Leidner était morte depuis trois heures environ lorsque je l'ai examinée. La seule question à résoudre est celle-ci : qui est l'assassin?

Un silence s'établit. Le professeur Leidner se redressa et se passa la main sur le front.

— J'admets la force de votre thèse, Reilly, dit-il. Tout laisse supposer que le meurtrier se trouvait déjà dans la maison. Cependant, je demeure convaincu que ce raisonnement pèche par quelque endroit. Tout d'abord, vous prétendez qu'une coïncidence étrange s'est produite.

— Il est bizarre que vous employiez ce terme, observa le docteur Reilly.

Sans attacher d'importance à cette remarque, le professeur Leidner poursuivit :

— Ma femme reçoit des lettres de menaces. Elle a des raisons de redouter une certaine personne. Alors, elle est assassinée. Et vous me demandez de croire que son meurtrier est un autre que l'auteur de ces lettres? C'est tout simplement grotesque.

— A première vue... euh... oui, répondit le docteur Reilly d'un air rêveur.

Il consulta du regard le capitaine Maitland.

— Coïncidence... hein? Qu'en dites-vous, Maitland? Partagez-vous cette idée? L'attribuerons-nous entièrement à Leidner?

Le capitaine approuva.

— Allez-y!

— Avez-vous entendu parler d'un certain Hercule Poirot, Leidner?

Le professeur Leidner, très intrigué, regarda son interlocuteur.

— Ce nom ne m'est pas tout à fait inconnu, dit-il vaguement. Un de mes amis, M. Van Aldin, m'a parlé de lui en termes très élogieux. C'est un détective privé, n'est-ce pas?

— C'est bien cela.

— Mais ce M. Poirot habite Londres. Comment pourrait-il nous aider?

— C'est juste. Il vit à Londres, répondit le docteur Reilly; cependant, voici où la coïncidence entre en jeu. Poirot n'est pas en ce moment à Londres, mais en Syrie, et il passera par Hassanieh demain en se rendant à Bagdad!

— Qui vous l'a dit?

— Jean Bérat, le consul français. Hier soir, il a dîné avec nous et nous a annoncé cette nouvelle. Il paraît que Poirot a découvert l'auteur d'un scandale militaire en Syrie. Il passe par ici en gagnant Bagdad et, de là, traversera la Syrie pour retourner à Londres. Que dites-vous de cette coïncidence?

Le professeur Leidner hésita un instant et, comme pour s'excuser, regarda le capitaine Maitland.

— Et vous, qu'en pensez-vous, capitaine?

— J'accueillerais volontiers cette collaboration, s'empressa de répondre le capitaine. Mes collègues sont d'excellents limiers pour battre la campagne et se livrer à des enquêtes sur les vendettas entre Arabes, mais, franchement, Leidner, l'assassinat de votre épouse n'est pas de mon ressort. Tout, dans ce crime, me semble mystérieux. Je ne demande pas mieux que de voir ce détective prendre en main cette affaire.

— En d'autres termes, vous m'invitez à faire appel aux services de ce M. Poirot? dit Mr. Leidner. Et s'il refuse?

— Il ne refusera pas, affirma le docteur Reilly.

— Qu'en savez-vous?

— Parce que moi-même, en tant que médecin, si on venait me demander d'intervenir dans un cas compliqué, disons de méningite cérébro-spinale, je ne me sentirais pas la force de refuser. Il ne s'agit pas ici d'un crime ordinaire, professeur Leidner.

— Non, en effet, prononça ce dernier, les lèvres contractées de douleur. Reilly, auriez-vous l'obligeance de pressentir ce M. Hercule Poirot de ma part?

— Volontiers.

Le professeur Leidner remercia d'un geste de la main.

— Même en ce moment, dit-il lentement, je ne puis croire que Louise est morte.

Je ne pus en supporter davantage.

— Oh! professeur Leidner! éclatai-je, je ne saurais vous dire à quel point je suis affligée au sujet de ce drame. J'ai failli à ma tâche. Mon devoir consistait à veiller constamment sur Mrs. Leidner, afin d'écarter d'elle un tel malheur.

Le professeur Leidner hocha gravement la tête.

— Non, non, mademoiselle, vous n'avez rien à vous reprocher. Dieu me pardonne, c'est moi qui suis à blâmer... Je ne pouvais croire... Je n'ai jamais cru un instant qu'un réel danger menaçait la vie de ma femme.

La face crispée, il se leva.

— Je l'ai abandonnée à son destin... Je n'ai rien fait pour empêcher ce crime... parce que je me suis refusé à croire...

Il sortit de la pièce en chancelant.

Le docteur Reilly leva les yeux vers moi.

— Je me sens moi-même quelques torts envers la défunte. Jusqu'ici, je considérais que cette femme horripilait son mari et lui tapait sur les nerfs.

— Moi non plus, je n'ai pas pris ses dires au sérieux, avouai-je.

— Tous trois nous nous sommes trompés, conclut le docteur Reilly.

— Il le semblerait, du moins, approuva le capitaine Maitland.

## CHAPITRE XIII

### *L'arrivée d'Hercule Poirot*

Jamais je n'oublierai l'impression que me causa Hercule Poirot la première fois que je le vis. Certes, par la suite, je m'habituai à lui, mais, au premier abord, son allure me stupéfia et ce dut être le cas pour chacun d'entre nous.

J'avais dû me représenter un personnage dans le genre de Sherlock Holmes, long et mince, au visage fin et intelligent. J'étais prévenue que Poirot était un étranger, mais je ne me l'imaginais pas étranger à ce point, si du moins vous comprenez ma façon de m'exprimer.

Rien qu'à le regarder, il vous prenait envie de rire. Poirot vous rappelait un artiste sur la scène ou au cinéma. D'abord, ce petit bonhomme tout rond, haut à peine de cinq pieds cinq pouces, paraissait tout à fait vieux avec son énorme moustache et sa tête en forme d'œuf. On eût dit un coiffeur dans un vaudeville.

Tel était l'homme qui allait découvrir l'assassin de Mrs. Leidner!

Sans doute ma déception se lisait-elle sur mon visage, car presque aussitôt il me dit avec un drôle de clignotement d'yeux :

— Je ne suis pas à votre goût, *ma sœur* *? N'oubliez pas que c'est en le mangeant qu'on reconnaît la saveur du pudding.

Ce dicton anglais ne manque pas de justesse, mais, pour autant, Poirot ne m'inspirait qu'une médiocre confiance.

Le docteur Reilly l'avait amené dans son auto le dimanche, peu après le déjeuner. Immédiatement, le petit détective belge demanda qu'on nous réunît dans une pièce.

Tous, nous prîmes place à la table de la salle à manger. M. Poirot s'assit à la tête, flanqué d'un côté par le professeur Leidner, et, de l'autre, par le docteur Reilly.

Lorsque nous fûmes tous présents, le professeur Leidner, s'éclaircissant la gorge, prit la parole de sa voix douce et hésitante :

— Vous avez tous certainement entendu parler de M. Hercule Poirot. Comme il passait aujourd'hui par Hassanieh, il a eu l'obligeance d'interrompre son voyage pour nous aider de ses lumières. La police irakienne et le capitaine Maitland agissent pour le mieux, j'en suis convaincu, mais... dans le cas présent, il existe certaines circonstances... (il s'empêtra dans son discours et jeta un coup d'œil suppliant au docteur Reilly) des complications...

— Oh! évidemment, il y a du louche là-dessous, ajouta le petit homme au bout de la table.

— Il faut absolument l'arrêter! s'exclama Mrs. Mercado. Je me révolte à l'idée qu'il puisse échapper à la justice.

Le détective belge lui adressa un regard approbateur.

— L'arrêter? Qui, madame?

— L'assassin, parbleu!

* *Hercule Poirot appelle Miss Leatheran « ma sœur » comme il l'a vu faire en Angleterre, où l'on désigne sous ce nom les infirmières tant laïques que religieuses.*

— Ah! l'assassin! répéta Hercule Poirot.

Il s'exprimait comme si le meurtrier ne l'intéressait pas le moins du monde.

Tout le monde leva les yeux sur lui et il nous regarda tous à tour de rôle.

— On dirait, fit-il, que personne d'entre vous n'a jusqu'ici eu à s'occuper d'une affaire criminelle.

Un murmure général d'assentiment lui répondit.

Hercule Poirot esquissa un sourire.

— Il va de soi que vous ignorez l'A. B. C. d'une enquête. Elle comporte des corvées désagréables... extrêmement désagréables... Tout d'abord, il y a le *soupçon*.

— Le soupçon?

Miss Johnson venait de parler. M. Poirot la considéra d'un air pensif. J'eus l'impression qu'il approuvait cette interrogation. Il semblait penser : « Enfin, voici une femme intelligente et raisonnable! »

— Oui, mademoiselle. Le soupçon! N'y allons pas par quatre chemins. Le soupçon pèse sur tous les habitants de cette maison, jusqu'au dernier : le cuisinier, le marmiton, le valet de chambre, etc., oui, et aussi sur tous les membres de l'expédition.

Mrs. Mercado se leva, frémissante, les traits convulsés :

— Quelle audace!... Comment osez-vous parler ainsi? C'est odieux! Intolérable! Professeur Leidner, permettez-vous à cet homme... à cet homme...

Le professeur répondit d'une voix lasse :

— Je vous en prie, Marie, essayez de garder votre sang-froid.

Mr. Mercado se leva à son tour, les mains tremblantes et les yeux injectés de sang.

— Je partage l'avis de ma femme. C'est une insulte... un outrage...

— Non! Non! déclara M. Poirot. Je n'insulte personne. Je vous demande seulement de regarder les faits bien en face : d'une maison où un crime a été commis, le soupçon s'étend sur tous ses hôtes. Dites-moi, quelle preuve avons-nous que le meurtrier soit venu du dehors?

Mrs. Mercado protesta :

— Bien sûr qu'il est venu du dehors! Cela saute aux yeux! Voyons... (Elle s'interrompit, puis ajouta d'une voix plus lente :) Toute autre supposition est inadmissible.

— Vous avez sans doute raison, madame, dit Poirot en s'inclinant. Je désire simplement vous faire comprendre comment il convient de procéder au début d'une enquête. Avant de chercher ailleurs l'assassin, je veux m'assurer de l'innocence de toutes les personnes présentes.

— Est-ce que cela ne nous conduira pas un peu tard dans la soirée? demanda le père Lavigny d'une voix onctueuse.

— La tortue, mon père, a dépassé le lièvre.

Le père Lavigny haussa les épaules.

— Nous sommes entre vos mains, fit-il, résigné. Veuillez, aussi rapidement que possible, vous convaincre de notre innocence dans cette épouvantable affaire.

— Oui, aussi rapidement que possible. Il était de mon devoir de vous exposer clairement la situation afin que vous ne vous offusquiez pas des questions impertinentes que je pourrais être amené à vous poser. Peut-être, mon père, l'Église consentira-t-elle à donner l'exemple?

— Interrogez-moi comme vous l'entendrez, dit le père Lavigny d'une voix grave.

— Est-ce la première saison que vous passez ici?

— Oui.

— Et vous êtes arrivé... quand?

— Voilà exactement trois semaines aujourd'hui... c'est-à-dire le 27 février.

— D'où veniez-vous?

— Du monastère des Pères Blancs, à Carthage.

— Merci, mon père. Connaissiez-vous Mrs. Leidner avant votre venue ici?

— Non, je n'avais jamais rencontré cette dame auparavant.

— Voulez-vous me dire ce que vous faisiez au moment du crime?

— Je déchiffrais des inscriptions cunéiformes dans ma propre chambre.

Je remarquai, près du coude de Poirot, un plan sommaire de la maison.

— C'est bien la chambre située à l'angle sud-ouest, correspondant à celle de Mrs. Leidner, sur le côté opposé?

— Oui.

— A quelle heure êtes-vous rentré dans votre chambre?

— Aussitôt après déjeuner... mettons à une heure moins vingt.

— Et vous en êtes sorti... quand?

— Un peu avant trois heures. J'avais entendu la camionnette revenir puis repartir aussitôt. Cela me sembla étrange et je suis allé voir ce qui se passait.

— Vous êtes-vous absenté de votre chambre de une heure moins vingt à trois heures?

— Non, pas une seule fois.

— Avez-vous entendu ou vu quelque chose qui pourrait nous éclairer sur le drame?

— Non.

— Votre chambre possède-t-elle une fenêtre donnant sur la cour?

— Non, les deux fenêtres regardent la campagne.

— Pouviez-vous entendre ce qui se passait dans la cour?

— Très peu. J'ai entendu Mr. Emmott monter à la terrasse et en descendre une ou deux fois.

— Vous souvenez-vous de l'heure?

— Non, je n'en ai aucune idée. Mon travail m'absorbait entièrement.

Après une pause, Poirot reprit :

— Pourriez-vous nous dire quelque chose de nature à éclaircir cette affaire ? Par exemple, avez-vous remarqué quoi que ce fût pendant les journées qui précédèrent le crime?

Le père Lavigny, un tantinet gêné, lança au professeur Leidner un regard interrogateur.

— Vous me posez là une question embarrassante, prononça-t-il gravement. Puisque vous me le demandez, je vous répondrai franchement qu'à ma connaissance Mrs. Leidner redoutait quelqu'un ou quelque chose. L'arrivée de personnes étrangères à cette maison la mettait dans un état nerveux inexplicable... mais dû sans doute à une cause quelconque que j'ignore totalement, car elle ne s'est jamais confiée à moi.

Poirot s'éclaircit la voix et consulta des notes qu'il tenait à la main.

— Je crois comprendre qu'il y a deux nuits on craignait ici un cambriolage.

Le père Lavigny répondit dans l'affirmative et répéta son histoire de la lumière aperçue dans la salle des antiquités et de la perquisition inutile qui s'ensuivit.

— Vous croyez, n'est-ce pas, que quelqu'un d'étranger à la maison s'y est introduit à ce moment-là?

— A la vérité, je ne sais que penser, déclara le père Lavigny. Rien n'a été enlevé ni dérangé. C'était peut-être un des jeunes domestiques.

— Ou un membre de l'expédition?

— Ou un membre de l'expédition. Mais alors, pourquoi cette personne n'avouerait-elle pas sa visite nocturne?

— Cela pourrait être aussi bien quelqu'un du dehors?

— Évidemment.

— Supposez qu'un étranger ait pénétré dans la maison. Aurait-il pu s'y cacher impunément durant toute la journée du lendemain et jusqu'à l'après-midi du surlendemain?

Il posa cette question à la fois au père Lavigny et au professeur Leidner. Les deux hommes réfléchirent un long moment.

— Je n'en vois guère la possibilité, prononça le professeur Leidner avec quelque hésitation. Où donc aurait-il pu se dissimuler? En avez-vous une idée, père Lavigny ?

— Non... non... pas la moindre.

Tous deux paraissaient abandonner à regret cette hypothèse.

Poirot se tourna vers Miss Johnson.

— Et vous, mademoiselle, croyez-vous cette éventualité possible?

Au bout d'un instant, Miss Johnson hocha la tête.

— Non, pas du tout. Où l'assassin aurait-il pu se cacher? Toutes les chambres à coucher sont prises, et, de plus, sommairement meublées. La chambre noire, la salle des architectes et le laboratoire ont tous été occupés le lendemain, et il ne s'y trouve ni recoins ni grands placards. A moins que les serviteurs ne soient complices...

— Supposition plausible... mais rien n'autorise à le croire, dit Poirot.

Une fois de plus, il s'adressa au père Lavigny.

— Voici une autre question. L'autre jour, Miss Leatheran, ici présente, vous a vu en train de causer avec un homme devant la porte d'entrée. Elle avait déjà remarqué cet individu essayant de regarder à l'intérieur par une des fenêtres du dehors. Tout laisse supposer que cet homme rôdait autour de la maison avec une intention quelconque.

— C'est encore possible, dit rêveusement le père Lavigny.

— Est-ce lui qui, le premier, vous a adressé la parole?

Le père Lavigny réfléchit un instant :

— Oui... il me semble. Ah! oui. Je me souviens, il m'a parlé le premier.

— Que vous a-t-il dit?

Le père Lavigny sembla se livrer à un effort de mémoire.

— Il me demanda, je crois, si cette maison appartenait à l'expédition américaine. Puis il fit une réflexion sur le grand nombre d'ouvriers employés aux fouilles. J'avoue que je ne saisis pas exactement ce qu'il disait, mais je m'efforçai de poursuivre la conversation afin d'améliorer mes connaissances pratiques de la langue arabe. J'espérais qu'en sa qualité de citadin, ce passant me comprendrait plus facilement que les terrassiers occupés à l'excavation.

— N'avez-vous point abordé d'autre sujet de conversation?

— Autant que je me souvienne, je lui dis qu'Hassanieh était une ville importante et nous tombâmes d'accord sur le fait que Bagdad était plus considérable. Il me demanda si j'étais un Arménien ou un catholique syrien... ou quelque chose dans ce genre.

Poirot acquiesça d'un signe de tête.

— Pourriez-vous me donner le signalement de cet individu?

De nouveau, le père Lavigny plissa le front pour réfléchir.

— Il était plutôt court et trapu, déclara-t-il enfin. Il louchait de façon très visible et avait le teint pâle.

M. Poirot se tourna vers moi.

— L'avez-vous vu ainsi, Miss Leatheran?

— Pas tout à fait. Je l'ai plutôt trouvé grand et brun, plutôt mince, et je n'ai pas remarqué qu'il louchait.

En désespoir de cause, M. Poirot haussa les épaules.

— Toujours la même chose! Si vous apparteniez à la police, vous partageriez mon avis! Deux témoins donnent invariablement un signalement différent de la même personne! Ils se contredisent sur chaque détail.

— En ce qui concerne le strabisme, je m'en souviens nettement. Sur les autres points, il se peut que Miss Leatheran ait raison. Lorsque je dis *blond*, je veux dire que, pour un *Irakien*, cet homme était blond, mais rien d'étonnant que mademoiselle l'ait trouvé brun.

— Très brun, appuyai-je. Avec un sale teint olivâtre.

Le docteur Reilly se mordit la lèvre en souriant.

Poirot lança les mains en l'air.

— Passons, dit-il. Nous ignorons encore l'importance qu'il convient d'attacher à la présence autour de la maison de cet inconnu, mais il faut à tout prix le retrouver. Poursuivons notre enquête.

Il hésita un instant, étudia les visages tournés vers lui autour de la table, puis, d'un bref mouvement de la tête, il désigna Mr. Reiter.

— Voyons, mon ami, dites-nous un peu ce que vous avez fait hier après-midi?

Le visage rose et joufflu de l'interpellé s'empourpra tout d'un coup.

— Moi?

— Oui, vous. D'abord, votre nom et votre âge?

— Carl Reiter. Vingt-huit ans.

— Américain, n'est-ce pas?

— Oui, de Chicago.

— C'est votre première saison ici?

— Oui. Je m'occupe de travaux photographiques.

— Ah! oui. Quel fut votre emploi du temps hier après-midi?

— Eh bien!... je suis resté dans la chambre noire la plus grande partie de la journée.

— La plus grande partie de la journée?

— Oui. J'ai d'abord développé des plaques. Ensuite, j'ai préparé des objets en vue de les photographier.

— Dehors?

— Oh! non. Dans l'atelier de photographie.

— La chambre noire ouvre sur cet atelier?

— Oui.

— En sorte que vous n'avez pas quitté votre atelier de photographie?

— Non.

— Avez-vous remarqué ce qui se passait dans la cour?

Le jeune homme hocha la tête.

— Non. Je n'ai rien vu. J'étais trop occupé. J'ai bien entendu le bruit de la camionnette et, dès que j'ai pu quitter mon travail, je suis sorti pour voir s'il n'y avait pas de courrier pour moi. C'est alors que j'ai... appris...

— A quelle heure avez-vous commencé vos travaux dans l'atelier?

— A une heure moins dix.

— Connaissiez-vous Mrs. Leidner avant de rejoindre l'expédition?

— Non, monsieur. Je ne l'avais jamais vue avant mon arrivée ici.

— Essayez de vous rappeler un incident... si petit soit-il... capable de nous apporter quelque lumière.

Carl Reiter secoua la tête, et prononça :

— Ma foi, monsieur, je n'ai rien vu.

— Monsieur Emmott?

David Emmott, de sa voix claire et agréable, s'exprima avec précision.

— D'une heure moins le quart à trois heures moins le quart, je triais les fragments de poterie, tout en surveillant le gamin Abdullah. Je suis monté à plusieurs reprises sur la terrasse, donner un coup de main au professeur Leidner.

— Combien de fois?

— Quatre, il me semble.

— Et combien de temps restiez-vous?

— D'ordinaire, deux minutes... pas davantage. Mais une fois, environ une demi-heure après m'être mis à l'ouvrage, je me suis attardé une dizaine de minutes pour discuter avec le professeur touchant les pièces à garder ou à jeter.

— Et lorsque vous êtes redescendu, le jeune boy avait abandonné son poste?

— Oui. Furieux, je l'ai rappelé et il reparut par la porte voûtée. Il était allé bavarder avec ses camarades.

— C'est le seul moment où il ait quitté son travail?

— Je l'ai envoyé à une ou deux occasions sur la terrasse porter des poteries.

Poirot dit, d'un ton grave :

— Inutile, monsieur Emmott, de vous demander si, durant ce temps, vous avez vu quelqu'un entrer ou sortir de la chambre de Mrs. Leidner?

Mr. Emmott s'empressa de répondre :

— Je n'ai vu absolument personne. Nul n'est venu dans la cour pendant mes deux heures de travail.

— Et, autant que vous vous souveniez, il était une heure et demie lorsque vous et le *boy* vous êtes absentés, laissant la cour déserte?

— Il ne devait pas être loin de cette heure-là. Je ne saurais préciser davantage.

Poirot se tourna vers le docteur Reilly.

— Ces renseignements concordent assez bien avec vos déclarations sur l'heure de la mort, docteur?

M. Poirot caressa ses grandes moustaches bouclées.

— Parfaitement, acquiesça le médecin.

— Nous pouvons, ce me semble, conclure que Mrs. Leidner a trouvé la mort pendant ces dix minutes.


CHAPITRE XIV

*Un de nous ?*


Une légère pause... au cours de laquelle sembla déferler dans la pièce une vague d'horreur.

Pour la première fois à ce moment, je prêtai crédit à l'hypothèse du docteur Reilly.

J'eus l'impression nette que l'assassin se trouvait parmi nous... dans cette salle à manger et... en train d'écouter. *Un de nous...*

Sans doute Mrs. Mercado en eut-elle également l'intuition, car elle poussa un petit cri aigu.

— C'est plus fort que moi, sanglota-t-elle. Je... c'est si terrible!

— Courage, Marie! lui dit son époux.

Il nous regarda en manière d'excuse.

— Elle est si sensible, ajouta-t-il. Elle prend tellement les choses à cœur.

— Je... j'aimais tant Louise! soupira Mrs. Mercado.

Je ne sais si mes sentiments se trahirent sur mes traits, mais je m'aperçus soudain que M. Poirot me dévisageait et que ses lèvres esquissaient un sourire.

Je lui répondis par un regard froid et, aussitôt, il reprit l'interrogatoire.

— Veuillez me dire, madame, de quelle façon vous avez passé l'après-midi d'hier.

— Je me suis lavé la tête, pleurnicha Mrs. Mercado. C'est affreux de penser que pendant ce temps je vaquais à mes occupations, toute joyeuse, sans rien soupçonner.

— Vous vous trouviez dans votre chambre?

— Oui.

— Vous n'en êtes pas du tout sortie?

— Non, pas avant l'arrivée de la camionnette. Le bruit me fit quitter ma chambre et j'appris tout ce qui venait de se passer. Oh! que c'est affreux!

— En avez-vous été surprise?

Mrs. Mercado cessa de gémir et ouvrit des yeux fulgurants de colère.

— Monsieur Poirot, que dites-vous? Insinueriez-vous...?

— Ce que je dis, madame? Simplement que, d'après vos déclarations, vous aimiez beaucoup Mrs. Leidner, et qu'elle a pu vous faire ses confidences.

— Oh! je comprends... Non, non, cette chère Louise ne m'a jamais rien confié... du moins rien de précis. J'ai remarqué sa nervosité et son air inquiet. En outre, elle racontait des faits étranges : des mains frappant à sa fenêtre... que sais-je encore?

— Des imaginations, disiez-vous! avançai-je, incapable de garder davantage le silence.

Je constatai avec satisfaction son embarras soudain.

Une fois de plus, M. Poirot lança dans ma direction un coup d'œil amusé.

Il résuma, d'une façon méthodique :

— Ce qui revient à dire, madame, que vous vous laviez les cheveux, que vous n'avez rien vu, ni rien entendu. Vous souvenez-vous de quelque détail capable de nous aider en quelque chose?

Mrs. Mercado ne prit même pas le temps de réfléchir.

— Non, pas le moindre détail. Pour moi, tout cela est bien mystérieux. Mais à mes yeux un fait demeure certain : le meurtrier est venu du dehors. C'est l'évidence même.

Poirot se tourna vers son mari.

— Et vous, monsieur, qu'avez-vous à dire?

Mr. Mercado sursauta nerveusement. Il tira sur sa barbe d'un air gêné.

— Sans aucun doute, l'assassin venait de l'extérieur. Lequel d'entre nous aurait pu faire du mal à Mrs. Leidner? Elle était si bonne... si aimable... (Il hocha la tête.) Celui qui l'a tuée était un monstre... oui, un monstre!

— Et vous, monsieur, comment avez-vous passé l'après-midi d'hier?

— Moi?

Il regarda dans le vide.

— Vous étiez dans le laboratoire, Joseph, lui souffla sa femme.

— Ah! oui. En effet, en effet. J'accomplissais ma tâche habituelle.

— A quelle heure y êtes-vous allé?

De nouveau, il sembla désemparé et interrogea sa femme du regard.

— A une heure moins dix, Joseph.

— Ah! oui. A une heure moins dix.

— Êtes-vous sorti dans la cour?

— Non... je ne pense pas. (Une pause.) Non, je suis sûr de ne pas être sorti une seule fois.

— A quelle heure avez-vous appris le drame?

— Ma femme est venue m'en informer. Cette affreuse nouvelle me révolta. Je ne pouvais y croire. Encore maintenant, j'ai de la peine à me figurer que c'était vrai.

Soudain, il se mit à trembler.

— C'est horrible... horrible...

Mrs. Mercado s'empressa auprès de lui.

— Oui, oui, Joseph. Nous sommes tous chagrinés, mais nous ne devons pas nous abandonner à notre douleur. N'aggravons pas les souffrances de ce pauvre professeur Leidner.

Un spasme nerveux contracta les traits du professeur, et j'en conçus que toutes ces démonstrations lui étaient pénibles. Il lança un regard vers Poirot comme pour le supplier de poursuivre.

— Miss Johnson? dit aussitôt le détective.

— Je crains de ne pouvoir vous apprendre grand-chose.

La voix distinguée de la vieille demoiselle nous reposa après les intonations perçantes de Mrs. Mercado. Elle continua :

— Je travaillais dans la salle commune, prenant des impressions sur plasticine de cachets cylindriques.

— Et vous n'avez rien vu ni rien entendu?

— Non, monsieur.

Poirot la fixa un instant des yeux. Tout comme la mienne, son oreille avait surpris dans sa voix une faible indécision.

— En êtes-vous bien certaine, mademoiselle? Un vague souvenir ne se représente-t-il pas à votre esprit?

— Non... vraiment non.

— Quelque chose que vous avez vu... du coin de l'œil, disons, à votre insu.

— Non, je vous l'assure.

— Alors, quelque chose que vous avez entendu. Oui, quelque chose que votre oreille aurait perçu sans bien s'en rendre compte?

Miss Johnson émit un petit ricanement.

— Vous insistez un peu trop, monsieur Poirot. On dirait que vous voulez me faire dire des choses qui n'existent peut-être que dans mon imagination.

— Alors, il y aurait donc quelque chose... dans votre imagination?

Miss Johnson répondit lentement, en pesant chacune de ses paroles:

— Je me suis imaginé depuis... qu'à un certain moment de l'après-midi j'ai entendu un faible cri... J'ose même déclarer que j'ai véritablement entendu un cri. Toutes les fenêtres de la salle commune étant ouvertes, on y entend tous les bruits que font les indigènes travaillant dans les champs d'orge. Mais, depuis... Je me suis mis en tête que... j'avais entendu crier Mrs. Leidner. Je me reproche vivement de n'avoir pas bougé. Qui sait? Peut-être serais-je arrivée à temps?

Le docteur Reilly intervint d'un ton autoritaire.

— N'allez pas vous forger de semblables idées, dit-il. Pour moi, il ne fait aucun doute que le criminel a frappé Mrs. Leidner (excusez-moi, Leidner) dès qu'il a pénétré dans sa chambre. Elle fut certainement tuée sur le coup. Sans quoi la victime aurait eu le temps d'appeler au secours et de pousser des cris.

— J'aurais peut-être donné l'alerte et contribué à faire prendre l'assassin, insista Miss Johnson.

— A quelle heure cela s'est-il passé, mademoiselle? demanda Poirot. Vers une heure et demie?

— Oui, à peu près à cette heure-là.

Il réfléchit un instant.

— Cela concorderait bien, énonça Poirot, pensif. N'avez-vous pas entendu un autre bruit? D'ouverture ou de fermeture d'une porte, par exemple?

Miss Johnson secoua négativement la tête.

— Non, je ne me souviens d'aucun bruit de ce genre.

— Vous étiez assise à une table, sans doute? De quel côté étiez-vous tournée? Vers la cour? Vers la salle des antiquités? Du côté de la véranda? Ou de la campagne?

— J'étais assise en face de la cour.

— De l'endroit où vous vous trouviez, voyiez-vous le *boy* Abdullah en train de laver ses poteries?

— Oui, lorsque je levais les yeux, mais je portais toute mon attention sur mon ouvrage.

— Toutefois, si quelqu'un était passé sous les fenêtres de la cour, vous l'auriez remarqué?

— Oui, j'en suis presque certaine.

— Et vous n'avez vu personne?

— Non.

— Et si on était passé au milieu de la cour, vous en seriez-vous aperçue?

— Je n'en sais rien... peut-être que non... à moins qu'à ce moment précis je n'eusse regardé par la fenêtre.

— Vous êtes-vous rendu compte que le jeune Abdullah avait quitté son travail pour rejoindre au-dehors les autres serviteurs?

— Non.

— Dix minutes..., soupira Poirot. Ces funestes dix minutes.

Un court silence régna.

Brusquement, Miss Johnson leva la tête et dit :

— Sans le vouloir, monsieur Poirot, je crains de vous avoir induit en erreur. Après réflexion, je ne crois pas qu'il me soit possible d'entendre, de l'endroit où je me trouvais, un cri provenant de la chambre de Mrs. Leidner. La salle des antiquités est située entre ces deux pièces et, nous le savons, ses fenêtres étaient fermées.

— Quoi qu'il en soit, tranquillisez-vous, mademoiselle, lui dit Poirot avec bienveillance. Ce détail n'offre guère d'importance.

— Non, bien sûr. Je le sais. Mais, voyez-vous, personnellement, j'y attache quelque portée parce que j'aurais peut-être pu faire quelque chose.

— Je vous en prie, ne vous tourmentez pas, chère Anne, lui dit le professeur Leidner d'un ton affectueux. Soyez raisonnable. Vous avez sans doute entendu un paysan arabe appeler un de ses compagnons dans les champs.

Miss Johnson rougit légèrement devant la sollicitude du professeur envers elle. Des larmes jaillirent même de ses yeux, puis elle détourna la tête et parla d'une voix plus rude que de coutume.

— Oui, sans doute. Après un pareil drame, on se figure des choses qui ne sont jamais arrivées.

Une fois de plus, Poirot consulta son carnet.

— Nous approchons de la fin. Monsieur Carey?

Mr. Carey s'exprima lentement et d'un ton monotone.

— Je crains de ne pouvoir rien ajouter d'intéressant à ce que vous savez déjà. Je travaillais aux fouilles. La nouvelle me parvint à cet endroit.

— Et vous ne voyez rien qui se soit produit durant les journées précédant immédiatement le meurtre?

— Rien du tout.

— Monsieur Coleman?

— Je suis tout à fait en dehors de cette histoire, dit Mr. Coleman avec, dans la voix, peut-être une ombre de regret. Hier matin, je me suis rendu à Hassanieh chercher l'argent nécessaire à la paie des ouvriers. A mon retour, Emmott m'apprit ce qui s'était passé et je remontai en camionnette pour aviser la police et le docteur Reilly.

— Et auparavant?

— L'atmosphère était un peu troublée, comme vous le savez. Il y eut d'abord l'incident de la salle d'antiquités, puis des têtes et des visages apparurent à la fenêtre, vous en souvenez-vous, monsieur? ajouta-t-il en s'adressant au professeur Leidner, qui acquiesça d'un signe de tête. A mon avis, vous ne tarderez pas à découvrir qu'un individu s'est introduit ici du dehors. Un type astucieux s'il en fut!

Poirot l'observa quelques instants en silence.

— Êtes-vous Anglais, monsieur Coleman? lui demanda-t-il enfin.

— Cent pour cent, monsieur. Voyez la marque de fabrique. Garanti sans facture.

— C'est votre première saison?

— Parfaitement, monsieur.

— Vous vous passionnez pour l'archéologie?

Cette question sembla causer à Mr. Coleman un certain embarras. Il rougit légèrement et lança au professeur Leidner le regard confus d'un écolier pris en faute.

— Certes, cette science est intéressante au plus haut point, balbutia-t-il. Toutefois, je n'en suis pas très féru...

Il s'interrompit et Poirot n'insista pas.

Il tapota machinalement sur la table à l'aide de son crayon et ramena méticuleusement devant lui un encrier.

— Pour le moment, nous pouvons, je crois, nous en tenir là.

Si quelqu'un, par la suite, se souvenait d'un détail qui lui aurait échappé durant ces préliminaires d'enquête, qu'il n'hésite pas à venir me consulter. Maintenant, je désirerais m'entretenir en particulier avec le professeur Leidner et le docteur Reilly.

Ce fut comme un signal de lever la séance. Tous nous quittâmes nos sièges et, l'un après l'autre, gagnâmes la porte. J'allais sortir à mon tour quand une voix me rappela :

— Mademoiselle Leatheran, voulez-vous avoir l'obligeance de rester aussi? me demanda M. Poirot. Votre présence peut nous être précieuse.

Je rebroussai chemin et repris ma place à la table.

# CHAPITRE XV

## *Poirot suggère une idée*

Le docteur Reilly s'était levé et, quand tout le monde fut dehors, il repoussa la porte avec soin. Puis, après un coup d'œil à Poirot, il ferma une des fenêtres donnant sur la cour et demeurée ouverte. Ensuite, il se rassit comme les autres.

— Bien! dit Poirot. Nous sommes à présent en petit comité privé et pouvons parler librement. Nous avons entendu ce que chaque membre de l'expédition avait à nous révéler et... Mais, dites-moi, ma sœur, à quoi songez-vous en cet instant?

Je me mis à rougir. Impossible de nier le fait : ce drôle de petit bonhomme avait le regard pénétrant. Il avait vu la pensée qui venait de m'effleurer... peut-être mon visage avait-il exprimé trop clairement le fond de mon esprit.

— Oh! ce n'est rien! dis-je avec hésitation.

— Allons, nurse, ne faites pas attendre le spécialiste, encouragea le docteur Reilly.

— Vraiment, ce n'est rien. Il me passait seulement par la tête l'idée que, si quelqu'un connaissait ou suspectait quelque chose, il lui était difficile de parler devant les autres... et particulièrement devant le professeur Leidner.

A ma surprise, M. Poirot approuva d'un vigoureux mouvement de tête.

— Absolument, absolument. Ce que vous dites là est très juste, mais je vais vous donner mon explication. Cette réunion avait un but. En Angleterre, avant les courses a lieu la présentation des chevaux. Ils défilent devant la grande tribune afin que chacun puisse les voir et les juger. Voilà quelle était la raison de ma petite assemblée. En langage sportif, j'ai promené mes regards sur les partants probables.

Le professeur Leidner se récria violemment :

— Pas une minute, je n'admettrai qu'un membre de mon expédition soit impliqué dans ce crime.

Puis, se tournant vers moi, il me dit, d'une voix autoritaire :

— Nurse, je vous serais reconnaissant de bien vouloir dire à M. Poirot exactement ce qui s'est passé entre ma femme et vous, voilà deux jours.

Obéissant à cette injonction, je débitai mon histoire, essayant, autant que possible, de me rappeler textuellement les termes employés par Mrs. Leidner.

Lorsque j'eus terminé, M. Poirot observa :

— Très bien! Très bien! Je vous félicite de votre esprit clair et ordonné. Vous me rendrez ici de signalés services.

Puis s'adressant au professeur Leidner :

— Avez-vous ces lettres?

— Oui, les voici. J'ai pensé que vous aimeriez les voir avant tout.

Poirot s'en saisit, les lut en les étudiant méticuleusement. Je m'attendais à ce qu'il les saupoudrât et les examinât au microscope, mais je fus bien déçue. Je me rendis compte alors que cet homme n'était plus très jeune et que ses méthodes dataient quelque peu, car il se contenta de lire ces lettres comme un simple mortel.

Sa lecture terminée, il les posa devant lui et toussota.

— Maintenant, dit-il, mettons de l'ordre dans nos idées. La première de ces lettres fut reçue par Mrs. Leidner peu de temps après son mariage avec vous en Amérique. Il lui en était parvenu d'autres qu'elle avait détruites. La première lettre fut suivie d'une seconde, et, quelque temps après, vous échappâtes tous deux à une asphyxie par le gaz. Ensuite, vous voyageâtes à l'étranger et pendant presque deux ans ces lettres cessèrent. Puis, au début de votre saison ici, c'est-à-dire durant ces dernières trois semaines, elles reparurent. Est-ce exact?

— Parfaitement exact.

— Voyant votre femme constamment en proie à une peur panique, vous avez cru devoir consulter le docteur Reilly et engager une infirmière, en l'espèce Miss Leatheran, pour tenir compagnie à votre femme et apaiser ses craintes?

— Oui.

— Certains incidents se produisent : des mains frappent à la fenêtre, une figure spectrale surgit derrière les vitres, des bruits nocturnes se font entendre dans la salle des antiquités. Vous-même n'avez été témoin d'aucun de ces phénomènes?

— Non.

— En réalité, Mrs. Leidner en a seule été témoin?

— Le père Lavigny a vu une lumière dans la salle des antiquités.

— Oui. Je ne l'ai pas oublié.

Après un silence d'une minute, il demanda :

— Votre femme laisse-t-elle un testament?

— Non.

— Pourquoi?

— Parce qu'elle ne le jugeait pas utile.

— Ne possédait-elle donc pas de fortune?

— Si, de son vivant. Son père lui a légué une somme considérable, mais elle ne pouvait toucher au capital. A sa mort, cet argent devait revenir à ses enfants si, toutefois, elle en avait... Si elle mourait sans enfants, comme c'est le cas, l'héritage devait passer au *Pittstown Museum*.

Pensivement, Poirot tambourina sur la table.

— Ce qui nous permet d'éliminer dès maintenant un mobile du crime. S'il s'agit d'un meurtre, dès le commencement de l'enquête je me pose cette question : Qui bénéficie de *cette mort*? Cette fois, c'est un musée. En eût-il été autrement, si Mrs. Leidner était morte intestat en laissant une grosse fortune, je vous aurais alors demandé : Quel est l'héritier? Vous... ou le premier mari? Pour que celui-ci fasse valoir ses droits à l'héritage, il lui faudrait ressusciter; il courrait dès lors grand risque d'être arrêté, bien que, j'imagine, cette peine de mort ne serait point appliquée si longtemps après la guerre. Mais nous n'avons pas à envisager pareille éventualité. Comme je vous le disais, je songe premièrement à la question d'intérêt. Secondement, je soupçonne toujours le mari ou la femme de la victime! Trois choses plaident en votre faveur : d'abord il est prouvé que vous n'avez pas approché de la chambre de votre femme durant l'après-midi d'hier, ensuite le décès de Mrs. Leidner, au lieu de vous enrichir, diminue votre fortune, et, en troisième lieu...

Poirot s'interrompit.

— En troisième lieu? répéta le professeur Leidner.

— Eh bien! certaines attitudes ne me trompent guère. Professeur Leidner, l'amour que vous éprouviez pour votre femme était la grande passion de votre vie, n'est-ce pas?

Le professeur répondit simplement :

— Oui.

— Alors, poursuivons, dit Poirot.

— Hâtons-nous, ou nous n'en viendrons jamais à bout, observa le docteur Reilly avec impatience.

Poirot lui lança un regard chargé de reproche.

— Mon ami, prenons notre temps. Dans un crime comme celui-ci, tout doit être envisagé avec ordre et méthode. Quelle que soit l'affaire qui m'occupe, je ne m'éloigne jamais de cette règle. Ayant écarté plusieurs éventualités, nous arrivons à un point très important. Il est essentiel de jouer cartes sur table. Rien ne doit demeurer caché.

— C'est entendu, dit le docteur Reilly.

— Voilà pourquoi j'exige toute la vérité, poursuivit Poirot.

Le professeur Leidner le regarda avec étonnement.

— Je vous assure que j'ai tout révélé, absolument tout ce que je savais. Je ne vous cache rien.

— Professeur Leidner... réfléchissez bien... vous ne m'avez pas dit tout.

— Mais si! Aucun détail ne m'a échappé.

Il paraissait angoissé.

Poirot hocha la tête.

— Vous ne m'avez pas expliqué, par exemple, pourquoi vous avez installé Miss Leatheran dans la maison.

Le professeur Leidner parut décontenancé.

— Je vous l'ai déjà déclaré... La nervosité de ma femme... ses peurs...

Poirot se pencha en avant. D'un geste lent, il leva et abaissa son index.

— Non, non et non! Il existe une autre raison. Votre femme court un danger, on la menace de mort. Vous faites venir... non pas la police, ni même un détective privé... mais une nurse! Cela n'est pas clair!

— Je... je... je pensais...

Le rouge lui montant aux joues, le professeur s'interrompit brusquement.

Poirot l'encouragea :

— Ah! nous arrivons au fait... Que pensiez-vous?

Le professeur demeurait silencieux.

— Vos déclarations me semblent jusqu'ici très plausibles, sauf cette question de la nurse. Pourquoi une nurse? Il ne saurait y avoir qu'une seule réponse. Personnellement, vous ne croyiez pas votre femme en danger.

Poussant un cri, le professeur Leidner s'effondra :

— Dieu me pardonne! murmura-t-il. C'est vrai, je ne la croyais pas en danger!

Poirot l'observait avec la même attention qu'un chat surveillant un trou de souris... prêt à bondir dès que la bestiole se montrera.

— Alors, que croyiez-vous? demanda-t-il.

— Je n'en sais rien... Je n'en sais rien...

— Mais si, vous le savez. Vous le savez même parfaitement, je puis peut-être vous aider... Dites-moi si je me trompe : professeur Leidner, ne soupçonneriez-vous pas votre femme d'avoir écrit elle-même ces lettres?

A quoi bon répondre? Poirot n'avait deviné que trop juste. Levant la main comme pour implorer pitié, le professeur Leidner avouait sa détresse.

Je poussai un soupir. Ainsi, ma supposition était la bonne. Je me souvins du ton bizarre dont le professeur Leidner m'avait demandé ce que je pensais de toute cette histoire. Je hochai pensivement la tête et soudain je me rendis à l'évidence : l'œil de M. Poirot se braquait sur moi.

— Vous aussi, nurse, vous l'avez cru également?

— Oui, répondis-je en toute franchise, cette idée m'était venue.

— Pour quelle raison?

Je lui fis ressortir la similitude entre l'écriture des lettres anonymes et celle de l'enveloppe que m'avait montrée Mr. Coleman.

Poirot se tourna vers le professeur Leidner.

— Ainsi, vous aviez remarqué une ressemblance entre les écritures?

Le professeur baissa la tête.

— Oui, je l'avoue. L'écriture paraissait plus petite et plus serrée que celle de Louise, d'ordinaire grande et espacée, mais plusieurs signes étaient formés de la même manière. Je vais vous le montrer.

D'une poche intérieure de son veston, il tira quelques lettres et en choisit une qu'il tendit à Poirot. C'était une lettre que lui avait écrite sa femme. Poirot la compara soigneusement avec les lettres anonymes.

— En effet, murmura-t-il... Dans les deux cas, les *s* et les *e* se ressemblent. Je ne suis pas un expert en graphologie et n'oserais me prononcer à coup sûr (du reste, je n'ai jamais vu deux graphologues s'accorder sur un point quelconque), mais, en attendant, je puis affirmer que l'analogie entre les deux écritures reste frappante. Il est probable que toutes ont été écrites par la même personne. Cependant, rien n'est certain et ne nous hâtons pas de conclure sans preuves.

Se renversant sur le dossier de sa chaise, il ajouta d'un air pensif :

— Trois hypothèses s'offrent à nous : premièrement, la similitude des écritures n'est que pure coïncidence; deuxièmement, ces lettres de menaces ont été écrites par Mrs. Leidner pour quelque raison inconnue de nous; ou bien, troisièmement, par une autre personne qui, intentionnellement, a imité l'écriture de Mrs. Leidner. Dans quel dessein? Je ne le discerne pas. En tout cas, l'une de ces trois suppositions doit être la bonne.

Il réfléchit un instant, puis, se tournant vers le professeur Leidner, il lui demanda, de son air toujours préoccupé :

— Lorsque vous avez suspecté Mrs. Leidner d'être l'auteur de ces lettres, qu'avez-vous pensé?

Le professeur hocha la tête :

— J'ai chassé de mon esprit cette monstrueuse idée.

— Y avez-vous cherché une explication?

— Je me suis demandé si le souvenir lancinant du passé avait affaibli le cerveau de ma femme. J'ai supposé qu'elle pouvait avoir écrit ces lettres sans en avoir conscience. Hypothèse encore possible, n'est-ce pas? demanda-t-il en s'adressant au docteur Reilly.

Celui-ci fit une moue et répondit vaguement :

— On peut s'attendre à tout du cerveau humain.

Puis il lança un coup d'œil entendu à Poirot qui, comme pour obéir à son injonction, poursuivit :

— Les lettres ne manquent pas d'intérêt, déclara-t-il, mais nous ne devons pas nous arrêter là. Selon moi, trois solutions se présentent.

— Trois?

— Oui. Première solution, la plus simple. Le premier mari de votre femme est encore vivant. Il lui adresse des menaces, puis les met à exécution. Si nous acceptons cette version, notre tâche consiste à découvrir comment il a pu entrer et sortir sans être vu.

« Deuxième solution : Mrs. Leidner, pour des raisons personnelles (raisons sans doute plus faciles à comprendre pour un praticien que pour un profane) s'écrit à elle-même des lettres de menaces. Cette asphyxie par le gaz serait échafaudée par elle (si vous vous souvenez, c'est elle qui vous a réveillé en attirant votre attention sur l'odeur du gaz). Cependant, si Mrs. Leidner s'écrivait ces lettres, elle ne courait aucun danger de la part de l'auteur présumé de cette correspondance. Il convient donc de chercher ailleurs l'assassin, à savoir parmi les membres de votre expédition. Oui, telle est la seule conclusion logique, proféra-t-il, devant les protestations du professeur Leidner.

« Un d'eux l'a tuée par vengeance personnelle. Cette personne devait être au courant des lettres... ou du moins savait que Mrs. Leidner craignait ou prétendait craindre quelqu'un. Ce fait, dans l'esprit du meurtrier, lui permettait d'agir impunément. D'avance il était sûr qu'on accuserait le mystérieux auteur des lettres de menaces.

« Une variante de cette dernière solution consisterait à admettre que le meurtrier, connaissant le passé de Mrs. Leidner, aurait lui-même écrit les lettres. Mais en ce dernier cas, pourquoi le criminel aurait-il imité l'écriture de Mrs. Leidner, puisqu'il égarait les soupçons en laissant supposer que ces lettres venaient du dehors?

« La troisième hypothèse est, à mon avis, la plus intéressante. J'inclinerais à croire que ces lettres de menaces proviennent du premier mari de Mrs. Leidner — ou de son jeune frère — qui doit, effectivement, faire partie de l'expédition.

## CHAPITRE XVI

### *Les suspects*

Le professeur Leidner se leva d'un bond.

— Impossible! Absolument impossible! Cette idée est absurde.

M. Poirot le considéra d'un air calme, mais sans mot dire.

— Vous prétendez que le premier mari de ma femme serait un des membres de l'expédition et qu'elle ne l'aurait pas identifié?

— Parfaitement. Prenez la peine de réfléchir. Voilà une ving-taine d'années, votre femme a vécu seulement quelques mois avec cet homme. L'eût-elle reconnu si elle l'avait rencontré au bout de ce laps de temps? J'en doute. Sa physionomie et son visage se sont transformés; sa voix n'a peut-être pas beaucoup changé, mais il la surveille. Et remarquez bien ceci : *elle ne cherche pas*. Elle pense à lui comme à quelqu'un du dehors... un étranger. Une autre éven-tualité se présente : le jeune frère, l'enfant entièrement dévoué à la mémoire de son aîné. Maintenant, c'est un homme. Aurait-elle discerné dans un homme approchant de la trentaine l'ancien gamin de dix à douze ans? Ne perdons pas de vue le jeune William Bosner. A ses yeux, son frère n'est pas mort en traître, mais en patriote, en martyr pour son pays, l'Allemagne. Pour lui, Mrs. Leid-ner représente le monstre qui a conduit son frère bien-aimé au poteau! Un enfant sensible est capable d'une profonde adoration pour un héros et cette obsession de sa jeunesse persiste dans l'âge mûr.

— Parfaitement exact, confirma le docteur Reilly. La croyance populaire selon laquelle les enfants oublient facilement est fausse. Bien des êtres traversent l'existence envoûtés par une idée qui leur a été inculquée dans leurs tendres années.

— Bien. Vous avez donc, d'une part, Frederick Bosner, actuellement âgé d'environ cinquante ans et, d'autre part, William Bosner, frisant la trentaine. Si vous le voulez bien, examinons chacun des membres de votre personnel.

— C'est fantastique! murmura le professeur Leidner. Mon personnel! Les membres de ma propre expédition!

— Et que, par conséquent, vous jugez au-dessus de tout soupçon, dit sèchement Poirot. Une considération à retenir. Commençons! D'abord, qui, sans aucun doute, ne saurait être Frederick ou William?

— Les femmes!

— Parbleu! Rayons donc de la liste Miss Johnson et Mrs. Mercado. Qui encore?

— Carey. Lui et moi avons travaillé ensemble bien des années avant ma rencontre avec Louise.

— En outre, l'âge ne concorde pas. Il a, ce me semble, trentehuit ou trente-neuf ans, trop jeune pour Frederick et trop âgé pour William. Et le reste! Le père Lavigny et Mr. Mercado : l'un ou l'autre pourrait être Frederick Bosner.

— Voyons, cher monsieur, s'écria le professeur Leidner, d'un ton moitié irrité, moitié amusé, le père Lavigny est universellement connu en tant qu'épigraphiste, et Mr. Mercado a travaillé de longues années dans un grand musée de New York. Ni l'un ni l'autre ne saurait être l'homme que vous supposez. Impossible!

Poirot agita une main légère.

— Impossible! Impossible! C'est toujours l'impossible que j'examine de plus près! Mais passons. Qui avez-vous encore? Carl Reiter, un jeune homme au nom allemand, et David Emmott.

— N'oubliez pas qu'il a déjà passé deux saisons en ma compagnie.

— Le jeune Reiter est doué d'une patience à toute épreuve. S'il commettait un crime, il prendrait son temps et toutes précautions utiles.

Le professeur Leidner eut un geste de désespoir.

— Enfin, William Coleman, poursuivit Poirot.

— Il est Anglais.

— Pourquoi pas? Mrs. Leidner n'a-t-elle pas dit que le jeune

Bosner quitta l'Amérique et qu'on perdit sa trace? Pourquoi n'aurait-il pas été élevé en Angleterre?

— Vous avez réponse à tout, observa le professeur Leidner.

Quant à moi, je réfléchissais de mon mieux. Dès le début, Mr. Coleman avait évoqué en mon esprit un héros d'un roman de P. G. Wodehouse. Pourrait-il jouer longtemps cette comédie?

Poirot prenait des notes sur son calepin.

— Procédons avec ordre et méthode, dit-il. D'un côté, nous avons deux noms : le père Lavigny et Mr. Mercado; de l'autre, trois : Coleman, Emmott et Reiter.

« Maintenant, considérons un autre aspect de la question : les moyens et l'occasion. *Qui, parmi les membres de l'expédition, avait les moyens et l'occasion de commettre le meurtre?* Carey se trouvait aux fouilles; Coleman, à Hassanieh; vous, vous étiez sur la terrasse. Il nous reste le père Lavigny, Mr. Mercado, David Emmott, Carl Reiter, Mrs. Johnson et Miss Leatheran.

— Oh! m'écriai-je, en bondissant de ma chaise.

M. Poirot me considéra de ses petits yeux clignotants.

— Eh! oui, ma sœur, excusez-moi, mais je dois vous comprendre dans ma liste. Il vous était très facile de vous introduire chez Mrs. Leidner et de la tuer alors que la cour était déserte. Vous ne manquez ni de muscles ni de force, et la malheureuse ne se fût pas méfiée avant que vous frappiez le coup.

J'étais bouleversée au point de ne pouvoir articuler un mot. Le docteur Reilly en profita pour s'amuser à mes dépens.

— Crime sensationnel : une infirmière tuait ses malades l'un après l'autre, murmura-t-il.

Quel coup d'œil je lui décochai!

L'esprit du professeur Leidner suivait une tout autre voie.

— Monsieur Poirot, vous ne sauriez suspecter Emmott. Souvenez-vous qu'il se trouvait sur la terrasse avec moi durant ces dix minutes.

— Impossible, cependant, de l'exclure. En descendant, il a pu se rendre chez Mrs. Leidner, la tuer et, ensuite, rappeler le *boy*. Ou bien, il a profité d'une des occasions où il vous a envoyé le gamin.

Le professeur Leidner soupira :

— Quel cauchemar!... Quel affreux mystère!

A mon étonnement, Poirot partagea son point de vue.

— Vous pouvez le dire : il existe rarement de crime aussi mystérieux. Habituellement, le meurtre est sordide... et plutôt simple. Mais nous nous trouvons en présence d'une affaire compliquée. Professeur Leidner, votre femme devait sortir de l'ordinaire.

Il avait si bien asséné son coup au bon endroit, que je sursautai.

— N'est-ce point la vérité, ma sœur?

Le professeur Leidner me dit d'une voix calme :

— Mademoiselle, expliquez-lui comment était Louise. Il ne pourra du moins vous accuser de partialité.

Je m'exprimai donc en toute sincérité.

— Elle était si belle qu'on ne pouvait s'empêcher de l'admirer et de chercher à lui plaire. Jamais je n'avais rencontré une femme pareille.

— Merci! me dit le professeur en souriant.

— Voilà un témoignage qui, dans la bouche d'une nouvelle venue, prend de la valeur, énonça poliment M. Poirot. Continuons notre enquête. Sous le titre *Moyen et Occasions* nous retenons six noms. Miss Leatheran, Miss Johnson, Mrs. Mercado, Mr. Reiter, Mr. Emmott et le père Lavigny.

Une fois de plus, il s'éclaircit la gorge. Vraiment, ces étrangers ont de drôles d'habitudes!

— Pour le moment, admettons l'exactitude de notre troisième hypothèse : le meurtrier est Frederick ou William Bosner et fait partie de l'expédition. En comparant nos deux listes, nous pouvons réduire le nombre des suspects à quatre : le père Lavigny, Mr. Mercado, Carl Reiter et David Emmott.

— Le père Lavigny est hors de cause, intervint le professeur Leidner avec décision. Il appartient à la Compagnie des Pères Blancs de Carthage.

— Et sa barbe est authentique, ajoutai-je.

— Ma sœur, un assassin de première force ne porte jamais une barbe postiche.

— Comment savez-vous que l'assassin est de première force? demandai-je d'un ton de protestation.

— Parce que, dans le cas contraire, la vérité me sauterait déjà aux yeux... alors que je n'y vois goutte.

« Cet homme est plein de vanité... ». pensai-je à part moi.

— Quoi qu'il en soit, répliquai-je, revenant sur la barbe, il a fallu un certain temps pour la faire pousser.

— Votre observation est très judicieuse, dit Poirot.

Le professeur Leidner s'irritait de plus en plus.

— Mais c'est ridicule... Le père Lavigny et Mr. Mercado sont des hommes très connus depuis longtemps.

Poirot le regarda.

— Vous manquez de discernement. Un point important vous échappe : si Frederick Bosner n'est pas mort... qu'a-t-il fait durant toutes ces années? Il a pris un nom d'emprunt et s'est taillé une place dans l'existence.

— En tant que Père Blanc? demanda le docteur Reilly d'un ton sceptique.

— Cela paraît, en effet, quelque peu fantastique, avoua Poirot. Seul le tribunal peut trancher cette question. Voyons les autres suspects.

— Les jeunes? dit Reilly. Si vous voulez mon opinion, un seul remplit les conditions.

— Lequel?

— Le jeune Carl Reiter. Nous n'avons rien de précis contre lui, mais, en y regardant de près, il a l'âge voulu, un nom allemand, il est nouveau dans le personnel et il pouvait profiter de l'occasion pour quitter son atelier de photographie, traverser la cour, accomplir sa vilaine besogne et déguerpir à toutes jambes tandis que la cour était encore déserte. Si quelqu'un s'était introduit dans l'atelier de photographie durant son absence, il aurait juré ses grands dieux qu'il se trouvait dans la chambre noire. Je ne le désigne pas comme le coupable, mais, de toute cette liste, Reiter semblerait le plus suspect.

M. Poirot ne partageait pas cet avis. Il hocha la tête d'un air grave, mais non convaincu.

— Vos déductions sont plausibles, mais l'affaire est plus compliquée que vous ne le supposez. Restons-en là pour le moment. Si vous le permettez, j'aimerais jeter un coup d'œil dans la chambre du crime.

— Certainement.

Le professeur Leidner fouilla ses poches et leva les yeux vers le docteur Reilly en disant :

— Le capitaine Maitland l'a prise.

— Il me l'a confiée avant son départ pour une affaire pressante. Il sortit la clef.

Le professeur Leidner prononça d'une voix hésitante :

— Si vous n'y voyez aucun inconvénient, je préfère ne point... Peut-être mademoiselle...

— Bien sûr, bien sûr... répondit Poirot. Je comprends votre sentiment et ne veux vous causer aucune peine inutile. Ma sœur, auriez-vous l'obligeance de m'accompagner?

— Volontiers, répondis-je.

# CHAPITRE XVII

## *Une tache près de la table de toilette*

Aux fins d'autopsie, on avait transporté à Hassanieh le corps de Mrs. Leidner, mais la chambre était demeurée absolument intacte. Elle était si peu meublée que la perquisition des policiers s'effectua très rapidement.

A droite, en entrant, on voyait le lit. En face de la porte, deux fenêtres munies de barreaux de fer donnaient sur la campagne. Entre elles, une table de chêne à deux tiroirs tenait lieu de coiffeuse à Mrs. Leidner. Contre le mur situé à l'est, s'appuyait une commode de bois blanc et une rangée de patères recevait les vêtements protégés par des sacs de coton. Immédiatement à gauche de la porte se trouvait la table de toilette et, au milieu de la pièce, une table de chêne d'assez grandes dimensions, sur quoi étaient posés un encrier, un buvard et une petite serviette de cuir, dans laquelle Mrs. Leidner conservait ses lettres anonymes. De petits rideaux blancs rayés de bandes orange garnissaient les fenêtres. Quatre peaux de chèvre étaient posées sur le dallage : trois brunes, assez étroites, devant les fenêtres et la table de toilette ; une blanche, plus grande et de meilleure qualité, rayée de brun, entre le lit et la grande table.

La chambre ne comportait ni armoire, ni retraits, ni tentures, aucun coin permettant de se cacher. Le lit de fer, très simple, était recouvert d'une courtepointe en cretonne. Trois oreillers du plus léger duvet constituaient le seul luxe de cette pièce. Personne autre que Mrs. Leidner ne possédait d'oreillers semblables.

En quelques mots brefs, le docteur Reilly expliqua dans quelle position on avait découvert le corps de Mrs. Leidner... affaissé sur la peau de chèvre près du lit.

Pour illustrer ses paroles, il me fit signe d'approcher.

— Je vous en prie, mademoiselle...

Je ne manque pas de sang-froid. Me laissant choir sur le sol, j'essayai autant que possible de prendre l'attitude dans laquelle on avait trouvé le cadavre.

— En arrivant devant cette macabre découverte, Leidner souleva la tête de sa femme, dit le médecin. Mais, après l'avoir interrogé de près, j'ai conclu qu'il n'a pas déplacé le corps.

— Jusqu'ici tout me paraît assez régulier, prononça Poirot. Mrs. Leidner est étendue sur le lit, en train de dormir ou de se reposer... On ouvre la porte, elle regarde et se lève...

— Et l'assassin la frappe, acheva le médecin. Elle s'évanouit immédiatement et la mort s'ensuit aussitôt. Vous comprenez...

Il expliqua l'effet de la blessure en langage technique.

— Ainsi, pas de sang répandu? demanda Poirot.

— Non, le sang s'épancha intérieurement, dans le cerveau.

— Voilà des explications plausibles, sauf sur un point. Si l'homme était inconnu de Mrs. Leidner, pourquoi n'a-t-elle pas appelé au secours? Si elle avait crié, quelqu'un l'aurait entendue, notamment Miss Leatheran, Emmott et le _boy_.

— La réponse est facile, observa d'un ton sec le docteur Reilly. L'assassin n'était pas étranger à la maison.

Poirot approuva de la tête.

— Oui, dit-il pensivement. Peut-être a-t-elle été surprise à la vue de son visiteur, mais non effrayée. Au moment où il assenait le coup, elle peut avoir poussé un petit cri... mais trop tard.

— Le cri perçu par Miss Johnson?

— Oui, si réellement elle l'a entendu... mais j'en doute. Ces murs en terre sont épais et les fenêtres étaient fermées.

Il alla vers le lit.

— Quand vous l'avez quittée, était-elle allongée sur le lit? me demanda-t-il.

Je lui expliquai ce que j'avais fait.

— Avait-elle l'intention de dormir ou de lire?

— Je lui ai remis deux livres : un roman et un volume de mémoires. D'habitude, elle lisait pendant un certain temps et finissait par s'endormir.

— Était-elle, comment dirais-je, dans son état normal?

Je réfléchis un instant.

— Oui. Elle avait l'air tout à fait normale et gaie. Un peu fantasque, peut-être, mais j'attribuai cette humeur au fait que, la veille, elle m'avait fait des confidences et se sentait un peu gênée envers moi.

Les yeux de Poirot clignotèrent.

— Ah! oui. Je comprends très bien ce sentiment.

Il regarda autour de la chambre.

— Quand vous êtes entrée ici après le meurtre, tout était-il dans le même ordre qu'auparavant?

Mes yeux firent le tour de la pièce.

— Il me semble que oui. Tout était resté à sa place.

— Rien ne révélait la nature de l'arme qui a servi pour frapper?

— Non.

Poirot se tourna vers le docteur Reilly.

— A votre avis, de quelle arme s'est-on servi?

Le médecin s'empressa de répondre.

— Un objet contondant très lourd et assez volumineux, la base arrondie d'une statue, par exemple. Attention! Je ne prétends pas que ce soit cela, mais quelque chose dans ce genre. Le coup a été donné avec force.

— Assené par un bras vigoureux... Le bras d'un homme?

— Oui... à moins...

— A moins... que?

Le docteur Reilly prononça lentement :

— Il est encore possible que Mrs. Leidner ait été agenouillée... auquel cas, le coup étant frappé d'en haut avec un instrument lourd, la force nécessaire pouvait être moindre.

— A genoux... murmura Poirot. Ça, c'est une idée!

— Prenez garde! Ce n'est en effet qu'une idée, s'empressa de souligner le médecin. Rien, absolument rien, ne l'indique.

— Mais c'est dans le domaine du possible?

— Oui. Et, après tout, vu les circonstances, je ne vois là rien d'extraordinaire. La peur a pu la jeter aux pieds de son bourreau pour demander grâce, au lieu de crier, alors que l'instinct l'avertissait qu'il était trop tard pour appeler au secours... et que personne ne serait arrivé à temps.

— Oui, dit Poirot pensivement, c'est une idée...

Une piètre idée, pensai-je à part moi. Je m'imaginais mal Mrs. Leidner agenouillée devant qui que ce fût.

Poirot fit lentement le tour de la chambre. Il ouvrit les fenêtres, éprouva la solidité des barreaux, passa la tête au travers et constata qu'en aucune façon il ne pouvait y introduire les épaules.

— Les fenêtres étaient fermées lorsque vous l'avez trouvée, dit-il. L'étaient-elles également quand vous avez quitté Mrs. Leidner à une heure moins le quart?

— Oui, elles demeuraient toujours fermées l'après-midi. Il n'y a pas de gaze devant ces fenêtres comme dans la salle commune et dans la salle à manger. On les tient closes pour empêcher les mouches d'entrer.

— Et personne ne pouvait pénétrer par là, observa Poirot. Quant aux murs, ils sont construits de terre séchée solide comme de la brique. Il n'existe ni trappe ni verrière. Non, on n'accède à cette chambre que par la porte... et, pour y arriver, on doit passer par la cour. Celle-ci ne comporte qu'une seule entrée : la porte voûtée. Devant cette porte voûtée se trouvaient cinq hommes qui, tous, racontent la même histoire, et je ne crois pas qu'ils mentent... Non, ils ne mentent pas. Nul ne les paie pour mentir. Le meurtrier était ici...

Je ne dis rien. N'avais-je pas eu la même impression lorsque, tout à l'heure, nous étions réunis autour de la table?

Lentement, Poirot marcha dans la chambre. Il prit une photographie posée sur la commode. Elle représentait un vieux monsieur avec un bouc blanc. Il m'interrogea du regard.

— Le père de Mrs. Leidner, dis-je. Je le tiens d'elle-même.

Il la remit à sa place et jeta un coup d'œil sur les articles de la table de toilette... tous en écaille, simples mais élégants. Son regard s'attarda ensuite sur une étagère garnie de livres dont il énonça les titres à haute voix.

— *Qui étaient les Grecs? Introduction à la Relativité, La vie de Lady Hester Stanhope, Le Train de Crewe, Le Retour à Mathusalem, Linda Condom.* Vont-ils nous fournir quelque indication? Ce n'était pas une ignorante, Mrs. Leidner, mais une femme cultivée.

— Oh! elle était très intelligente, appuyai-je. Elle lisait énormément et elle se tenait au courant de tout. Mrs. Leidner sortait, en effet, de l'ordinaire.

Il sourit en me regardant.

— Oui. Je l'ai tout de suite deviné.

Continuant son inspection, il s'arrêta quelques instants devant la table de toilette où était disposé un arsenal de flacons et de crèmes de beauté.

Soudain, il s'agenouilla et examina la peau de chèvre.

Le docteur Reilly et moi le rejoignîmes vivement. Il regardait une petite tache foncée, presque invisible, sur le poil brun. Le fait est qu'on la remarquait seulement à l'endroit où elle débordait sur une des bandes blanches.

— Qu'en pensez-vous, docteur? Est-ce du sang? demanda-t-il.

A son tour, le docteur Reilly se mit à genoux.

— Peut-être. Je vais m'en assurer, si vous le désirez.

— Je vous en serais reconnaissant.

M. Poirot examina le pot à eau et la cuvette. Le pot à eau était placé sur le côté de la table de toilette, la cuvette était vide, mais auprès de la table un ancien bidon à essence contenait de l'eau usagée.

Il se tourna vers moi.

— Mademoiselle, vous souvenez-vous si ce pot à eau était hors de la cuvette lorsque vous avez quitté Mrs. Leidner à une heure moins le quart?

— Je ne saurais l'affirmer, dis-je au bout d'un moment. Je crois plutôt qu'il était dans la cuvette.

— Ah!

— Comprenez-vous, ajoutai-je aussitôt. Je le vois ainsi parce

B.

Pauline Pelletier

19 — 14 — 47 — 13 —
20 — 29 — (33)

13 — 14 — 19 — 20 — 29 —
47

_____

qu'il s'y trouvait d'habitude. Les *boys* remettent bien tout en ordre. J'ai l'impression que, si je n'avais pas vu le pot à eau à sa place, je l'y aurais mis moi-même.

Il approuva d'un signe de tête.

— Oui, je comprends. Ce goût de l'ordre vient de votre stage dans les hôpitaux. Dès qu'un objet n'est pas à sa place dans une chambre, inconsciemment, vous le rangez. Et après le crime? Tout était-il dans l'état actuel?

— Je ne me suis pas attardée à ces petits détails; je m'inquiétais plutôt de savoir si l'assassin était caché en quelque endroit ou s'il avait oublié un objet quelconque après lui.

— C'est bel et bien du sang, déclara le docteur Reilly, en se relevant. Y attachez-vous de l'importance?

Perplexe, Poirot plissait le front. Il secoua les mains avec vivacité.

— Je ne puis rien dire. Comment le saurais-je? Cette tache peut ne rien signifier du tout. Il me serait permis d'en déduire que le meurtrier, ayant du sang sur les mains, est allé se les laver. Les choses ont pu se passer ainsi. Mais ne nous hâtons pas de conclure.

— La blessure n'a dû saigner que très peu, observa le docteur Reilly. Le sang n'a pas jailli. Tout au plus, aurait-il suinté. Naturellement, si l'assassin a touché la plaie...

Je frémis. Une vision affreuse se présenta à ma pensée : un individu (le jeune photographe à la jolie figure rose) frappait mortellement cette belle femme, puis, penché sur elle, les traits soudain cruels, enfonçait le doigt dans la blessure à la façon d'un sadique.

Le docteur Reilly remarqua mon tremblement.

— Qu'avez-vous, nurse?

— Rien... seulement la chair de poule, répondis-je.

Se retournant, M. Poirot m'observa.

— Je vois ce qu'il vous faut, ma sœur. Tout à l'heure, notre perquisition terminée, je retournerai à Hassanieh en compagnie du docteur et je vous emmènerai avec nous. Voulez-vous offrir le thé à Miss Leatheran, docteur?

— J'en serai ravi.

M. Poirot me donna une tape amicale sur l'épaule, une petite tape à l'anglaise, qui n'avait rien d'étranger.

— Ma sœur, faites ce que je vous dis. De plus, vous me rendrez un grand service. J'aimerais discuter avec vous certains sujets que je ne puis aborder ici par respect des convenances. L'excellent Mr. Leidner adorait sa femme et il est persuadé... oh! il n'oserait en douter... que chacun ici éprouvait les mêmes sentiments que lui envers elle! Selon moi, ce ne serait pas naturel! Non, il faut que nous parlions de Mrs. Leidner... voyons... comment dire...? sans prendre de gants. Ainsi, voilà une question réglée. Dès que nous aurons rempli notre tâche ici, nous vous emmenons avec nous à Hassanieh.

— N'importe comment, il faut que je quitte ma place. Ma situation ici est plutôt gênante.

— N'en faites rien pendant un ou deux jours, me conseilla le docteur Reilly. Vous ne sauriez décemment partir avant les obsèques.

— Très bien. Et si j'allais être assassinée à mon tour? dis-je, en plaisantant à demi.

Le docteur Reilly le prit de la même façon et je m'attendais à une repartie spirituelle de sa part, mais, à ma surprise, M. Poirot s'immobilisa soudain au milieu de la pièce et se frappa le front de la paume de sa main.

— Ah! c'est possible! murmura-t-il. Il y a du danger... oui, un grand danger. Mais qu'y faire? Comment l'éviter?

— Voyons, monsieur Poirot, je ne parlais pas sérieusement! Qui songerait à me tuer, je vous le demande un peu?

— Vous... ou une autre... dit-il.

Et le ton de ses paroles me fit courir un frisson de peur dans le dos.

— Pourquoi? insistai-je.

Il me regarda droit dans les yeux.

— A mon tour de rire, mademoiselle! Mais n'oubliez pas que tout, dans l'existence, n'est pas sujet de plaisanterie. Ma profession m'a appris bien des vérités, dont la redoutable est celle-ci : l'assassinat devient une habitude!

## CHAPITRE XVIII

### *Le thé chez le docteur Reilly*

Avant notre départ, Poirot fit une ronde autour de la maison d'habitation et des dépendances. Il posa aussi quelques questions aux serviteurs, par le truchement du docteur Reilly qui, à mesure, traduisait les questions d'anglais en arabe et *vice versa*.

Cet interrogatoire portait principalement sur l'aspect extérieur

de l'étranger que Mrs. Leidner et moi avions surpris regardant
par la fenêtre et avec qui, dès le lendemain, le père Lavigny s'était
entretenu.

— Croyez-vous vraiment que cet individu soit mêlé à l'affaire?
s'enquit le docteur Reilly, alors que nous roulions, tous cahotés,
dans sa voiture sur la mauvaise route d'Hassanieh.

— J'aime à prendre tous les renseignements possibles, fut la
réponse de Poirot.

Ce trait illustre admirablement la façon de procéder du petit
détective belge. Par la suite, je découvris qu'à ses yeux aucun
détail ne demeurait insignifiant. Il relevait le moindre potin.
D'ordinaire, les hommes dédaignent les commérages.

Je fus heureuse, je l'avoue, de boire une tasse de thé en arrivant
chez le docteur Reilly. M. Poirot mit cinq morceaux de sucre dans
la sienne et, remuant son thé avec soin, il dit :

— A présent, nous pouvons parler librement, n'est-ce pas, et
chercher qui, vraisemblablement, a tué Mrs. Leidner?

— Lavigny, Mercado, Emmott ou Reiter? demanda le docteur Reilly.

— Non, non! Cette liste a été dressée suivant l'hypothèse n° 3.
Étudions plutôt l'hypothèse n° 2... laissant dans l'ombre le mystérieux mari ou beau-frère surgi du passé. Cherchons maintenant
à loisir quel membre de l'expédition a pu avoir les moyens et
l'occasion de supprimer Mrs. Leidner, et qui est capable d'un tel acte.

— Cette idée ne semblait pas tout à l'heure retenir votre attention.

— Au contraire, mais je possède un tact naturel, dit Poirot sur
un ton de reproche. Pouvais-je, en présence du professeur Leidner,
discuter les mobiles ayant pu pousser un des membres de son
expédition à tuer sa femme? Ç'eût été manquer de délicatesse.
Mieux valait lui laisser l'illusion que son épouse était adorable
et que tous l'adoraient!

« Mais, il va de soi, tel n'est pas le cas. Entre nous, rien ne nous
empêche d'exprimer de façon brutale et objective le fond de notre
pensée. Nous n'avons plus à tenir compte de l'opinion des gens.
Ici, le concours de Miss Leatheran nous sera précieux. Elle a, je
n'en doute pas, de remarquables dons d'observation.

— Oh! je n'en suis nullement certaine, répliquai-je.

Le docteur Reilly me tendit une assiette de brioches chaudes que
je trouvai excellentes.

— Pour vous donner du courage, me dit-il.

— Maintenant, arrivons au fait, déclara M. Poirot d'un ton
aimable. Exposez-moi, ma sœur, les sentiments de chacun des
membres de l'expédition envers Mrs. Leidner.

— Mais je n'ai passé qu'une semaine avec eux, monsieur Poirot.

— Pour une personne de votre intelligence, cela suffit ample-ment. Une infirmière juge vite son monde. Elle se forme une opi-nion et agit en conséquence. Commençons, si vous voulez, par le père Lavigny.

— Vous me placez dans un rude embarras. Lui et Mrs. Leidner semblaient prendre plaisir à converser ensemble, mais, d'ordinaire, ils s'exprimaient en français et mes connaissances en cette langue sont plutôt médiocres, bien que je l'aie apprise à l'école. Selon moi, ils parlaient surtout littérature.

— En d'autres termes, ils se plaisaient en la société l'un de l'autre... n'est-ce pas?

— Oui, si vous voulez, mais la personnalité de Mrs. Leidner intriguait le père Lavigny... et celui-ci en éprouvait quelque ennui. Je ne sais si je me fais bien comprendre.

Alors, je lui répétai la conversation que j'eus avec le moine lors de ma première visite aux fouilles. Ce jour-là, le père Lavigny avait qualifié Mrs. Leidner de « femme dangereuse ».

— Voilà qui est très intéressant, observa M. Poirot. Et elle... quelle était son opinion sur le Père Blanc?

— Comment aurais-je pu savoir ce que Mrs. Leidner pensait des gens? Parfois, je m'imagine que le père Lavigny l'intriguait également. Je me souviens d'avoir entendu Mrs. Leidner dire à son mari que ce prêtre ne ressemblait à aucun de ceux qu'elle avait rencontrés jusque-là.

— Vous vous montrez terrible pour ce malheureux moine, dit le docteur Reilly d'un ton facétieux.

— Mon cher ami, lui dit Poirot, vous avez peut-être quelque malade à visiter? Pour rien au monde, je ne voudrais vous déran-ger dans l'accomplissement des devoirs de votre profession.

— Les malades ne manquent pas. J'en ai plein un hôpital, déclara le médecin, qui se leva et sortit en riant.

— Voilà qui me plaît, dit Poirot. Nous allons maintenant converser en tête à tête, de façon plus intéressante et plus utile. Mais que cela ne vous empêche point de prendre votre thé.

Il me passa une assiette de sandwiches et m'offrit une seconde tasse de thé. Il se montrait réellement agréable et plein d'attentions.

— A présent, reprenons notre sujet et faites-moi part de vos impressions. A votre avis, qui, parmi les membres de l'expédition, n'aimait pas Mrs. Leidner?

— Je vais formuler une opinion toute personnelle, et je ne vou-drais pas qu'elle fût répétée comme venant de moi.

— Comptez sur ma discrétion.

— Eh bien! à mon sens, la petite Mrs. Mercado détestait cordialement Mrs. Leidner!

— Ah! Et Mr. Mercado?

— Mrs. Leidner lui avait un peu tourné la tête. A part son épouse, les femmes ne devaient faire aucun cas de lui. Et Mrs. Leidner excellait tant à s'intéresser aux autres et à écouter leurs confidences! Le pauvre homme se sera sans doute forgé des idées!

— Et Mrs. Mercado voyait cela d'un mauvais œil?

— Elle en concevait de la jalousie... si vous voulez savoir la vérité. On ne se montre jamais trop circonspect lorsqu'on vit avec des gens mariés. Je pourrais vous en raconter de drôles là-dessus. Vous ne soupçonnez point ce qui se passe dans l'esprit d'une femme lorsque son mari est en jeu.

— Oh! mais je ne doute pas de ce que vous me dites. Ainsi, Mrs. Mercado se montrait jalouse et exécrait Mrs. Leidner?

— Je l'ai vue lui lancer des regards comme si elle eût voulu la foudroyer... Oh! mon Dieu! Excusez-moi, monsieur Poirot, ce n'est pas ce que je voulais dire... pas une minute je n'ai songé...

— Non! non! Je comprends parfaitement. Ces paroles vous ont échappé et tombent à propos. Mrs. Leidner s'inquiétait-elle de cette animosité de Mrs. Mercado?

Je réfléchis avant de répondre :

— Elle ne semblait y attacher aucune importance. Au fait, je ne sais même pas si elle s'en est aperçue. Une fois, j'ai cru devoir l'en avertir... encore que cette intervention m'ennuyât beaucoup. Et puis je me suis dit qu'on regrettait souvent d'avoir parlé, jamais de s'être tu.

— Vous faites preuve d'une grande sagesse. Pourriez-vous me citer quelques exemples où Mrs. Mercado a trahi devant vous ses sentiments?

Je lui répétai notre conversation sur la terrasse.

— Elle vous a donc parlé du premier mariage de Mrs. Leidner. A ce moment-là vous a-t-elle regardée comme pour se rendre compte si vous aviez entendu une version différente de la sienne?

— Croyez-vous qu'elle était au courant de la vérité?

— C'est encore possible. Elle a pu écrire ces lettres... et inventer de toutes pièces cette histoire de main qui frappe et tout le reste.

— Moi-même j'y ai songé. Je la juge parfaitement capable d'une vengeance mesquine de ce genre.

— Oui. Je la croirais volontiers cruelle, mais je doute qu'elle possède suffisamment de cran pour commettre un assassinat, à moins que...

Après une pause, il ajouta :

— Je pense à cette curieuse réflexion qu'elle vous a faite : « Je sais pourquoi vous êtes ici. » Que voulait-elle insinuer par là?

— Je me le demande.

— Elle vous suspectait d'être venue pour une tout autre raison que celle que vous avez déclarée. Laquelle? Et pourquoi se croyait-elle visée? Pourquoi aussi cette insistance à vous dévisager pendant le thé le jour de votre arrivée?

— Oh! vous savez, Mrs. Mercado ne brille point par ses manières, m'empressai-je de répondre.

— Cela, ma sœur, est une excuse, non une explication.

Je ne saisis pas très bien sa pensée, mais il poursuivit :

— Et les autres membres du personnel?

Je réfléchis.

— Miss Johnson ne nourrissait pas non plus des sentiments très affectueux envers Mrs. Leidner, mais elle ne s'en cachait point et franchement admettait devant moi ses préventions contre la femme du professeur. Toute dévouée à Mr. Leidner, elle avait travaillé avec lui pendant des années, et, vous comprenez, le mariage apporta bien des changements.

— Bien, dit Poirot, et du point de vue de Miss Johnson, ce mariage ne valait rien. Le professeur eût bien mieux fait de l'épouser, elle.

— Certes, je le crois, moi aussi. Mais un homme reste toujours un homme. Pas un sur cent ne consulte sa raison au moment de choisir une femme. Ma foi, on ne saurait en blâmer le professeur Leidner. La pauvre Miss Johnson est bien mal partagée quant aux attraits physiques, tandis que Mrs. Leidner était réellement une belle femme... pas toute jeune... mais, oh! si vous l'aviez connue. Il émanait un charme de toute sa personne... Mr. Coleman la comparait un jour à une nymphe des forêts. Vous allez peut-être vous moquer de moi... mais je trouvais aussi à Mrs. Leidner une allure... éthérée.

— En somme, cette femme possédait le don de se faire aimer. Je comprends, dit Poirot.

— D'autre part, Mr. Carey et elle ne faisaient guère bon ménage, repris-je. Je le trouvais jaloux à la façon de Miss Johnson. Il lui parlait toujours sèchement et Mrs. Leidner lui répondait sur le même ton. Quand elle lui passait un plat, elle se montrait polie, mais l'appelait toujours Mr. Carey d'un ton cérémonieux. Évidemment, c'était un vieil ami de son mari et certaines femmes ne peuvent supporter que d'autres aient connu leur époux avant elles-mêmes... Enfin, vous voyez ce que je veux dire...

— Oui, oui, je comprends. Et les trois jeunes hommes? Ne disiez-vous pas que Coleman devenait poète lorsqu'il parlait d'elle?

Je ne pus réprimer mon envie de rire.

— C'était même très drôle : un garçon si terre à terre...

— Et les deux autres?

— Je ne connais guère Mr. Emmott, ce garçon si réservé et si calme. Mrs. Leidner le traitait avec beaucoup de gentillesse : elle l'appelait familièrement David et le taquinait au sujet de Miss Reilly.

— Ah! vraiment? Goûtait-il ces sortes de plaisanteries?

— Je n'en sais rien. Il se contentait de la regarder d'un air bizarre. Impossible de lire dans sa pensée.

— Et Mr. Reiter?

— Avec lui, elle n'était pas du tout aimable. Je crois même qu'il lui tapait sur les nerfs. Chaque fois qu'elle s'adressait à lui, c'était pour lui décocher des sarcasmes.

— S'en offusquait-il?

— Il devenait tout rouge, le pauvre garçon. Pourtant, elle ne le faisait point par méchanceté.

Puis, soudain, mon indulgence pour Reiter se dissipa et j'eus la conviction que ce jeune homme, peut-être un assassin, jouait la comédie depuis le début.

— Oh! monsieur Poirot! m'exclamai-je, que s'est-il réellement passé, à votre avis?

Il hocha la tête d'un air pensif.

— Dites-moi franchement : cela ne vous ennuierait pas d'aller coucher là-bas, ce soir?

— Oh! non. Je n'ai pas oublié vos paroles, mais qui songerait à me tuer?

— Personne, évidemment, répondit-il. C'est un peu pour cette raison que je désirais entendre vos impressions sur chacun. A présent, je suis certain que vous n'avez rien à craindre.

— Si quelqu'un m'avait dit, à Bagdad...

Je m'interrompis.

— Vous aviez déjà entendu quelques racontars sur les Leidner et les membres de l'expédition avant de venir ici? me demanda-t-il.

Je lui appris le surnom donné à Mrs. Leidner et lui touchai un mot des propos de Mrs. Kelsey.

A ce moment, la porte s'ouvrit et Miss Reilly entra. Elle venait de jouer au tennis et tenait encore sa raquette à la main.

Je savais que Poirot lui avait déjà été présenté à son arrivée à Hassanieh.

Elle me salua de son air le plus indifférent et prit un sandwich.

— Eh bien! monsieur Poirot, dit-elle, où en êtes-vous de notre crime local?

— Pas très loin, mademoiselle.

— Je m'aperçois que vous avez sauvé Miss Leatheran du naufrage.

— Mademoiselle vient de me fournir des informations précieuses sur les différentes personnes composant l'expédition. J'ai ainsi appris maints détails sur la victime... et la victime possède souvent la clef du mystère.

— Mes compliments pour votre grande perspicacité, monsieur Poirot. En tout cas, laissez-moi vous dire que, si une femme méritait de finir assassinée, c'était bien Mrs. Leidner!

— Miss Reilly! m'écriai-je, scandalisée.

Elle émit un petit rire mauvais.

— Ah! dit-elle. Je me doutais bien qu'on ne vous avait pas révélé l'exacte vérité. Comme les autres, Miss Leatheran s'est laissé prendre au piège. Je souhaite, monsieur Poirot, que le meurtrier de Louise Leidner vous échappe. J'éprouve une vive sympathie envers lui, car moi-même, je l'avoue, j'aurais supprimé cette femme sans le moindre remords.

Cette petite peste m'inspirait une véritable horreur. M. Poirot l'écouta sans s'émouvoir. Il s'inclina et dit d'un ton aimable :

— En ce cas, j'espère, mademoiselle, que vous avez préparé un alibi pour justifier votre emploi du temps hier après-midi?

Il y eut un moment de silence et la raquette de Miss Reilly tomba sur le parquet. Elle ne se donna même pas la peine de la ramasser et proféra d'une voix haletante :

— Je jouais au tennis au club. Mais, sérieusement, monsieur Poirot, je me demande si vous savez quel genre de femme était Mrs. Leidner.

Il renouvela son petit salut et déclara :

— Veuillez vous-même m'en informer, mademoiselle.

Elle hésita un instant, puis s'exprima avec une sécheresse et une méchanceté écœurantes.

— Un préjugé stupide exige qu'on se taise devant la mort. La vérité reste toujours la vérité. Et, tout bien pesé, mieux vaudrait ne pas médire des vivants, car on risque de leur nuire. Les morts sont au-dessus de ces contingences. N'empêche que les conséquences du mal commis par eux de leur vivant subsistent parfois après leur disparition. Miss Leatheran vous a-t-elle fait part du malaise qui planait sur Tell Yarimjah? Vous a-t-elle dit à quel point tout le monde paraissait agité et soupçonneux? Tout cela, par la faute de Louise Leidner. Il y a trois ans, lorsque je n'étais encore qu'une fillette, il me plaisait de voir tous les membres de l'expédition si gais et si heureux. Même l'année dernière, tout marchait assez bien. Mais cette saison, un nuage pesait sur le groupe à cause d'elle. Elle appartenait à ce genre de femmes qui ne souffrent pas le bonheur autour d'elles. Elle éprouvait le besoin de semer la brouille, soit par plaisir ou par désir de dominer... ou peut-être simplement parce qu'elle était ainsi faite. De plus, elle accaparait tous les hommes autour d'elle.

— Miss Reilly, m'écriai-je, vous vous trompez. Je proteste contre vos propos!

Elle reprit, sans tenir compte de ma remarque :

— Non contente d'avoir un mari qui l'adorait, il fallait qu'elle tournât la tête à cet imbécile de Mercado. Ensuite, elle jeta son dévolu sur Bill. Un type raisonnable, Bill, mais elle est tout de même parvenue à l'éblouir. Quant à Carl Reiter, elle prenait un malin plaisir à le tourmenter. Elle avait beau jeu, ce garçon est timide et rougit comme une fille!

« Elle obtint moins de succès auprès de David. Celui-ci reconnaissait le charme de la femme, mais savait y résister. Il se rendait pleinement compte qu'elle était dépourvue de toute sentimentalité. Nullement en quête d'intrigues amoureuses, elle s'amusait avec le cœur des hommes et dressait les gens les uns contre les autres. Elle s'y entendait à merveille! De sa vie, elle n'eut de dispute avec personne, mais que de querelles naissaient à cause d'elle! Il lui fallait des drames, à condition de ne pas y être mêlée. Tapie dans l'ombre, elle tirait les ficelles et riait des souffrances d'autrui. Vous saisissez, n'est-ce pas, monsieur Poirot?

— Peut-être plus que vous ne pensez, mademoiselle.

Le petit vieux ne s'indignait pas, mais sa voix recélait... quoi? Je ne puis vous l'expliquer.

Cependant, Sheila Reilly le comprit mieux que moi, car son visage s'empourpra aussitôt.

— Pensez-en ce que vous voudrez, dit-elle, mais je vous l'ai dépeinte telle qu'elle était en réalité. Cette femme intelligente s'ennuyait; alors, pour passer le temps, elle expérimentait... sur des êtres humains, tout comme d'autres le font sur des produits chimiques. Elle se plaisait à exaspérer les sentiments de la pauvre Miss Johnson qui, chaque fois, mordait à l'hameçon, mais savait se dominer. Elle excitait la petite Mercado et la mettait dans de terribles colères. Elle me blessait au vif... et j'avoue que j'y donnais prise à tout instant! Elle s'employait à connaître les torts de chacun et les servait au moment opportun. Elle n'exerçait pas de chantage proprement dit : elle se contentait de faire connaître aux gens ce qu'elle savait sur leur compte et de les laisser dans le doute sur ses intentions. Ah! cette femme était vraiment artiste et s'y prenait avec une rare délicatesse!

— Et son mari? demanda Poirot.

— Elle le traitait avec beaucoup d'égards et de gentillesse, prononça lentement Miss Reilly. Elle paraissait beaucoup l'aimer. C'est un homme charmant, continuellement accaparé par ses travaux d'archéologie. Il adorait Louise et la mettait sur un piédestal. Certaines femmes en eussent été ennuyées : pas elle! Quant à lui il vivait dans une complète béatitude, et il s'estimait heureux parce que sa femme remplissait son idéal. D'autre part, il est bien difficile de concilier cette confiance avec...

— Continuez, je vous en prie, mademoiselle, insista Poirot. Elle se tourna soudain vers moi.

— Qu'avez-vous dit à M. Poirot au sujet de Richard Carey?

— Au sujet de Mr. Carey? demandai-je, étonnée.

— Oui, à propos de Mrs. Leidner et Mr. Carey?

— Ma foi, j'ai dit qu'ils ne s'entendaient guère...

A ma surprise, elle éclata de rire.

— Ils ne s'entendaient guère! Quelle naïveté! Il était follement épris d'elle et en souffrait beaucoup, étant donné sa vieille amitié pour Leidner. Cette seule raison suffisait pour qu'elle s'interposât entre ces deux hommes. Toutefois, j'imagine que...

— Eh bien?

Absorbée dans ses pensées, elle fronça le sourcil :

— J'imagine que, pour une fois, poussant les choses trop loin elle s'est laissé prendre à son propre piège! Carey est un homme séduisant au possible... Elle agissait d'ordinaire à froid, mais avec lui elle s'enflamma comme une torche.

— Ces accusations, mademoiselle, sont simplement scandaleuses, protestai-je. Que dites-vous là? Ils se parlaient à peine!

— Ah! vraiment? On voit que vous n'y connaissez rien. Dans la maison, c'étaient des « Mr. Carey » par-ci, « Mrs. Leidner » par-là, mais ils se donnaient rendez-vous dehors. Elle descendait le sentier jusqu'au Tigre. Au même moment, il quittait le chantier et ne revenait qu'au bout d'une heure. D'habitude, la rencontre avait lieu parmi les arbres fruitiers.

« Un jour, je le vis prendre congé d'elle et revenir à grandes enjambées vers les fouilles, tandis qu'elle le regardait s'éloigner. Accusez-moi d'infamie si vous voulez, mais j'avais des jumelles dans mon sac et m'en suis servie pour observer l'expression de son visage. Croyez-m'en : elle était entichée de Richard Carey...

Elle s'interrompit et s'adressa à Poirot :

— Excusez-moi d'empiéter sur vos fonctions, monsieur Poirot, proféra-t-elle avec un rire forcé, mais vous me saurez peut-être gré de vous avoir donné l'exacte couleur locale.

D'un pas ferme, elle quitta la salle à manger.

— Monsieur Poirot! m'écriai-je, je ne crois pas un mot de tous ces racontars.

Il me considéra avec un sourire et dit d'une voix bizarre :

— Vous ne nierez tout de même pas, ma sœur, que la version de Miss Reilly a jeté quelque lumière sur cette affaire?

## CHAPITRE XIX

### *Un nouveau soupçon*

Nous ne pûmes en dire davantage : à cet instant, le docteur Reilly entra.

Le médecin et le détective s'engagèrent dans une discussion d'ordre plus ou moins médical sur l'état psychologique et mental d'un auteur de lettres anonymes. Le docteur Reilly cita quelques cas rencontrés dans l'exercice de sa profession et M. Poirot raconta plusieurs affaires de ce genre qu'il avait dû démêler.

— C'est moins simple qu'on ne le croit habituellement, acheva-t-il. Le coupable agit par besoin de domination, ou encore sous l'influence d'un complexe d'infériorité.

Le docteur Reilly approuva.

— Voilà pourquoi l'auteur de lettres anonymes est souvent la personne que l'on soupçonne le moins : par exemple, une petite fille inoffensive à qui on donnerait le bon Dieu sans confession, arborant toutes les apparences de la douceur et de la résignation chrétiennes, mais consumée intérieurement d'une flamme infernale.

— Insinueriez-vous par là que Mrs. Leidner souffrait d'un complexe d'infériorité?

Le docteur Reilly vida sa pipe en ricanant.

— C'était la dernière femme sur terre à qui j'eusse attribué cette faiblesse : chez elle, aucune contrainte! De la vie, encore de la vie, et toujours de la vie! Voilà ce qu'elle cherchait et obtenait.

— Psychologiquement parlant, aurait-elle, selon vous, pu écrire ces lettres?

— Je le crois. Mais, si elle l'a fait, c'était dans le dessein de se poser en héroïne de tragédie. Dans le privé, Mrs. Leidner se considérait un peu comme une *star* de cinéma. Il lui fallait constamment se tenir au premier plan... sous le feu des projecteurs. Suivant la loi des contrastes, elle épousa le professeur Leidner, l'homme le plus tranquille et le plus modeste de ma connaissance. Il l'adorait... mais l'adoration au coin du feu ne suffisait point à sa femme; elle voulait, de surcroît, jouer le rôle de l'héroïne persécutée.

— Autrement dit, prononça Poirot en souriant, vous rejetez l'hypothèse du mari selon laquelle la femme aurait écrit elle-même ces lettres dans un état de somnambulisme?

— Ah! non, mais il m'était difficile de contredire un homme venant de perdre une épouse bien-aimée et de lui jeter à la face que cette femme n'était qu'une vulgaire menteuse et qu'elle avait failli le faire devenir fou d'inquiétude pour satisfaire ses instincts de comédienne. Il serait en effet imprudent de révéler à un mari la vérité sur les agissements de sa femme! Le plus drôle, c'est que je n'hésiterais nullement à dénoncer les torts du mari devant une épouse. Une femme reconnaît volontiers qu'un homme est un propre à rien, un escroc, un opiomane, un coquin et même un ignoble pourceau sans que pour autant ces accusations diminuent d'un iota son affection envers le coupable. Les femmes sont des réalistes en diable!

— Franchement, docteur Reilly, quelle est votre opinion sur Mrs. Leidner?

Le médecin se rejeta sur le dossier de sa chaise et, lentement, tira sur sa pipe.

— Franchement... votre question m'embarrasse. Je connaissais trop peu cette femme. Elle avait un charme incontestable, beaucoup d'intelligence et de compréhension. Quoi encore? Ni sensuelle, ni paresseuse, ni vaniteuse, elle n'était pas entachée des vices ordinaires à son sexe. Je l'ai toujours prise (sans aucune preuve, du reste) pour une fieffée menteuse. Je me demande si elle mentait à elle-même, ou aux autres. J'ai personnellement un faible pour les menteuses. Pour moi, une femme qui ne ment jamais est un être dépourvu d'imagination et de sensibilité. Je ne crois pas qu'elle courait après les hommes... elle prenait plutôt plaisir à les réduire à sa merci. Si vous abordiez ce sujet devant ma fille...

— Nous avons déjà eu cet avantage, répondit Poirot en esquissant un sourire.

— H'm! s'exclama le docteur Reilly. Elle n'a pas perdu de temps! Elle n'a pas dû l'épargner, j'imagine! La jeune génération n'a aucun respect envers les morts. A cheval sur les principes, elle condamne sans appel la moralité de ses aînés et érige pour elle-même un code très élastique. Si Mrs. Leidner avait entretenu une douzaine d'intrigues, Sheila l'eût approuvée de « vivre sa vie » ou « d'obéir à sa nature ». Mais ma fille ne voyait pas que Mrs. Leidner suivait, en réalité, son tempérament. Le chat obéit à son instinct quand il joue avec la souris. Il est ainsi fait. Les hommes ne sont pas des gamins qu'il faille protéger contre les ruses féminines. Tôt ou tard, ils rencontreront des femmes, certaines au caractère félin, d'autres fidèles comme des épagneuls, d'autres encore, perruches autoritaires et braillardes, qui ne leur accorderont pas une minute de répit! La vie est un champ de bataille... et non une partie de plaisir. J'aimerais à voir Sheila descendre de ses grands chevaux et admettre, en toute franchise, qu'elle haïssait Mrs. Leidner pour des raisons toutes personnelles. Sheila, la seule jeune fille de l'endroit, se figure que tous les jeunes hommes doivent tomber à ses pieds. Elle est naturellement humiliée de constater qu'une femme d'âge mûr et comptant deux maris à son actif se mette sur les rangs et la batte sur son propre terrain. Sheila est, au demeurant, une charmante fillette, débordante de santé et, disons-le, assez jolie et séduisante. Mais Mrs. Leidner sortait de l'ordinaire : elle possédait cette beauté fatale qui conquiert le cœur de tous les hommes... telle une belle dame sans merci.

Je sursautai sur mon siège. Quelle coïncidence! Le jeune Coleman n'avait-il pas lui-même fait cette comparaison?

— Si je ne suis pas indiscret, votre fille éprouve peut-être quelque tendresse pour un des jeunes gens de l'expédition?

— Oh! je ne pense pas. Elle a bien eu comme danseurs le jeune Coleman et Emmott. Je ne saurais dire vers lequel vont ses préférences. Il y a aussi deux aviateurs. Les prétendants ne manquent pas : elle n'a que l'embarras du choix. Mais ce qui la rend furieuse, c'est de voir une femme à l'automne de la vie triompher de sa jeunesse. Elle n'a pas, certes, mon expérience des hommes. A mon âge, on apprécie à sa juste valeur un teint d'écolière, un regard clair et un jeune corps souple et robuste. Mais une femme, passé la trentaine, sait prêter une oreille complaisante aux propos des jeunes gens et placer, çà et là, un compliment les rehaussant dans leur propre estime... Comment résisteraient-ils à ces flatteries? Sheila est jolie, mais Louise Leidner était réellement une belle femme, aux yeux magnifiques et aux cheveux d'or.

Oui, pensai-je en mon for intérieur, cet homme a raison. La beauté est un bienfait des dieux. Mrs. Leidner dégageait un charme dont on ne pouvait être jaloux : on se contentait de l'admirer. Au premier abord, j'ai eu l'impression que, pour cette femme, j'aurais fait n'importe quoi.

Toutefois, ce soir-là, pendant que le docteur Reilly me reconduisait en auto à Tell Yarimjah (il m'avait offert à dîner auparavant), un ou deux détails gênants me revinrent à la mémoire. Je n'avais pas prêté créance aux racontars injurieux de Sheila Reilly, les considérant comme inspirés par la haine et le dépit.

A présent, je me rappelais que Mrs. Leidner avait insisté pour sortir seule l'après-midi et refusé ma compagnie. Malgré moi, je me demandais si, après tout, elle n'était pas allée rejoindre Mr. Carey. La politesse exagérée dont ils usaient l'un envers l'autre à la maison me semblait pour le moins bizarre, étant donné que les autres membres de l'expédition s'appelaient par leurs prénoms.

Il évitait toujours de la regarder en face. Peut-être parce qu'il ne l'aimait pas... ou pour la raison contraire.

J'essayai de bannir ces pensées de mon esprit. Voilà maintenant que je me mettais toutes sortes de choses en tête... tout cela par suite d'une colère de gamine! Preuve indiscutable des ravages qu'on peut provoquer en répétant de telles calomnies.

Mrs. Leidner n'était pas du tout ce type de femmes. Bien sûr, elle n'éprouvait aucune sympathie pour Sheila Reilly : ce jour-là, au déjeuner, elle avait même lancé des pointes à Emmott au sujet de la jeune fille.

Cette drôle de façon dont il l'avait regardée! Impossible de deviner le fond de sa pensée. Jamais, d'ailleurs, on ne savait ce qui passait par la tête de Mr. Emmott. Il était si calme, si aimable : un homme sur qui on pouvait compter!

Quant à Mr. Coleman, c'était un vrai hurluberlu!

J'en étais là de mes réflexions lorsque nous arrivâmes à Tell Yarimjah. Il était neuf heures précises et la porte cochère était fermée à clef pour la nuit.

Ibrahim se précipita vers moi et ouvrit la porte à l'aide d'une énorme clef pour me livrer passage.

A Tell Yarimjah, on se couchait de bonne heure. Aucune lumière dans la salle commune. Une lampe brûlait dans l'atelier des architectes et une autre dans le bureau du professeur Leidner, mais presque toutes les autres fenêtres étaient plongées dans l'obscurité. Chacun, ce soir-là, avait dû se retirer encore plus tôt que de coutume.

En passant devant la salle de dessin pour me rendre à ma chambre, je jetai un coup d'œil à l'intérieur. Mr. Carey, en manches de chemise, travaillait, penché sur un plan d'importantes dimensions.

Il me parut bien malade, las et souffrant. J'en ressentis une pénible impression. Impossible d'analyser Mr. Carey : on ne pouvait le juger d'après ses paroles, parce qu'il parlait très rarement et de choses banales, et ses façons d'agir demeuraient discrètes : cependant, cet homme s'imposait à votre attention, et jamais il ne vous laissait indifférent.

Tournant la tête, il m'aperçut. Il tira sa pipe de sa bouche :

— Eh bien! mademoiselle, vous voilà de retour d'Hassanieh?

— Oui, monsieur Carey. Vous travaillez tard, ce soir, il me semble? Tout le monde est allé se coucher.

— J'ai cru devoir continuer ma besogne, légèrement en retard. Demain, nous retournons aux fouilles.

— Déjà? demandai-je, scandalisée.

Il me regarda d'un air bizarre.

— C'est le mieux que nous ayons à faire. J'en ai touché un mot à Leidner. Demain, il passera la journée à Hassanieh pour accomplir certaines formalités. Nous autres, nous reprenons notre vie quotidienne. A quoi bon demeurer ici en train de se regarder?

Raisonnement très judicieux, étant donné l'état de nervosité de chacun.

— D'un sens, je vous approuve, lui dis-je. Le travail vous fait oublier bien des choses.

L'enterrement, je le savais, devait avoir lieu le surlendemain.

De nouveau, il s'était replongé dans son travail. Je ne saurais en expliquer la raison, mais mon cœur se serrait à la vue de cet homme. J'étais convaincue qu'il allait passer là une nuit blanche.

— Désireriez-vous prendre un somnifère, monsieur Carey? lui demandai-je d'une voix hésitante.

Il secoua la tête en souriant.

— Merci, mademoiselle, je peux très bien m'en passer. C'est là une mauvaise habitude.

— Eh bien! bonne nuit, monsieur Carey. Si je puis vous rendre un service...

— Oh! pas la peine, mademoiselle. Merci. Et bonne nuit.

— Je suis désolée, dis-je, peut-être un peu trop impulsivement.

— Désolée?

Il me regarda avec surprise.

— Oui, désolée pour tout le monde ici. Cette mort tragique est si affreuse, surtout en ce qui vous concerne.

— Pour moi? Comment cela?

— Vous êtes un si vieil ami pour tous deux!

— Je suis un vieil ami de Leidner, mais Mrs. Leidner et moi n'étions point particulièrement liés d'amitié.

Le ton de ses paroles laissait entendre qu'il n'éprouvait envers elle aucune sympathie. Ah! si seulement Miss Reilly avait pu l'entendre!

— Alors, bonne nuit, répétai-je.

Et je courus à ma chambre.

Avant de me déshabiller, je vaquai à diverses occupations : je lavai quelques mouchoirs, une paire de gants, et écrivis mon journal. Au moment où je me décidais à me coucher, je jetai par la porte un coup d'œil dans la cour. Les lumières continuaient à brûler dans l'atelier des architectes et le pavillon sud.

Le professeur Leidner devait encore travailler dans son bureau. J'hésitais à aller lui souhaiter une bonne nuit, car je ne tenais point à paraître obséquieuse. Peut-être m'en voudrait-il de le déranger? Une sorte de scrupule s'empara de moi. Après tout, quel mal y avait-il à m'inquiéter de sa santé et à lui offrir mes services pour le cas où il en aurait besoin? Je ne ferais qu'entrer et sortir.

Le professeur Leidner n'était pas là. Le bureau était éclairé et j'y trouvai seulement Miss Johnson, la tête penchée sur la table et pleurant à chaudes larmes.

Ce spectacle me bouleversa. Miss Johnson était une personne si calme et si maîtresse d'elle-même que je ressentis pour elle une profonde pitié.

— Que se passe-t-il donc, mademoiselle? lui demandai-je en lui posant la main sur l'épaule. Allons, allons, je ne veux pas de ça! Il ne faut pas rester ici toute seule en train de pleurer.

Elle ne me répondit point, mais sanglota de plus belle.

— Ne pleurez plus! suppliai-je. Reprenez courage! Je vais vous préparer une bonne tasse de thé chaud!

Levant enfin la tête, elle me répondit :

— Inutile, je vous remercie. Tout va bien à présent. Je me conduis comme une sotte.

— Qu'est-ce qui vous tourmente ainsi?

Après un moment d'hésitation, elle me dit :

— C'est trop affreux...

— Pensez à autre chose, lui conseillai-je. Il faut se résigner devant l'irréparable. A quoi bon vous mettre dans un pareil état?

Elle se redressa et arrangea sa chevelure.

— Je sais que je me rends ridicule à vos yeux, prononça-t-elle de sa voix grave. Jugeant préférable de m'occuper utilement, je mettais un peu d'ordre dans ce bureau lorsque, soudain, j'ai été prise d'une crise de larmes.

— Oui, oui, je comprends. Allez vous coucher maintenant et je vous apporterai au lit une bonne tasse de thé et une bouteille d'eau chaude.

Elle dut s'exécuter, car je repoussai toute protestation.

— Merci, mademoiselle, me dit-elle lorsque, bien installée dans son lit, et les pieds au chaud, elle buvait son thé. Vous êtes la bonté même. Il est assez rare que je me laisse abattre ainsi.

— Oh! cela arrive à n'importe qui en pareilles circonstances. Vous avez éprouvé tant d'émotions et de fatigue! Ajoutez à cela la visite de la police. Je vous assure que moi-même je ne me sens pas dans mon état normal.

Lentement et d'une voix étrange, elle reprit :

— Ce que vous me disiez tout à l'heure me paraît très judicieux. Nous ne pouvons rien devant l'irréparable... (Elle se tut pendant quelques secondes et reprit d'un ton qui me rendit perplexe.) Cette femme n'était pas bonne!

Je m'abstins de discuter ce point avec elle. L'antipathie qui régnait entre les deux femmes ne m'avait jamais surprise. Miss Johnson se réjouissait peut-être, en son for intérieur, du décès de Mrs. Leidner et, se rendant compte de la bassesse de ce sentiment, avait-elle eu honte d'elle-même!

— Maintenant, faites-moi le plaisir de dormir et de ne plus songer à vos soucis.

Je ramassai différents objets et mis un peu d'ordre dans la chambre, posai ses bas sur le dossier de la chaise et pendis ses vêtements à un portemanteau. Sur le parquet, j'aperçus une petite boule de papier froissé qui avait dû tomber de sa poche.

J'étais en train de la déplier afin de voir s'il convenait de la jeter au panier, lorsqu'elle me fit sursauter.

— Donnez-moi ça!

Je lui obéis et demeurai interloquée par son ton péremptoire. Elle m'arracha le papier des mains et le présenta à la flamme de la bougie pour le brûler.

Désemparée, je la regardai faire.

Son geste avait été si brutal que je n'avais pas eu le temps de lire le contenu de cette note. Mais, sous l'effet de la flamme, la feuille se tordit de mon côté et j'eus le temps de voir quelques mots écrits à l'encre.

Une fois au lit, je compris pourquoi cette écriture m'avait paru familière : elle ressemblait étonnamment à celle des lettres anonymes.

Miss Johnson était-elle l'auteur de cette infamie?

## CHAPITRE XX

## Miss Johnson, Mrs. Mercado, Mr. Reiter

Cette idée, je l'avoue, produisit sur moi une forte commotion. Jamais je n'aurais, de moi-même, soupçonné Miss Johnson d'avoir écrit ces lettres. Passe encore Mrs. Mercado; mais Miss Johnson, cette demoiselle si distinguée, si raisonnable et si maîtresse d'elle-même.

Mais je me souviens de l'entretien qui avait eu lieu, le soir même, en ma présence, entre le docteur Reilly et M. Poirot, et de nouveaux horizons s'ouvrirent devant moi.

Si Miss Johnson était vraiment l'auteur de ces lettres, bien des choses s'expliquaient. Loin de moi la pensée d'accuser Miss Johnson d'assassinat. Mais la haine pouvait l'avoir poussée à effrayer Mrs. Leidner afin que celle-ci quittât l'expédition et renonçât une fois pour toutes à suivre son mari en Orient.

Or, Mrs. Leidner avait été tuée et Miss Johnson en ressentait un cuisant remords : elle regrettait son inutile cruauté et se rendait compte maintenant que ces lettres anonymes servaient de paravent au meurtrier. Rien de surprenant qu'elle se fût effondrée sous le poids de son chagrin. Au fond, Miss Johnson n'était pas dépourvue de sensibilité : voilà pourquoi elle avait accueilli avec tant d'empressement mes paroles de consolation : « Devant l'inévitable, il faut se résigner. »

Je me rappelai ensuite sa mystérieuse remarque qui, à ses yeux, devait justifier sa conduite : « Cette femme n'est pas bonne. »

A présent, quelle décision prendre?

Pendant un long moment, je me tournai et me retournai dans mon lit et, de guerre lasse, je résolus de me confier à M. Poirot à la prochaine occasion.

Il revint le lendemain, mais il me fut absolument impossible de lui glisser un mot en particulier.

Le seul instant où nous fûmes tête à tête, alors que je cherchais comment aborder le sujet, le détective me souffla dans l'oreille :

— Je parlerai à Miss Johnson... dans la salle commune. Avez-vous toujours en votre possession la clef de Mrs. Leidner?

— Oui, répondis-je.

— Très bien. Vous vous rendrez dans sa chambre, vous aurez soin de fermer la porte derrière vous et de pousser un cri — pas un hurlement, bien sûr — un simple cri d'alarme, de surprise, et non point de terreur panique. Si l'on vous entend, donnez une excuse quelconque... par exemple, que vous avez fait un faux pas.

A cette seconde précise, Miss Johnson apparut dans la cour et je n'eus pas le temps de raconter mon histoire à Poirot.

Je devinai parfaitement ce qu'il avait derrière la tête. Dès qu'il eut entraîné Miss Johnson dans la salle commune, je me rendis à la chambre de Mrs. Leidner et m'y enfermai.

Je me trouvai un peu ridicule, seule dans cette pièce et poussant un cri qu'aucune douleur physique ne justifiait. En outre, il m'était difficile de déterminer l'intensité à donner à ce cri. Je lançai donc un « oh ! » assez fort, puis un second, d'un ton plus élevé, et un troisième, plus bas.

Alors, je sortis, prête à expliquer, à quiconque me poserait une question, que j'avais trébuché et failli me faire une entorse.

Fort heureusement, je n'eus point d'explication à fournir. Poirot et Miss Johnson étaient engagés dans une conversation très animée que rien, de toute évidence, n'était venu interrompre.

— Enfin, pensai-je, à part moi, la question est tranchée. Ou bien Miss Johnson s'était imaginé entendre ce cri, ou alors il s'agissait de tout autre chose.

Hésitant à les déranger, je m'assis sous la véranda, sur une chaise longue. Leurs voix me parvenaient, distinctes.

— La situation est délicate, disait Poirot. Le professeur Leidner aimait sa femme...

— Il l'adorait, précisa Miss Johnson.

— Il ne cesse de me répéter à quel point tous les membres de son expédition lui étaient dévoués ! Quant à eux, que peuvent-ils dire, sinon abonder dans son sens ? Par pure courtoisie. La simple décence l'exige. Peut-être est-ce la vérité... ou bien le contraire ? Pour ma part, je demeure convaincu que la clef de l'énigme réside dans la compréhension absolue du caractère de Mrs. Leidner. S'il m'était possible de recueillir l'opinion... l'opinion sincère s'entend... de chaque membre de l'expédition, je pourrais me former un jugement sur la défunte. En réalité, voilà qui explique ma présence parmi vous aujourd'hui. Je savais que le professeur Leidner se rendrait à Hassanieh. Cela me permet de m'entretenir avec chacun de vous en particulier et de vous demander votre concours.

— Votre idée me semble excellente en tout point, déclara Miss Johnson.

— N'allez surtout pas, en bons Anglais, m'opposer des clichés tout faits. Ici, nous ne jouons pas au cricket ni au football... Ne venez pas me raconter qu'on ne doit jamais dire de mal des morts... enfin... que la loyauté exige ceci ou cela... Sachez que, dans une affaire criminelle, la fidélité à la mémoire de la victime corrompt et obscurcit la vérité.

— Rien ne m'oblige à défendre la mémoire de Mrs. Leidner. Quant à son mari, il en va différemment. Après tout, c'était sa femme.

— Précisément, précisément! Je comprends vos scrupules à parler mal de la femme de votre chef. Il n'est nullement question ici d'un certificat de bonne conduite, mais d'un mystérieux assassinat. Chercher à me faire croire qu'un ange de vertu a été tué ne peut en rien faciliter mon enquête.

— Moi, je ne l'appellerai certainement pas un ange! déclara Miss Johnson sur un ton amer.

— Dites-moi franchement votre opinion sur Mrs. Leidner... en tant que femme.

— Hum! Tout d'abord, monsieur Poirot, laissez-moi vous prévenir que j'ai du parti pris. Je suis... nous l'étions tous d'ailleurs... très dévouée au professeur Leidner. Nous prîmes tous ombrage de la venue de Mrs. Leidner. Nous lui en voulions d'accaparer son temps et son attention. L'affection qu'il lui portait nous irritait. Je suis franche, monsieur Poirot, et il me coûte de vous parler ainsi. Sa présence me contrariait, mais je m'abstins toujours de le montrer. Cette femme était venue jeter le trouble dans notre existence.

— *Notre?* Vous dites *notre?*

— Oui, je veux parler de Mr. Carey et de moi-même. Nous sommes les plus anciens, vous comprenez. Le nouvel ordre de choses nous offusqua. Sentiment assez naturel, mais peut-être un peu mesquin de notre part. Ce fut un tel changement pour nous!

— Quel genre de changement?

— Oh! en toutes choses. Jusque-là, nous vivions si heureux! Nous nous amusions beaucoup, nous prenions plaisir à nous faire des niches, comme de bons camarades travaillant en commun. Le professeur Leidner lui-même était gai comme un écolier.

— L'arrivée de Mrs. Leidner vint jeter la perturbation dans votre petit groupe?

— Oh! je ne la rends pas entièrement responsable; cependant, l'année dernière, cela marchait tout de même mieux. Surtout, n'allez pas croire que nous eussions des griefs précis contre elle. Elle s'est toujours montrée charmante envers moi... tout à fait charmante. Voilà pourquoi j'éprouve parfois un remords. Ce n'est pas sa faute si ses moindres paroles ou ses moindres actes me blessaient. En réalité, on ne pouvait être plus aimable qu'elle!

— Néanmoins, sa présence, cette année, apporta un changement complet... une ambiance toute différente?

— Oh! entièrement. A la vérité, je ne saurais à quoi l'attribuer. Tout alla de mal en pis... à part le travail. Mais aucun de nous n'était maître de son caractère. Nous avions les nerfs à fleur de peau, comme à l'approche de l'orage.

— Et vous l'imputiez à l'influence de Mrs. Leidner?

— Une bonne harmonie régnait entre nous avant son arrivée, constata sèchement Miss Johnson. Vous m'objecterez peut-être que, de nature peu sociable, je suis hostile à tout changement. Je vous en prie, ne tenez aucun compte de mon opinion, monsieur Poirot.

— Voulez-vous avoir l'obligeance de me parler du caractère et du tempérament de Mrs. Leidner?

Après quelque hésitation, Miss Johnson répondit d'une voix lente :

— Évidemment, elle était très lunatique, sujette à des hauts et des bas. Un jour, elle était charmante avec vous, et le lendemain elle ne vous adressait pas la parole. Au fond, elle était bonne et pleine d'attentions pour chacun de nous. Quand même, on voyait qu'elle avait été choyée toute sa vie. La sollicitude dont la comblait le professeur lui semblait tout à fait naturelle. Je doute qu'elle ait jamais apprécié son mari à sa juste valeur... un savant si remarquable! J'en souffrais parfois. Nerveuse et susceptible au possible, elle se forgeait des tas d'idées et se mettait dans des états épouvantables! Je fus soulagée lorsque le professeur Leidner fit venir Miss Leatheran. Il ne pouvait à la fois s'occuper sérieusement de son travail et calmer les craintes de sa femme.

— Personnellement, que pensez-vous des lettres anonymes qu'elle recevait?

Il me fut impossible de résister à ma curiosité. Je me penchai en avant jusqu'à ce que je visse le profil de Miss Johnson tourné vers Poirot. L'air parfaitement calme et maîtresse d'elle-même, elle répondait à ses questions.

— Quelqu'un en Amérique devait lui en vouloir et s'efforçait de l'effrayer et de la tourmenter.

— Rien de plus?

— Telle est du moins mon opinion. Cette belle femme avait peut-être des ennemis et ces lettres devaient provenir d'une rivale. Avec son caractère impressionnable, Mrs. Leidner prit ces menaces au sérieux.

— Sans aucun doute, dit Poirot. Mais souvenez-vous... la dernière n'est pas arrivée par la poste.

— Pour peu qu'on voulût s'en donner la peine, c'était un jeu d'enfant de procéder ainsi. Une femme menée par la jalousie ne recule devant aucun obstacle.

Vérité indiscutable, pensai-je en moi-même.

— Vous avez peut-être raison, mademoiselle. Comme vous le dites, Mrs. Leidner était une jolie femme. A propos, connaissez-vous Miss Reilly, la fille du médecin?

— Sheila Reilly? Certes, oui!

Poirot affecta un ton confidentiel. On eût dit une vieille commère.

— J'ai entendu dire (naturellement, je me garderai d'en parler au docteur) qu'il existait une amourette entre elle et un des membres de l'expédition du professeur Leidner. Savez-vous si c'est vrai?

Miss Johnson parut amusée.

— Oh! le jeune Coleman et David Emmott l'ont plusieurs fois sollicitée pour danser avec eux. Tous deux se disputaient cet honneur dans les bals d'Hassanieh où ils se rendaient habituellement le samedi soir. Je ne crois pas que Sheila y attachât quelque importance; seule jeune fille blanche de l'endroit, elle avait aussi comme danseurs les jeunes officiers du camp d'aviation.

— Ainsi donc ces commérages n'ont rien de fondé?

— Je ne saurais l'affirmer, dit Miss Johnson d'un air pensif. Il est vrai qu'elle s'aventurait souvent du côté des fouilles. L'autre jour, Mrs. Leidner taquinait à ce propos David Emmott et disait que la jeune Sheila courait après lui... Plaisanterie de mauvais goût, à mon sens, et qui n'eut pas l'heur de plaire au jeune homme. Oui, Sheila venait souvent ici. En ce fatal après-midi, je l'ai vue arriver à cheval dans la direction du chantier. D'un mouvement de tête, elle désigna la fenêtre ouverte. Mais ni David Emmott ni Coleman n'y travaillaient ce jour-là. Richard Carey surveillait les fouilles. Peut-être est-elle attirée par un de ces jeunes gens... mais c'est une gamine si moderne et si peu sentimentale qu'il est impossible de la prendre au sérieux. En tout cas, je ne pourrais vous dire lequel des deux lui plaît davantage : Billy est un excellent garçon, pas si bête qu'il en a l'air. Quant à David Emmott, c'est la crème des hommes... brave et honnête.

Elle regarda curieusement Poirot et continua :

— Quel rapport cette histoire a-t-elle avec le crime, monsieur Poirot?

M. Poirot lança ses mains en l'air d'une manière toute française :

— Vous me faites rougir, mademoiselle. Vous allez me faire

passer pour un vulgaire bavard. Mais, que voulez-vous? je m'intéresse toujours aux affaires sentimentales des jeunes gens.

Miss Johnson poussa un léger soupir.

— Tout cela est très joli lorsque rien ne vient troubler leur amour.

Poirot répondit par un soupir. Je me demandais si Miss Johnson évoquait en ses souvenirs un amour contrarié au cours de sa jeunesse... J'aurais voulu savoir si M. Poirot était marié et si, comme on le prétend au sujet des étrangers, il avait des maîtresses. Cet homme me paraissait si comique que je ne pouvais imaginer pareille chose.

— Sheila Reilly ne manque pas de caractère, observa Miss Johnson. Elle est jeune et mal élevée, mais au fond c'est une honnête fille.

— Je vous crois sur parole, mademoiselle.

Poirot se leva et ajouta :

— Y a-t-il dans la maison d'autres membres du personnel?

— Marie Mercado doit s'y trouver. Tous les hommes sont allés au chantier : on eût dit que tous désiraient s'éloigner. Je ne leur en fais point reproche. Si vous voulez que je vous accompagne aux fouilles...

Elle entra dans la véranda et me dit :

— Miss Leatheran se fera peut-être un plaisir de vous y conduire?

— Oh! certainement, mademoiselle Johnson, lui répondis-je.

— Et vous reviendrez déjeuner avec nous, n'est-ce pas, monsieur Poirot?

— Enchanté, mademoiselle.

Miss Johnson regagna la salle commune où elle se livrait à un travail de classement.

— Mrs. Mercado est sur la terrasse, dis-je à M. Poirot. Désirez-vous lui parler avant de sortir?

— Pourquoi pas? Montons, si vous voulez bien.

Comme nous grimpions l'escalier, je confiai à mon compagnon :

— Je vous ai obéi en tout point. Avez-vous entendu quelque chose?

— Pas un son.

— Voilà qui soulagera la conscience de cette pauvre Miss Johnson, dis-je. Elle craignait de n'avoir pas fait le nécessaire lorsqu'elle a entendu un cri.

Assise sur la balustrade, Mrs. Mercado, la tête penchée en avant, était si profondément plongée dans ses pensées qu'elle ne nous entendit pas venir.

Lorsque Poirot s'arrêta devant elle et lui souhaita le bonjour, elle leva la tête et sursauta.

Je lui trouvai mauvaise mine, les traits tirés et de grands cernes sombres autour des yeux.

— Encore moi, dit Poirot. Je viens aujourd'hui vous voir pour une raison toute spéciale.

Et il lui tint à peu près le même langage qu'à Miss Johnson, lui démontrant qu'il était nécessaire de lui fournir de Mrs. Leidner un portrait aussi fidèle que possible.

Cependant, Mrs. Mercado n'était pas aussi franche que Miss Johnson. Elle se répandit en chaleureux éloges qui, j'en suis sûre, étaient loin de refléter le fond de sa pensée.

— Cette chère Louise! Il est bien malaisé de dépeindre son caractère à celui qui ne l'a pas connue. C'était un être si... énigmatique! Elle ne ressemblait à personne. Elle a dû vous produire cette impression, n'est-ce pas, mademoiselle? Esclave de ses nerfs et de ses caprices, elle était sujette à des moments d'humeur; mais on lui pardonnait tout. Elle était si aimable envers tout le monde, et si modeste avec cela! Ignorant tout de l'archéologie, elle ne cherchait qu'à apprendre. Constamment, elle se renseignait auprès de mon mari sur les procédés chimiques pour le traitement des objets en métal, et prêtait la main à Miss Johnson pour le recollage des poteries! Oh! tous nous ressentions envers elle une vive affection.

— Alors, ce qu'on m'a dit n'est pas vrai, madame? On a prétendu, en effet, qu'il planait sur cette maison une atmosphère de gêne et de suspicion.

Mrs. Mercado écarquilla ses yeux noirs et opaques.

— Oh! qui donc a pu tenir devant vous de pareils propos? Miss Leatheran? Le professeur Leidner? Ce pauvre homme, j'en suis certaine, ne s'est jamais rendu compte de rien.

Elle me décocha un coup d'œil hostile.

Un sourire béat éclaira le visage de M. Poirot.

— J'ai mes espions, madame, déclara-t-il d'un ton enjoué.

L'espace d'un éclair, je vis les paupières de Mrs. Mercado trembler, puis clignoter.

— Ne pensez-vous pas, demanda Mrs. Mercado avec une grande douceur dans la voix, qu'après un événement de ce genre chacun prétende connaître un tas de choses n'ayant jamais existé?... On parle d'atmosphère tendue, de pressentiments... Les gens inventent cela après coup.

— Ces paroles, madame, renferment une bonne part de vérité.

— En réalité, tout ce qu'on vous a raconté est faux. Nous vivions tous ici en famille, très heureux.

— Cette femme ment avec une audace inouïe! m'exclamai-je, indignée, lorsque M. Poirot et moi, ayant quitté la maison, suivions le sentier qui conduisait à l'excavation. Je suis persuadée qu'elle haïssait Mrs. Leidner de toute son âme!

— Ce n'est pas à elle qu'il faut s'adresser pour connaître la vérité, acquiesça Poirot.

— On perd son temps à l'interroger, appuyai-je.

— Pas tout à fait... Pas tout à fait... Si les lèvres d'une personne mentent, souvent ses yeux proclament la vérité. De quoi a-t-elle peur, cette petite Mrs. Mercado? J'ai discerné de la frayeur dans ses prunelles. Décidément, elle redoute quelque chose. Elle m'intéresse beaucoup.

— J'ai une confidence à vous faire, monsieur Poirot.

Je lui racontai les incidents de mon retour la veille au soir et lui dis que je soupçonnais fort Miss Johnson d'être l'auteur des lettres anonymes.

— Encore une fieffée menteuse, celle-là! m'exclamai-je. Avec quel sang-froid elle vous a répondu ce matin au sujet de ces lettres.

— Oui, dit Poirot. Sa déclaration est également fort intéressante. A son insu, elle m'a laissé entendre qu'elle était parfaitement au courant de ces lettres anonymes. Or, jusqu'ici, personne n'en a parlé devant le personnel. Il est possible, évidemment, que le professeur Leidner lui en ait touché un mot hier, lui et elle sont de vieux amis. Sinon, le fait est plutôt curieux, n'est-ce pas?

Poirot monta de cent coudées dans mon estime. Avec quelle ruse il avait amené cette femme à lui parler des lettres!

— Allez-vous la questionner là-dessus? demandai-je.

M. Poirot fut scandalisé de ma suggestion.

— Non! Non! Il est toujours imprudent d'étaler son savoir. Jusqu'à la dernière minute, je garde tout ici. (Il se frappa le front.) Au moment propice, je bondis comme la panthère... et, mon Dieu! je sème la consternation autour de moi!

Je ne pus réprimer un sourire en imaginant M. Poirot dans le rôle de la panthère.

A cet instant, nous arrivions au chantier. La première personne que nous vîmes fut Mr. Reiter, occupé à photographier des murailles en ruine.

Selon moi, les hommes qui creusaient, taillaient des murs à l'endroit où ils désiraient en voir. En tout cas, cela en avait bien l'air. Mr. Carey m'expliqua que sous la pioche on sentait tout de de suite la différence. Il essaya de me le prouver, mais en pure perte. Lorsque le terrassier annonçait *Libn* (mur de terre), moi, je ne voyais que de la poussière et de la terre ordinaire.

Mr. Reiter, clichés pris, remit son appareil et les châssis à son *boy* en lui recommandant de les apporter à la maison.

Poirot lui posa quelques questions techniques sur la photographie, auxquelles il répondit avec empressement, heureux qu'on s'intéressât à son travail.

Au moment où il s'excusait de devoir nous quitter, Poirot aborda le sujet qui lui tenait à cœur. En réalité, ces questions n'étaient point étudiées à l'avance; elles variaient suivant le caractère de l'individu à qui elles étaient posées. Je ne m'astreindrai point à les transcrire entièrement chaque fois. Avec des personnes sensées et raisonnables comme Miss Johnson, il allait droit au but; avec certaines autres, il jugeait préférable de tourner autour du pot, mais, en définitive, il arrivait toujours à ses fins.

— Oui, oui, je vois ce que vous me demandez, dit Mr. Reiter, mais, en réalité, je ne sais en quoi je puis vous être utile. C'est ma première saison ici et j'ai à peine adressé la parole à Mrs. Leidner. Excusez-moi, mais je ne puis vous fournir d'autre renseignement.

Je discernai une certaine raideur dans son élocution; pourtant on ne lui trouvait pas d'accent étranger... sauf l'accent américain, cela va de soi.

— Vous pourriez du moins me dire si vous l'aimiez ou la détestiez? dit M. Poirot avec un sourire.

Mr. Reiter rougit et balbutia :

— C'était une personne charmante et très intelligente. Elle avait beaucoup d'esprit.

— Bien. Vous l'aimiez. Vous aimait-elle?

Les joues de Mr. Reiter s'empourprèrent davantage.

— Oh! je ne crois pas qu'elle s'inquiétait beaucoup de ma personne. Une ou deux fois, je voulus lui rendre service et ne réussis pas. Ma maladresse semblait l'exaspérer. J'étais pourtant animé des meilleures intentions... J'aurais fait n'importe quoi...

Poirot prit en pitié l'embarras de cet homme.

— Parfaitement... Parfaitement... Passons à un autre sujet. L'ambiance de la maison était-elle agréable?

— Plaît-il?

— Voyons... Étiez-vous tous heureux? Aimiez-vous à rire et à bavarder?

— Non... non... ce n'est pas tout à fait cela. Il régnait une certaine tension...

Il fit une pause, sembla lutter avec soi-même et continua :

— De nature timide et gauche, je ne brille guère en société. Le professeur Leidner m'a toujours témoigné une grande bonté,

mais... c'est stupide, je n'arrive pas à surmonter ma timidité.
Je dis les choses qu'il ne faut pas, je renverse les pots à eau. En
somme, je n'ai pas de chance.

Il avait, en effet, l'air d'un grand garçon empoté.

— C'est le lot de tous les jeunes gens, dit Poirot en souriant.
Le sens de la mesure et le savoir-faire, tout cela vous vient plus tard.

Avec un mot d'adieu, nous poursuivîmes notre chemin.

Poirot me dit :

— Celui-là, ma sœur, est un jeune homme simpliste, ou un
comédien consommé.

Je ne répondis point, absorbée de nouveau par la troublante
idée que dans notre entourage existait un assassin dangereux et
maître absolu de ses nerfs. Par cette éclatante matinée pleine de
soleil, un tel monstre me paraissait irréel.

## CHAPITRE XXI

## Mr. Mercado, Richard Carey

— Ils travaillent, à ce que je vois, à deux chantiers différents,
dit Poirot en s'arrêtant.

Mr. Reiter avait pris ses clichés à une extrémité de l'excavation
principale. A quelque distance de nous, un second groupe
d'hommes allait et venait, portant des paniers.

— Voilà ce qu'on appelle la grande tranchée, expliquai-je.
On n'y extrait pas grand-chose, sauf des fragments de poteries
bons à jeter aux ordures, mais le professeur Leidner affirme qu'ils
offrent un énorme intérêt. Il a sans doute raison.

— Eh bien! allons-y.

Nous cheminions lentement, car les rayons du soleil étaient
brûlants.

Mr. Mercado dirigeait les travaux. Nous le vîmes, au-dessous
de nous, en conversation avec le contremaître, un vieillard dont
l'épiderme était fripé comme la peau d'une tortue et qui portait
un manteau de drap sur la longue tunique de coton rayé.

Le chemin était peu commode pour aller les rejoindre. Dans le
sentier étroit où les marches étaient aménagées, les porteurs,
aveugles comme des chauves-souris, montaient et descendaient
constamment, sans même avoir l'idée de se ranger pour vous livrer
passage.

Comme je suivais Poirot, il demanda soudain, par-dessus son épaule :

— Mr. Mercado est-il droitier ou gaucher?

Quelle drôle de question!

Après un instant de réflexion, je répondis :

— Il est droitier.

Poirot ne condescendit point à me fournir des explications. Il continua sa route.

Mr. Mercado parut enchanté de nous voir. Sa longue figure mélancolique s'éclaira d'un sourire.

M. Poirot feignit de s'intéresser à l'archéologie. Je suis persuadée qu'il s'en moquait royalement, mais Mr. Mercado se mit en quatre pour le renseigner.

Il lui annonça qu'ils avaient creusé douze couches de fondations.

— Nous arrivons à présent au quatrième millénaire, ajouta-t-il avec enthousiasme.

— Tiens! Je me figurais qu'un millénaire n'existait que dans l'avenir... époque où tout finit, dit-on, par s'arranger.

Mr. Mercado désigna les couches de cendres. (Comme sa main tremblait! Était-il atteint de la malaria?) Il lui apprit comment les poteries et les sépultures changeaient de style suivant les siècles, lui expliqua qu'ils avaient découvert, dans une certaine couche, toute une série de sépulcres d'enfants — pauvres petits anges! — et lui parla de la position et de l'orientation des ossements.

Soudain, au moment où il se baissait pour ramasser une espèce de couteau en silex gisant dans un coin en compagnie de poteries, il bondit en poussant un hurlement.

Il se retourna et vit Poirot et moi qui le regardions, l'air étonné. De sa main, il se frappa le bras gauche.

— Quelque chose m'a piqué comme une aiguille chauffée à blanc! Poirot parut galvanisé d'énergie.

— Vite, cher monsieur! Montrez-nous cela! Mademoiselle Leatheran!

Je m'avançai.

Il saisit d'un geste adroit le bras de Mr. Mercado et releva la manche de la chemise kaki jusqu'à l'épaule.

— Là, dit Mr. Mercado, en désignant la piqûre.

A trois pouces environ au-dessous de l'épaule, une goutte de sang perlait.

— Curieux! s'exclama Poirot. (Il examina soigneusement la manche relevée.) Je ne vois rien. C'est sans doute une fourmi.

— On ferait bien d'y mettre un peu d'iodine, observai-je.

Je porte toujours sur moi un crayon d'iodine. Je le tirai vivement de son étui et l'appliquai sur la piqûre. Mais mon attention fut distraite par un détail inattendu : l'avant-bras de Mr. Mercado, sur toute sa longueur, était marqué de petits points. Je reconnus là les traces de l'aiguille hypodermique.

Mr. Mercado rabaissa sa manche et reprit ses explications. M. Poirot prêta une oreille attentive, mais il n'essaya point d'amener la conversation sur le couple Leidner. De fait, il ne posa aucune question à Mr. Mercado.

Bientôt nous prîmes congé de Mr. Mercado et remontâmes le sentier.

— Pas mal joué, hein ? me demanda mon compagnon.

Du revers de son veston, M. Poirot retira un objet et le contempla amoureusement. A ma stupéfaction, je vis une longue aiguille à repriser munie à l'extrémité d'une goutte de cire à cacheter lui donnant la forme d'une épingle.

— Monsieur Poirot ! m'écriai-je. C'est vous qui avez fait cela ?

— C'est moi l'insecte piqueur. Et je m'y suis adroitement pris, qu'en dites-vous ? Vous ne m'avez même pas vu.

C'était pourtant vrai. Je ne l'avais pas vu, pas plus, d'ailleurs, que Mr. Mercado ne l'avait soupçonné. Son geste avait dû être rapide comme l'éclair.

— Mais... monsieur Poirot... pourquoi ?

Il me répondit par une autre question.

— N'avez-vous rien remarqué, ma sœur ?

— Si, des marques de piqûres hypodermiques.

— Nous savons donc quelque chose sur le compte de Mr. Mercado. Je le soupçonnais... mais sans savoir. Or, il est toujours utile de savoir.

« Et tous les moyens d'investigation vous sont bons », pensai-je à part moi, mais je crus préférable de me taire.

Poirot se frappa la cuisse à l'endroit de sa poche :

— Ah ! zut ! J'ai laissé tomber mon mouchoir là-bas.

— Je cours le chercher, dis-je en rebroussant chemin.

Le naturel revenu chez moi au galop, je considérais Poirot comme le médecin et moi comme l'infirmière chargée de la guérison d'un cas grave. De fait, il s'agissait même d'une opération et Poirot était le chirurgien. Je ne devrais peut-être pas l'avouer, mais, au fond, tout cela commençait à m'amuser.

Je me souviens que, tout de suite après mon stage, je fus envoyée dans une villa pour soigner une malade. Une opération immédiate s'imposant, et le mari ne voulant pas entendre parler de maison de santé, la patiente fut opérée chez elle.

Pour moi, c'était une aubaine! Personne pour me surveiller! Je m'occupais de tout et ne savais où donner de la tête. Je songeais à tout ce dont le chirurgien aurait besoin, mais je craignais constamment d'avoir oublié un détail. On ne sait jamais à quoi s'en tenir avec ces gens-là! Au dernier moment, il leur manque toujours quelque chose. Cependant, tout marcha comme sur des roulettes. Je le servis à souhait et, l'opération terminée, il me prodigua des éloges... Fait assez rare chez un chirurgien! D'autre part, le médecin traitant était un homme extrêmement gentil. Et je dirigeai seule la maison à la satisfaction de tous.

La malade récupéra sa santé et le bonheur régna de nouveau dans la villa.

Actuellement, je me trouvais dans le même état d'esprit. M. Poirot me rappelait un peu ce chirurgien. Celui-là était également petit et laid, avec une figure de singe, mais quel homme prodigieux! D'instinct, il savait où trancher. Je connais pas mal de chirurgiens et sais apprécier leurs mérites.

Peu à peu, M. Poirot avait su m'inspirer confiance. Lui aussi savait exactement ce qu'il convenait de faire et je sentais qu'il était de mon devoir de l'aider. En d'autres termes, de lui passer les pinces et les pansements au moment voulu. Voilà pourquoi il me semblait tout naturel de courir après son mouchoir, comme j'aurais ramassé une serviette tombée des mains du chirurgien.

Quand j'eus retrouvé le carré de batiste, et le lui rapportai, je ne vis pas d'abord M. Poirot. Au bout d'un instant, je l'aperçus assis à quelque distance de là, en conversation avec Mr. Carey. Le *boy* de ce dernier se tenait à proximité, avec, en main, un mètre pliant en bois. A ce moment, Mr. Carey lui donna un ordre et le garçon s'éloigna, emportant son mètre.

Comprenez mon hésitation : j'ignorais ce que M. Poirot voulait de moi. Qui sait s'il ne m'avait pas envoyée chercher son mouchoir dans la seule intention de m'écarter de lui pendant quelques minutes?

De nouveau, j'assistais le chirurgien dans une opération. Il convenait de remettre au praticien l'objet désiré et à la seconde précise où il en avait besoin. Dieu merci! je connais suffisamment mon métier à l'amphithéâtre, et là je ne risque pas de commettre de bévues. Mais ici je n'étais qu'une novice; aussi me fallait-il ouvrir l'œil.

Bien entendu, je n'imaginais pas que M. Poirot m'avait envoyée à la chasse au mouchoir pour m'empêcher d'entendre sa conversation avec Mr. Carey, mais peut-être pensait-il que celui-ci parlerait plus librement en mon absence.

Je ne voudrais pas qu'on me crût capable de rechercher les occasions de surprendre les entretiens privés. Bien que je sois curieuse, je ne songerais jamais à commettre pareille vilenie!

S'il s'était agi, en l'occurrence, d'une entrevue secrète, je ne me serais pas abaissée à ce que je fis pertinemment ce jour-là.

J'étais certaine de ne pas outrepasser mes droits. En effet, une infirmière entend bien des propos échappés au malade sous l'influence de l'anesthésie. Le patient ignore totalement que vous les avez entendus, mais le fait n'en demeure pas moins. A mon point de vue, pour l'instant, Mr. Carey n'était qu'un malade que l'on opère. Il ne s'en trouverait pas plus mal s'il ne se doutait de rien. Vous me taxerez peut-être d'indiscrétion? Je suis la première à l'admettre. Je ne voulais laisser échapper aucun détail important.

Tout cela me conduit à vous avouer que je fis demi-tour et pris un chemin de traverse aboutissant à quelques pas d'eux, derrière le remblai, dont la pointe de terre me dissimula parfaitement à leur vue. Si quelqu'un prétend que cette façon d'agir était malhonnête, je me permets de le contredire : on ne doit rien cacher à l'infirmière de service, bien que, cela va de soi, il appartienne au médecin ou au chirurgien de prendre toutes décisions.

Par quelle voie détournée M. Poirot aborda-t-il le sujet qui le passionnait? Mystère? Toujours est-il que lorsque je pus entendre, il visait en plein dans le mille, pour ainsi parler.

— Personne plus que moi ne rend hommage à l'affection dévouée du professeur Leidner envers sa femme, disait-il. Mais il arrive très souvent qu'on en apprend plus sur le compte d'une personne en s'adressant à ses ennemis plutôt qu'à ses amis.

— Vous attachez donc plus d'importance aux défauts de la victime qu'à ses vertus? répliqua Mr. Carey d'un ton sarcastique.

— Oui... s'il est question d'un assassinat. Autant que je le sache, nul n'a été tué parce qu'il était trop vertueux!... Bien qu'à mon avis la perfection soit parfois bien exaspérante!

— Je crains de ne pouvoir vous renseigner utilement, déclara Mr. Carey. En toute sincérité, Mrs. Leidner et moi n'éprouvions pas une grande sympathie l'un pour l'autre. Non point que nous fussions ennemis, mais en tout cas nous n'étions point amis. Mrs. Leidner prenait peut-être ombrage de ma longue amitié pour son mari. Malgré toute mon admiration pour sa beauté, je lui en voulais un peu de son influence sur Leidner. Résultat : des rapports courtois régnaient entre nous, sans plus.

— Quelle lumineuse explication! s'écria Poirot.

Ne voyant que leurs têtes, je remarquai que Mr. Carey tournait brusquement la sienne vers Poirot comme si les paroles de celui-ci l'avaient choqué.

M. Poirot poursuivit :

— Cette froideur entre vous et sa femme n'affectait-elle pas votre ami ?

Carey hésita un long moment avant de répondre :

— Je ne puis rien certifier. Lui-même n'y faisait jamais allusion et je ne crois même pas qu'il ait eu le temps de s'en apercevoir, tant il se passionnait pour ses fouilles.

— Ce qui revient à dire que vous n'aimiez pas Mrs. Leidner.

Carey haussa les épaules.

— Peut-être lui eussé-je témoigné plus de cordialité si elle n'avait été la femme de Leidner.

Il éclata de rire, amusé par sa propre repartie.

Poirot lui dit d'un ton lointain et rêveur :

— J'ai interrogé Miss Johnson ce matin : elle a reconnu avoir eu quelques préventions contre Mrs. Leidner et ne pas la porter en odeur de sainteté, mais elle s'est empressée d'ajouter que Mrs. Leidner s'était toujours montrée aimable envers elle.

— Tout cela est bien exact, reconnut Carey.

— Je l'ai crue sur parole. Ensuite, j'ai eu une conversation avec Mrs. Mercado. Celle-ci ne tarit pas sur sa profonde affection et son admiration sans bornes pour la défunte.

Carey ne répondit pas. Après un silence, Poirot continua :

— Je ne la crus pas ! Alors, je viens vous trouver... vous me parlez... Eh bien !... je ne vous crois pas davantage !

Carey se redressa. J'entendais la colère sourde qui grondait dans sa voix.

— Croyez-moi ou ne me croyez pas, monsieur Poirot. Je vous ai dit la vérité : acceptez-la ou rejetez-la. Peu m'importe !

Poirot garda tout son sang-froid et prit un air doux et découragé :

— Est-ce ma faute si je crois... ou ne crois pas ? J'ai l'oreille si délicate, savez-vous ? Et des bruits courent... des rumeurs flottent dans l'air. On écoute... on se figure apprendre des nouvelles intéressantes. Oui, on raconte bien des histoires...

Carey bondit. Je vis nettement le sang battre ses tempes. Quel superbe profil ! Si émacié et si bronzé avec cette mâchoire carrée et volontaire ! Rien d'étonnant qu'il conquît le cœur des femmes !

— Quelles histoires ? lança-t-il d'un ton furieux.

Poirot le regarda de travers.

— Allons, vous savez bien... les ragots habituels... au sujet de vous et Mrs. Leidner.

— Que les gens ont l'âme noire !

— N'est-ce pas? Tout comme les chiens, qui déterrent toutes sortes d'immondices pour s'en repaître.

— Et vous prenez au sérieux tous ces racontars?

— Je ne demande qu'à me laisser convaincre... de la vérité, répondit Poirot d'un ton grave.

— Savoir si vous discernerez la vérité lorsqu'on vous la dira? ricana insolemment Carey.

— Mettez-moi à l'épreuve, rétorqua Poirot en l'observant de près.

— Entendu! Je vais vous servir à souhait! Eh bien! je haïssais Louise Leidner... Voilà une vérité pour vous! Je la haïssais de toute la force de mon être!

## CHAPITRE XXII

### *David Emmott, le Père Lavigny, une découverte*

Faisant brusquement demi-tour, Carey s'éloigna à grandes enjambées.

Poirot le suivit des yeux en murmurant :

— Ah! oui, je comprends...

Sans retourner la tête, il prononça d'une voix légèrement plus forte :

— Attendez une minute avant de sortir de votre cachette, ma sœur. Il pourrait se retourner. Maintenant, le danger est passé. Avez-vous mon mouchoir? Merci. Vous êtes bien aimable.

Il ne fit aucune réflexion sur ma présence derrière le remblai, et cependant il savait que j'avais écouté. Comment s'y était-il pris? Il n'avait même pas regardé une fois dans ma direction. Je ne fus point fâchée qu'il gardât le silence sur ce point. J'étais en règle avec ma conscience, mais j'eusse éprouvé de l'embarras pour lui expliquer ma conduite. Je lui fus reconnaissante de sa discrétion.

— Croyez-vous vraiment que cet homme haïssait Mrs. Leidner? demandai-je.

Hochant lentement la tête avec une expression comique sur le visage, Poirot répondit :

— Oui... je le crois.

Se levant brusquement, il se rendit au sommet du remblai où travaillaient les terrassiers. Je le suivis. Tout d'abord, nous ne vîmes que des Arabes, puis nous découvrîmes Mr. Emmott, la tête baissée vers le sol en train d'enlever la poussière d'un squelette récemment mis au jour.

En nous apercevant, il nous accueillit de son sourire grave.

— Vous venez visiter le chantier? demanda-t-il. Je suis à vous dans une minute.

Il se releva, prit son couteau et commença de gratter la terre adhérant encore aux ossements, s'interrompant de temps à autre pour déloger les petites poussières à l'aide d'un soufflet ou de sa propre haleine. Je jugeai ce dernier procédé plutôt antihygiénique.

— Monsieur Emmott, vous allez avaler toute sorte de miasmes! m'écriai-je.

— Les miasmes font partie de mon régime quotidien, répondit-il. Les germes nocifs ne peuvent rien contre l'archéologue : ils finissent par se lasser.

Il nettoya encore un peu l'os de la cuisse et donna ses instructions au contremaître.

— Voilà! dit-il en se redressant. Reiter pourra photographier cette dame après le lunch. Elle avait emporté de jolis souvenirs dans son cercueil.

Il nous montra une coupe en cuivre recouverte de vert-de-gris, quelques épingles, des débris d'or et des pierres bleues qui, jadis, avaient formé son collier.

Les ossements et les divers objets, une fois débarrassés de leurs impuretés, furent étalés sur place en l'attente du photographe.

— Qui était-elle? s'enquit Poirot.

— Elle appartenait au premier millénaire. Une dame de qualité, sans doute. Le crâne affecte une forme bizarre... et évoque une mort déterminée par un coup violent. Je demanderai à Mercado d'y jeter un coup d'œil.

— Une Mrs. Leidner d'il y a deux mille ans?

— Qui sait?

Bill Coleman attaquait un mur à l'aide d'une pioche.

David Emmott lui cria quelques mots que je ne compris point et accompagna M. Poirot dans les fouilles.

Lorsque cette courte visite, accompagnée de commentaires, fut achevée, Emmott consulta sa montre.

— Nous quittons le chantier dans dix minutes, annonça-t-il. Voulez-vous que nous retournions maintenant à la maison?

— Très volontiers, répondit M. Poirot.

Nous marchâmes à pas lents le long du vieux sentier.

— Vous devez tous être heureux d'avoir repris le travail? dit Poirot.

Emmott lui répondit sur le même ton sentencieux :

— Oui, c'était le meilleur parti à prendre. On s'ennuyait à traîner et à bavarder dans la maison.

— Sachant, tout le temps, qu'un de vous était un assassin.

Emmott ne broncha point. Je me rendais compte maintenant que, dès le début, après avoir interrogé les domestiques, il avait soupçonné la vérité.

Au bout de quelques instants, il demanda, d'une voix calme :

— Votre enquête avance-t-elle, monsieur Poirot?

L'interpellé répondit :

— Pourriez-vous m'aider à faire quelques pas dans mes recherches?

— Mais, voyons, je ne demande pas mieux!

Observant son homme de très près, Poirot prononça :

— Le centre de l'affaire est Mrs. Leidner. Je voudrais me renseigner sur son compte.

— Qu'entendez-vous par là? demanda lentement Mr. Emmott.

— Peu m'importent le lieu de sa naissance et son nom de jeune fille, la forme de son visage et la couleur de ses prunelles! Je cherche surtout à connaître son individualité.

— Croyez-vous que cela compte dans l'enquête?

— Mais certainement.

Emmott garda un instant le silence, et acquiesça :

— Peut-être avez-vous raison.

— Et c'est en cela que vous pouvez m'aider. Dites-moi, par exemple, quel genre de femme c'était.

— Je me le suis moi-même demandé bien souvent.

— Et avez-vous fini par vous former une opinion?

— Ma foi, oui!

— Eh bien?

Mais Mr. Emmott crut bon de s'abstenir et dit, après un court silence :

— Que pense d'elle Miss Leatheran? Une femme a vite fait d'en juger une autre, dit-on. De plus, une infirmière possède une expérience variée en la matière.

Poirot ne me laissa pas le temps de placer un mot, même si j'avais eu le désir de parler.

— Ce que je veux savoir, dit-il, c'est ce qu'en pense un homme?

Emmott esquissa un sourire.

— Tous partageront le même avis... Mrs. Leidner n'était certes pas de la première jeunesse, mais elle était sans conteste d'une beauté remarquable.

— Cette réponse n'en est pas une, monsieur Emmott.

— En tout cas, c'en est presque une, monsieur Poirot.

Il se tut quelques instants et poursuivit :

— Je me rappelle avoir lu, dans mon enfance, un conte de fées : *La Reine des Neiges*. Mrs. Leidner me rappelle cette Reine des Neiges qui toujours emmenait le petit Key en promenade dans son carrosse.

— Ah! ça, c'est un conte d'Andersen, n'est-ce pas? Il y avait aussi une fillette nommée la petite Gerda, si je ne me trompe?

— Peut-être. Ma mémoire ne va pas jusque-là.

— Pourriez-vous m'en dire davantage, monsieur Emmott?

David Emmott secoua la tête.

— Je ne sais si moi-même je l'ai correctement jugée. C'était une femme énigmatique. Un jour, elle était capable d'une mesquinerie et, le lendemain, d'un acte généreux. De même que vous, je la considère comme le noyau de cette affaire. Voilà le but vers lequel tendaient tous ses efforts : être le centre de l'univers. Il lui fallait que tout le monde s'occupât d'elle; non pas seulement pour lui passer les rôties et le beurre, mais vous deviez mettre votre esprit et votre cœur à nu devant elle.

— Et si quelqu'un refusait de se prêter à ses caprices? demanda Poirot.

— Alors elle devenait méchante!

Il pinça les lèvres et serra les mâchoires.

— Monsieur Emmott, consentiriez-vous à me dire, à titre tout à fait confidentiel, qui, selon vous, a commis le crime?

— Je ne sais pas. Je n'en ai pas la moindre idée. A la place de Carl... Carl Reiter, il y a longtemps que je me serais débarrassé d'elle. Elle lui en a fait voir de cruelles! Mais, entre nous, il n'a eu que ce qu'il méritait. A-t-on idée d'être aussi bonasse : c'est inviter les gens à vous botter le derrière!

— Mrs. Leidner lui a-t-elle... botté le derrière? s'enquit Poirot.

Emmott ricana.

— Non! Seulement de petites piqûres avec une aiguille à broder... telle était sa façon d'opérer. Carl est exaspérant comme un gamin geignant et stupide, mais une aiguille est une arme redoutable.

Lançant un regard vers Poirot, je crus percevoir un léger tremblement sur ses lèvres.

— Vous ne soupçonnez tout de même pas Carl Reiter de l'avoir assassinée? demanda-t-il.

— Non, à mon sens, on ne tue pas une femme parce qu'elle vous tourne en ridicule à chaque pas.

Poirot hocha pensivement la tête.

D'après Mr. Emmott, Mrs. Leidner n'avait plus rien d'un être humain. Il convenait d'entendre un autre son de cloche.

— Ce Mr. Reiter était vraiment agaçant. Il sautait dès qu'elle lui adressait la parole et se livrait à des bouffonneries idiotes. Par exemple, il lui passait la marmelade plusieurs fois de suite, sachant pertinemment qu'elle n'y touchait jamais. A maintes reprises, j'eus moi-même envie de le rappeler à l'ordre.

Les hommes ne se figurent pas à quel point leurs empressements intempestifs ont le don d'énerver les femmes.

A l'occasion, je songerais à en toucher un mot à M. Poirot.

Arrivés à la maison, Mr. Emmott offrit à M. Poirot de le conduire à sa chambre pour lui permettre de faire un brin de toilette.

Quant à moi, je me hâtai de regagner la mienne.

Je sortis à peu près en même temps que les deux hommes et tous trois nous nous dirigions vers la salle à manger, lorsque le père Lavigny, ouvrant la porte de sa chambre, invita M. Poirot à entrer.

Mr. Emmott me rejoignit et ensemble nous pénétrâmes dans la salle à manger. Miss Johnson et Mrs. Mercado s'y trouvaient déjà, et, après quelques minutes, Mr. Mercado, Mr. Reiter et Bill Coleman firent leur apparition.

Nous venions de nous asseoir, et Mr. Mercado avait envoyé le *boy* arabe prévenir le père Lavigny que le lunch était prêt, quand un cri faible et étouffé nous fit tous sursauter.

Nos nerfs devaient être à bout, car tous nous nous levâmes d'un bond et Miss Johnson, pâle comme un linge, s'écria :

— Qu'est-ce que cela peut bien être? Que se passe-t-il encore?

Mrs. Mercado, la fixant dans les yeux, lui dit :

— Qu'avez-vous donc, chère mademoiselle Johnson? C'est seulement un bruit dans les champs.

A cet instant même, Poirot et le père Lavigny entrèrent.

— Nous avons cru que quelqu'un venait de se blesser, dit Miss Johnson.

— Mille pardons, mademoiselle. C'est moi le coupable. Le père Lavigny était en train de m'expliquer des inscriptions sur ses tablettes. J'en prends une et vais près de la fenêtre pour la regarder lorsque je me tords le pied. Sur le moment la douleur était si vive que je poussai un cri.

— Nous avons cru qu'un second crime avait été commis dans la maison! s'exclama Mrs. Mercado.

— Marie! gourmanda Mr. Mercado.

Devant ce rappel à l'ordre, Mrs. Mercado rougit et se mordit la lèvre.

Miss Johnson s'empressa de faire dévier la conversation sur les travaux d'excavation et les divers objets intéressants mis au jour dans le courant de la matinée. Dès lors, durant le reste du repas, la conversation roula sur l'archéologie.

C'était, assurément, le sujet le moins scabreux.

Après le café, nous passâmes dans la salle commune. Puis les hommes, à l'exception du père Lavigny, repartirent pour les chantiers.

Le père Lavigny emmena Poirot dans la salle des antiquités où j'accompagnai les deux hommes. Je commençais à me familiariser avec tous ces objets de valeur inestimable et ressentis une pointe d'orgueil — tout comme s'il s'agissait d'un bien personnel — quand le père Lavigny prit la coupe d'or sur le rayon et que j'entendis Poirot jeter un cri d'admiration :

— Dieu! Que c'est beau! Quel travail artistique!

Le père Lavigny abonda dans son sens et fit ressortir toutes les beautés de cette coupe avec un enthousiasme et une connaissance d'érudit.

— Tiens, aujourd'hui, il n'y a pas de cire dessus, observai-je.

— De la cire? me demanda Poirot en me regardant dans le blanc des yeux.

— De la cire? répéta le père Lavigny.

J'expliquai ma remarque.

— Ah! je comprends, dit le père Lavigny, il s'agissait d'une tache de bougie.

Cela nous conduisit directement à l'histoire du visiteur nocturne. Oubliant ma présence, les deux hommes se mirent à parler en français. Je les laissai tête à tête et regagnai la salle commune.

Mrs. Mercado raccommodait les chaussettes de son mari et Miss Johnson lisait un livre, ce qui lui arrivait rarement, car elle avait toujours quelques travaux en réserve.

Au bout d'un moment, le père Lavigny et Poirot sortirent; le premier s'excusa, alléguant un travail urgent, et Poirot s'installa près de nous.

— Un homme très intéressant, observa Poirot.

Puis il demanda si le père Lavigny avait eu beaucoup de travail jusqu'ici.

Miss Johnson lui expliqua que les tablettes avaient été plutôt rares ainsi que les pierres gravées et les sceaux cylindriques. Cependant, le père Lavigny s'était acquitté de sa part de besogne dans l'expédition et accomplissait de grands progrès dans la pratique de la langue arabe.

La conversation dévia sur les sceaux cylindriques et bientôt Miss Johnson alla chercher dans une armoire une feuille couverte d'impressions obtenues en roulant ces cylindres sur de la plasticine.

Tandis que, penchés sur ce travail, nous en admirions la finesse, je songeai que telle avait dû être l'occupation de Miss Johnson en ce fatal après-midi.

Durant l'entretien, je remarquai que Poirot roulait et moulait entre ses doigts une petite boule de plasticine.

— Employez-vous une grande quantité de plasticine, mademoiselle? demanda-t-il.

— Pas mal. Cette année, il me semble que nous en avons fait une grande consommation... mais j'ignore quel en a été l'emploi. En tout cas, la moitié de notre réserve est déjà partie.

— Où se trouve-t-elle?

— Ici... dans cette armoire.

Comme elle replaçait la feuille d'impressions, elle lui montra le rayon garni de rouleaux de plasticine, de durofix, de pâtes photographiques et autres fournitures de ce genre.

Poirot se baissa.

— Et ceci, mademoiselle?

Il avait glissé sa main jusqu'au fond et ramené un objet de forme curieuse.

Comme il l'étalait sous nos yeux, nous vîmes une espèce de masque dont les yeux et la bouche étaient grossièrement dessinés à l'encre de Chine, le tout enduit de plasticine.

— Ah! par exemple! s'écria Miss Johnson. C'est la première fois que je vois cela. Comment ce masque est-il là? Que représente-t-il?

— Comment est-il venu là? Ma foi, une cachette en vaut une autre, et, sans doute, cette armoire n'aurait jamais été vidée avant la fin de la saison. Quant à ce qu'il représente, cette question est aussi facile à résoudre : nous avons ici la face décrite par Mrs. Leidner. Le visage spectral et privé de corps... entrevu à sa fenêtre dans la demi-obscurité.

Mrs. Mercado poussa un petit cri.

Miss Johnson, pâle jusqu'aux lèvres, murmura :

— Alors, il ne s'agissait pas d'hallucinations, mais d'une horrible farce! Qui en est l'auteur?

— Oui, appuya Mrs. Mercado, qui a pu se rendre coupable d'une plaisanterie aussi macabre?

Sans essayer de répondre à leurs questions, et la figure renfrognée, Poirot passa dans la pièce voisine, en rapporta une boîte en carton vide et y logea le masque tout froissé.

— Je le montrerai à la police, expliqua-t-il.

— C'est affreux, murmura Miss Johnson. Absolument affreux!

— Est-ce que le reste ne serait pas caché ici dans quelque coin? s'écria Mrs. Mercado d'une voix perçante. Peut-être que l'arme... la massue avec laquelle on l'a tuée... toute couverte encore de sang... Oh! j'ai peur... j'ai peur...

Miss Johnson la saisit par l'épaule.

— Calmez-vous, lui ordonna-t-elle. Voici le professeur Leidner. N'allons pas l'affliger davantage.

En effet, la voiture venait d'arriver. Le professeur en descendit, traversa la cour et se dirigea vers la salle commune. La fatigue avait ravagé son visage et il paraissait deux fois plus âgé que trois jours auparavant.

Il annonça d'une voix calme :

— L'enterrement aura lieu demain à onze heures. Le major Deane récitera les prières.

— Y assisterez-vous, Anna? demanda Leidner à Miss Johnson.

— Naturellement, professeur. Tout le monde y viendra.

Elle n'en dit pas davantage. Cependant son regard dut trahir les sentiments qu'elle ne pouvait décemment exprimer, car les traits du professeur rayonnèrent d'affection et de joie momentanées.

— Ma chère Anne, lui dit-il, vous m'apportez dans mon malheur une consolation et une aide inappréciables. Ma chère vieille amie!

Il posa sa main sur le bras de Miss Johnson et je vis le rouge lui monter au visage tandis qu'elle murmurait, de son ton brusque habituel :

— Oh! c'est tout naturel, professeur.

Une lueur éclaira son visage et je compris que, pendant ce bref instant, Miss Johnson nageait dans le bonheur.

Une autre idée me traversa l'esprit. Peut-être que bientôt, suivant l'ordre normal des événements, le professeur Leidner, recherchant un soulagement moral auprès de sa vieille amie, un dénouement heureux se produirait.

N'allez pas croire que je suis une marieuse. Envisager l'union de ces deux êtres eût été inconvenant de ma part à la veille des obsèques de Mrs. Leidner. Mais, après tout, cette solution était souhaitable à tous points de vue. Il éprouvait une grande affection pour Miss Johnson et celle-ci lui serait dévouée corps et âme jusqu'à la fin de sa vie. Du moins, s'il lui était possible d'entendre célébrer les louanges de Louise à longueur de journée. Mais les femmes savent s'accommoder de bien des désagréments lorsqu'elles ont atteint leur but.

Le professeur salua Poirot et lui demanda si son enquête avançait.

Miss Johnson, debout derrière le professeur Leidner, secouait énergiquement la tête et regardait avec insistance la boîte que Poirot tenait dans sa main. Par son attitude, elle semblait supplier le petit détective de ne pas faire allusion au masque devant le professeur. Elle songeait, j'en suis persuadée, qu'il avait suffisamment souffert ce jour-là.

Poirot acquiesça à son désir.

— Ce genre d'enquête demande beaucoup de temps, monsieur.

Après quelques phrases banales, M. Poirot prit congé.

Je l'accompagnai jusqu'à sa voiture.

Il me restait une demi-douzaine de questions à lui poser, mais de la façon dont il me regarda, je crus prudent de garder le silence. Autant eût valu demander à un chirurgien s'il comptait réussir une opération. Je me contentai d'attendre ses instructions.

A ma grande surprise, il me dit :

— Prenez garde à vous, mon enfant.

Puis il ajouta aussitôt :

— Je me demande s'il est sage de vous laisser ici.

— Il faut tout de même que je parle au professeur Leidner avant de quitter ma place. Mais je crois devoir différer cet entretien jusqu'après l'enterrement.

Il m'approuva d'un signe de tête.

— En attendant, n'essayez pas d'approfondir les choses. Croyez-moi, n'ayez pas l'air trop perspicace!

Et il ajouta avec un sourire :

— A vous de tenir les pansements et à moi de faire l'opération.

Ces paroles, dans sa bouche, n'offraient-elles pas une curieuse coïncidence?

Puis, changeant soudain de sujet :

— Quel homme original, ce père Lavigny!

— Un moine qui s'occupe d'archéologie, cela me semble drôle! répondis-je.

— Ah! oui, j'oubliais : vous êtes une protestante. Moi, je suis un bon catholique et je connais les prêtres et les moines.

Il fronça le sourcil, hésita un instant, puis déclara :

— Sachez qu'il est assez malin pour vous tirer les vers du nez s'il lui en prend envie.

S'il visait à me mettre en garde contre le bavardage, cet avertissement était superflu.

Après m'avoir dit au revoir, il monta dans la voiture, qui s'éloigna. Je regagnai lentement la maison en réfléchissant à tous les événements de la journée.

Je revis les traces de piqûres hypodermiques sur le bras de Mr. Mercado et me demandai de quel stupéfiant il faisait usage, puis cet horrible masque jaune tout enduit de plasticine. Comment expliquer que Poirot et Miss Johnson n'aient pas entendu mon cri dans la salle commune alors que tous, à la salle à manger, nous avions perçu celui du détective? Pourtant, la chambre du père Lavigny et celle de Mrs. Leidner se trouvaient à égale distance de la salle commune et de la salle à manger.

## CHAPITRE XXIII

### *Je donne dans les sciences occultes*

Les obsèques furent très émouvantes. Tous les membres de l'expédition, ainsi que toute la colonie anglaise d'Hassanieh, y assistèrent. Sheila Reilly elle-même, vêtue de sombre, suivit le cortège funèbre. Sans doute éprouvait-elle du remords à la pensée des mauvais propos tenus par elle sur la défunte.

De retour à la maison, j'entrai dans le bureau du professeur Leidner et lui parlai de mon départ. Il se montra aimable et me remercia de tout ce que j'avais fait. (Ce que j'avais fait! Moins que rien!) et il m'offrit avec insistance une semaine d'appointements supplémentaires.

Je protestai, car je ne méritais nullement cette générosité de sa part.

— Je préférerais ne rien toucher du tout, à part mes frais de voyage.

Mais il ne voulut rien entendre.

— Professeur Leidner, j'ai le sentiment d'avoir failli à ma tâche. Ma présence ici n'a pas sauvé Mrs. Leidner de la mort.

— Ne vous mettez pas cette idée en tête, mademoiselle, me dit-il d'un ton sincère. Somme toute, je ne vous ai pas engagée comme détective. J'étais loin de soupçonner que la vie de ma femme fût en danger, persuadé qu'elle souffrait des nerfs et d'une forte dépression mentale. Vous n'avez absolument rien à vous reprocher. Elle vous aimait et plaçait en vous sa confiance. Et ses derniers jours ont été plus calmes et plus heureux grâce à votre présence. Vous avez accompli tout votre devoir d'infirmière.

Sa voix tremblota et je lus dans sa pensée. Il ne s'en prenait qu'à lui d'avoir considéré trop à la légère les frayeurs de sa femme.

— Professeur Leidner, lui demandai-je, êtes-vous parvenu à vous former une opinion au sujet de ces lettres anonymes?

— Je ne sais vraiment qu'en penser, soupira-t-il. Et qu'en dit M. Poirot?

Louvoyant adroitement — du moins, je le croyais — entre la vérité et la fiction, je répondis :

— Hier, il n'avait encore rien conclu, du moins jusqu'à ce que je lui eusse parlé de Miss Johnson.

Je cherchais à voir quelle serait la réaction du professeur. La veille, toute au plaisir de constater la mutuelle affection existant entre lui et sa secrétaire, j'avais complètement oublié la question des lettres. Encore maintenant, je sentais qu'il serait plutôt mesquin d'en parler. Supposé même qu'elle les eût écrites, Miss Johnson était assez punie par le remords. Cependant, je désirais savoir si un tel soupçon avait pénétré l'esprit du professeur Leidner.

— D'ordinaire, les lettres anonymes sont écrites par des femmes, observai-je.

— Je partage cet avis. Mais les lettres en question peuvent être réellement l'œuvre de Frederick Bosner.

— Oui, je ne perds pas de vue cette éventualité, mais je ne puis y croire.

— Moi si! Il est stupide de vouloir les imputer à un membre de l'expédition. Ce n'est là qu'une hypothèse ingénieuse de M. Poirot. La vérité est plus simple. L'assassin, de toute évidence un fou, a rôdé autour de Tell Yarimjah sous un quelconque déguisement. Il a réussi à s'introduire dans la maison en ce fatal après-midi. Les domestiques, corrompus par l'argent, peuvent mentir.

— Cette version n'est pas invraisemblable.

Le professeur Leidner poursuivit, la voix irritée :

— Il est trop facile à M. Poirot de suspecter les membres de mon expédition! Quant à moi, je réponds qu'aucun d'eux n'est mêlé à ce drame. Je travaille avec eux et les connais suffisamment!

Brusquement il s'interrompit et continua :

— Est-ce l'expérience qui vous a appris que les lettres anonymes étaient habituellement le fait d'une femme?

— Tel n'est pas toujours le cas. Mais il existe un certain dépit féminin qui trouve son exutoire dans cette forme de vengeance.

— Sans doute faites-vous allusion à Mrs. Mercado?

Il hocha la tête en ajoutant :

— Même si elle avait eu le cœur assez noir pour vouloir commettre pareille infamie, elle eût manqué de la finesse nécessaire pour arriver à ses fins.

A ce moment, je songeai aux premières lettres renfermées dans la serviette en cuir de Mrs. Leidner. Si la défunte avait omis de fermer à clef cette serviette, Mrs. Mercado, furetant dans la maison un jour qu'elle était seule, aurait pu aisément les découvrir et les lire. Des détails aussi simples échappent toujours à la perspicacité des hommes !

— En dehors de Mrs. Mercado, il n'y a ici d'autre femme que Miss Johnson, dis-je en l'observant.

— Un tel soupçon serait grotesque.

Le sourire qui se dessina sur ses lèvres trancha la question. L'idée que Miss Johnson fût l'auteur de ces lettres ne l'avait jamais effleuré. J'eus un instant l'envie de parler, mais je m'abstins. Il me répugnait de dénoncer une personne de mon sexe et, en outre, n'avais-je pas été témoin du remords sincère et émouvant de Miss Johnson ? Inutile de revenir sur le passé et d'infliger à Mr. Leidner une nouvelle déception en sus de tous ses chagrins.

Il fut convenu que je m'en irais le lendemain et, par l'entremise du docteur Reilly, je m'arrangeai pour passer un jour ou deux chez la directrice de l'hôpital afin de prendre les dispositions nécessaires pour mon retour en Angleterre, soit via Bagdad ou directement par Nisibin, par route et voie ferrée.

Le professeur Leidner eut la délicate pensée de me proposer, à titre de souvenir, un objet ayant appartenu à la morte.

— Oh ! non, protestai-je. Vous êtes vraiment trop aimable !

Il insista.

— Je désire que vous emportiez quelque chose. Louise m'approuverait, j'en suis certain.

Il m'invita à prendre les articles de toilette en écaille.

— Oh ! non ! répétai-je. Je n'oserais accepter un présent d'une telle valeur.

— Elle ne laisse aucune parente, vous le savez bien. Personne, après elle, ne se servira de ces objets.

Je comprenais fort bien sa répugnance à les voir tomber dans les petites mains avides de Mrs. Mercado, ou à les offrir à Miss Johnson.

— Vous réfléchirez, continua-t-il sur le même ton amène. A propos, voici la clef de l'écrin à bijoux de Louise. Vous y trouverez peut-être quelque chose à votre goût. Et je vous saurais gré d'emballer sa garde-robe. Le docteur Reilly en fera don à quelques pauvres familles chrétiennes d'Hassanieh.

Heureuse de lui rendre ce service, j'acquiesçai avec empressement à ce désir. Aussitôt, je me mis à l'ouvrage.

Mrs. Leidner n'avait emporté à Tell Yarimjah que l'indispensable et j'eus vite fait de trier et d'empaqueter ses effets dans deux valises. Tous ses papiers étaient enfermés dans la serviette de cuir. L'écrin contenait seulement quelques bijoux très ordinaires : une bague ornée d'une perle, une broche de diamant, un petit collier de perles, deux broches en or et un collier d'énormes grains d'ambre.

Bien entendu, je n'avais nulle intention de m'emparer des perles ni des diamants, mais mon choix balança entre le collier d'ambre et le nécessaire de toilette. En fin de compte, nulle raison ne s'opposait à ce que j'emportasse ce dernier. Il m'avait été offert très gentiment par le professeur, sans aucune arrière-pensée, et je l'accepterais dans cet esprit, repoussant d'avance tout faux sentiment de fierté. Après tout, j'avais tout de même une certaine sympathie pour Mrs. Leidner.

Ce scrupule écarté, j'emballai les valises, refermai l'écrin à clef et le rangeai de côté pour le remettre au docteur avec la photographie du père de Mrs. Leidner et un ou deux autres objets personnels de la défunte.

La chambre me parut vide et désolée lorsque j'eus terminé ce travail. Il ne restait plus rien à faire, et cependant une volonté indépendante de la mienne me retenait dans la pièce. On eût dit que ma présence y était encore indispensable, que je devais voir ou apprendre quelque chose.

Je ne suis pas superstitieuse, mais j'eus une espèce d'intuition que l'esprit de Mrs. Leidner flottait dans la chambre et essayait d'entrer en communication avec moi.

Je me souvins qu'à l'hôpital quelques-unes de mes compagnes s'étaient procuré une planchette sur laquelle s'inscrivaient des phrases étonnantes.

Étais-je moi-même, à mon insu, un médium?

Parfois, l'imagination vous conduit à ce genre de puérilités. Je fis le tour de la chambre, remuant les meubles, mais je ne découvris rien de caché ni de glissé derrière les tiroirs. Inutile de chercher davantage.

Finalement (on me prendra peut-être pour une détraquée, mais en certaines occasions on n'est plus maître de ses actes), je me prêtai à une étrange expérience : je m'allongeai sur le lit, fermai les yeux, m'efforçant d'oublier ma personnalité et de me reporter, par la pensée, à ce fatal après-midi. Je me figurais être Mrs. Leidner en train de se reposer dans une douce quiétude.

Il est inouï comme on peut, parfois, se livrer à des extravagances.

Je suis une femme normale et pondérée, nullement adonnée aux sciences occultes. Je vous affirme cependant qu'au bout de cinq minutes je commençai à me sentir un peu médium. Je n'opposai aucune résistance, mais au contraire encourageai chez moi ce sentiment.

— Je suis Mrs. Leidner, me dis-je. Je suis Mrs. Leidner... je suis étendue sur ce lit... à demi endormie. Tout à l'heure... dans un instant... la porte va s'ouvrir.

Je ne cessai de me répéter ces phrases... comme pour m'autosuggestionner.

— Il est à peu près une heure et demie... Le moment approche... La porte va s'ouvrir... *La porte va s'ouvrir...* Je verrai qui entrera.

Je ne détachais pas mes yeux de cette porte qui allait s'ouvrir. Je la verrais s'ouvrir... et je verrais *la personne qui l'ouvrirait.*

Cet après-midi-là, j'avais certes l'esprit légèrement fatigué pour m'imaginer que je résoudrais le mystère de cette façon.

Mais je me pris à mon propre jeu. Un frisson me traversa l'épine dorsale et continua dans mes jambes. Je les sentis insensibles... paralysées.

— Tu vas tomber en transe, me dis-je, et tu vas voir...

De nouveau, je répétai, d'une voix monotone :

— La porte va s'ouvrir... la porte va s'ouvrir...

L'impression d'engourdissement et de froid s'intensifia dans mes membres.

Et alors, lentement, *je vis la porte s'entrebâiller.*

Spectacle horrible!

De ma vie je n'avais ressenti pareille torture.

J'étais paralysée, glacée jusqu'au cœur, incapable de bouger, même le petit doigt.

Et j'étais terrifiée. Malade et immobilisée par la peur.

Cette porte qui n'en finissait pas de s'ouvrir!

Sans aucun bruit.

Dans un instant, je verrais...

Lentement... lentement... elle s'ouvrait.

Bill Coleman entra d'un pas tranquille.

Il faillit mourir de frayeur.

Je bondis du lit en poussant un horrible cri et me précipitai au milieu de la chambre.

Il demeura figé sur place, son visage rose prit une teinte plus vive encore et, abasourdi, il ouvrit la bouche toute grande.

— Eh bien! Eh bien! mademoiselle. Que se passe-t-il?

Du coup, je revins à la réalité.

— Mon Dieu! monsieur Coleman! Est-ce possible de faire peur ainsi aux gens!

— Je vous demande pardon, dit-il en esquissant un sourire.

Je remarquai alors qu'il portait à la main un petit bouquet de renoncules rouges, de jolies fleurs qui croissent à l'état sauvage sur le coteau du Tell. Mrs. Leidner les affectionnait particulièrement.

Il s'empourpra davantage.

— A Hassanieh on ne peut trouver de fleuristes. Il est tout de même navrant de ne pouvoir déposer un bouquet sur la tombe; aussi ai-je pensé à me glisser ici pour mettre ces fleurettes dans ce petit vase qu'elle plaçait toujours sur sa table... simplement pour montrer qu'on ne l'a pas oubliée. Idée un peu puérile, peut-être...

Ce sentiment l'honorait. Il était honteux et embarrassé comme tous les Anglais pris en flagrant délit de sentimentalité.

— Au contraire, c'est une attention très délicate de votre part.

Je pris le vase, le remplis d'eau et y arrangeai les fleurs.

Mr. Coleman remontait encore dans mon estime. Ce geste prouvait son bon cœur et sa grande sensibilité.

Il ne me demanda aucune explication au sujet du cri que j'avais poussé à sa vue et je lui en sus gré. Quelle réponse aurais-je pu lui faire?

« A l'avenir, ma fille, sois raisonnable, me dis-je à moi-même, en remontant mes manchettes et rectifiant les plis de mon tablier. Tu n'es pas taillée pour devenir un médium. »

Ensuite, je m'occupai de faire mes bagages et employai de mon mieux le reste de la journée.

Le père Lavigny m'exprima son grand regret de me voir partir. Il me dit que mon humeur égale et mon sens commun m'avaient fait apprécier de tout le monde. Mon sens commun! S'il m'avait vue à l'œuvre dans la chambre de Mrs. Leidner!

— Nous n'avons pas vu M. Poirot aujourd'hui, remarqua-t-il.

Je lui appris que le détective devait passer la journée à lancer des télégrammes.

Le père Lavigny leva le sourcil.

— Des télégrammes? En Amérique?

— Je crois que oui. Il m'a dit « dans le monde entier ». Ces étrangers exagèrent toujours!

Alors, je rougis, me rappelant que le père Lavigny était lui-même un étranger.

Il prit cette remarque en riant et me demanda si on avait des nouvelles de l'homme aux yeux louches.

Je lui fit part de mon ignorance à ce sujet.

Le père Lavigny voulut également savoir l'heure approximative à laquelle Mrs. Leidner et moi avions aperçu cet homme dressé sur la pointe des pieds et essayant de plonger son regard par la fenêtre.

— Tout indique que cet individu s'intéressait outre mesure à Mrs. Leidner, dit-il pensivement. Bien souvent, je me suis demandé s'il ne s'agissait pas d'un Européen déguisé en Irakien.

Je réfléchis longuement à cette supposition. Je l'avais pris pour un indigène, mais je n'avais attaché d'importance qu'à son accoutrement et à la couleur jaune de sa peau.

Le père Lavigny me fit part de son intention de se rendre à l'endroit où Mrs. Leidner et moi avions vu cet homme.

— Qui sait? Il a peut-être laissé tomber un objet. Dans les romans policiers, tout bon criminel commet cette imprudence.

— Dans la vie courante, ils se montrent moins étourdis.

Je rapportai quelques chaussettes que je venais de raccommoder et les posai sur la table de la salle commune afin que chaque homme pût prendre celles qui lui appartenaient. Puis, ne voyant rien de mieux à faire, je montai sur la terrasse.

Miss Johnson s'y trouvait déjà, mais elle ne m'entendit pas venir. J'arrivai à sa hauteur sans qu'elle eût soupçonné ma présence.

Mais déjà je me rendais compte du trouble de la vieille fille.

Debout au milieu de la terrasse, elle regardait fixement devant elle, le visage dévoré d'angoisse, comme si elle venait de s'apercevoir d'un fait que son intelligence refusait d'admettre.

J'en demeurai interdite.

Ne confondons pas : l'autre soir, je l'avais vue bouleversée; aujourd'hui, son expression était toute différente.

— Chère mademoiselle Johnson, lui dis-je en m'approchant d'elle, qu'avez-vous donc?

Elle tourna la tête et me regarda d'un air absent.

— Que se passe-t-il? insistai-je.

Elle fit une grimace... comme pour avaler sa salive et proféra d'une voix rauque :

— Je viens de voir quelque chose.

— Quoi donc? Racontez-moi cela. Vous semblez dans tous vos états.

Elle essaya de se ressaisir, mais en vain.

Elle me dit d'une voix blanche :

— Je viens de me rendre compte comment on peut s'introduire ici de l'extérieur, sans se faire voir.

Je suivis la direction de son regard, mais je ne distinguai rien.

Mr. Reiter se tenait sur le seuil de son atelier de photographie et le père Lavigny traversait la cour... Rien d'autre.

Me tournant vers elle, très intriguée, je discernai une étrange expression sur ses traits.

— Vraiment, je ne saisis pas ce que vous voulez dire. Voulez-vous me l'expliquer?

Elle hocha la tête.

— Pas en ce moment... plus tard. Oh! nous aurions dû nous en douter! Nous aurions dû nous en douter!

— Si seulement vous consentiez à me renseigner...

Mais elle secoua de nouveau la tête.

— Laissez-moi d'abord réfléchir.

Passant devant moi, elle redescendit l'escalier. Je ne la suivis pas, mais, assise sur la balustrade, j'essayai de démêler cette énigme, sans toutefois y parvenir. La cour n'offrait qu'une seule issue : la grande porte voûtée. Devant cette entrée, le porteur d'eau bavardait avec le cuisinier indien. Nul n'aurait pu pénétrer sans être vu d'eux.

Perplexe, je hochai la tête et redescendis dans la cour.

## CHAPITRE XXIV

### *L'assassinat devient une habitude*

Ce soir-là, nous nous retirâmes tous de bonne heure. Au dîner, Miss Johnson se comporta comme à l'ordinaire. Elle avait cependant les yeux hagards et, à une ou deux reprises, elle parut ne pas comprendre les questions qu'on lui posait.

Le repas manqua plutôt d'entrain. Vous m'objecterez que pareil état de choses est tout à fait normal dans une maison où le jour même on est allé à l'enterrement. Néanmoins, je sais ce que je veux dire.

Jusque-là, nos repas s'étaient passés dans un silence relatif et une certaine contrainte. Tout de même, il y régnait un semblant de cordialité. La sympathie générale allait vers le professeur Leidner et un sentiment de solidarité unissait les autres, qui se sentaient tous dans le même bateau.

Ce soir-là me rappelait mon premier repas, le jour de mon arrivée : Mrs. Mercado m'avait dévisagée avec insistance et une menace pesait sur la table.

Aujourd'hui, la même atmosphère nous enveloppait : tous nous étions nerveux et irritables au possible. Si quelqu'un avait laissé tomber sa fourchette, je suis sûr qu'un d'entre nous eût poussé des cris.

Comme je viens de le dire, nous nous séparâmes de bonne heure. Je me couchai presque aussitôt. Les dernières paroles que j'entendis furent le bonsoir adressé par Mrs. Mercado à Miss Johnson devant la porte de ma chambre.

Je glissai bientôt dans le sommeil... fatiguée des émotions de la journée et surtout de cette ridicule expérience psychique effectuée chez Mrs. Leidner. Plusieurs heures durant, je dormis d'un sommeil lourd et sans rêves.

Je me réveillai en sursaut, avec le sentiment d'un désastre imminent. Quelque bruit m'avait tirée du sommeil et comme, assise sur mon séant, je prêtais l'oreille, je le perçus de nouveau.

Un épouvantable râle de souffrance.

En un clin d'œil, j'eus allumé ma bougie et sauté hors du lit. Je pris également une lampe électrique de poche, pour le cas où la bougie viendrait à s'éteindre. Je sortis sur le pas de ma porte et écoutai. Le bruit ne provenait pas de loin. Il se répéta. Il émanait de la chambre voisine de la mienne... celle de Miss Johnson.

Je me précipitai chez elle. Miss Johnson, couchée dans son lit, se tordait de souffrance. Je posai la lumière et me penchai vers la femme. Ses lèvres remuaient pour essayer de parler, mais il n'en sortait qu'un son rauque. Je constatai alors que les coins de sa bouche et la peau de son menton, d'une couleur grisâtre, étaient brûlés.

Mon regard alla de son visage à un verre gisant sur le parquet; il s'était sans doute échappé de sa main. Le tapis clair était taché d'un rouge vif à l'endroit où le verre était tombé. Je le ramassai et plongeai mon doigt au fond. J'enlevai aussitôt ma main en poussant une exclamation. J'examinai ensuite l'intérieur de la bouche de la malheureuse.

Aucun doute : d'une façon ou d'une autre, avec ou sans intention, elle avait bu une dose d'acide corrosif... oxalique ou chlorhydrique.

Je courus appeler le professeur Leidner. Il réveilla les autres et nous nous occupâmes de notre mieux de la pauvre demoiselle. Mais dès le début j'eus l'impression que nos soins ne servaient à rien. Nous lui administrâmes une forte solution de bicarbonate de soude... suivie d'huile d'olive. Pour soulager sa souffrance, je lui pratiquai une piqûre de morphine.

David Emmott courut à Hassanieh chercher le docteur Reilly, mais, avant son retour, la mort avait accompli son œuvre.

Je vous ferai grâce des détails horribles de cette scène. L'empoisonnement par une forte solution d'acide chlorhydrique (l'autopsie démontra qu'il s'agissait de ce produit) entraîne une mort des plus affreuses.

Lorsque je me penchai vers elle afin de lui injecter la morphine, elle fit un effort désespéré pour parler. Un murmure étranglé sortit de ses lèvres :

— *La fenêtre*, dit-elle, *nurse... la fenêtre...*

Elle ne put m'en dire davantage et sombra dans l'inconscience.

Cette nuit-là restera gravée à jamais dans ma mémoire : l'arrivée du docteur Reilly, celle du capitaine Maitland et, enfin, à l'aube, l'apparition d'Hercule Poirot.

Ce fut lui qui, me prenant gentiment par le bras, me conduisit dans la salle à manger, où il m'obligea à m'asseoir et à prendre une tasse de thé bien fort.

— Là, mon enfant, dit-il. Ça va aller mieux. Vous ne tenez plus debout.

Là-dessus, je fondis en larmes.

— C'est trop horrible! sanglotai-je. Cette nuit, j'ai vécu un épouvantable cauchemar. Et ses yeux... Oh! monsieur Poirot... ses yeux...

Avec une douceur toute féminine, Poirot me donna une petite tape sur l'épaule.

— Allons, allons... n'y pensez plus. Vous avez accompli votre devoir.

— C'était un acide corrosif, une forte solution d'acide chlorhydrique. Sans doute ce qu'on emploie ici pour décaper les poteries.

— Oui. Miss Johnson l'a avalé avant d'être tout à fait éveillée. A moins qu'elle ne l'ait bu avec intention.

— Oh! monsieur Poirot! Quelle idée horrible!

— Après tout, c'est possible. Qu'en pensez-vous?

Je réfléchis un instant et secouai fermement la tête.

— Je ne le crois pas... Non, pas le moins du monde... Il me semble qu'elle a découvert quelque chose hier après-midi.

— Que dites-vous là? Elle aurait découvert quelque chose?

Je lui répétai notre curieuse conversation de la veille.

Poirot sifflota.

— La pauvre femme! s'écria-t-il. Elle a dit qu'elle voulait réfléchir, n'est-ce pas? A ce moment précis, elle signait son arrêt de mort. Si seulement elle s'était confiée... à vous... tout de suite. Veuillez me redire exactement ses paroles.

Je lui obéis.

— Elle aurait vu comment on pouvait s'introduire du dehors sans se faire voir? Venez, ma sœur. Montons sur la terrasse et vous me montrerez l'endroit où se tenait Miss Johnson.

Nous montâmes ensemble l'escalier et je lui désignai la place où se trouvait Miss Johnson.

— Comme ceci? demanda Poirot. Que vois-je? La moitié de la cour, la porte voûtée, les portes du bureau des architectes, de l'atelier de photographie et du laboratoire. Y avait-il quelqu'un dans la cour?

— Le père Lavigny se dirigeait vers la grande porte et Mr. Reiter était debout sur le seuil de l'atelier de photographie.

— Je ne vois toujours pas comment quelqu'un pouvait s'introduire du dehors sans être vu de l'un de vous... Mais elle l'a vu...

Il renonça à comprendre et hocha la tête.

— Sacré nom d'un chien, va! Qu'a-t-elle donc vu?

Le soleil se levait à cet instant. Du côté de l'Orient, le ciel n'était qu'une débauche de rose, d'orange et de gris perle.

— Quel magnifique lever de soleil! s'exclama Poirot avec lyrisme.

A notre gauche, le fleuve décrivait une longue courbe et le tell détachait sa haute silhouette sur un fond d'or. Au sud, les vergers en fleurs et les champs de labour s'étendaient à perte de vue. La noria grinçait dans le lointain et son bruit nous parvenait, faible et irréel. Au nord se dressaient les sveltes minarets et les maisons d'Hassanieh d'une blancheur féerique.

Le spectacle était d'une beauté inoubliable.

Soudain, tout près de moi, Poirot poussa un long soupir.

— Faut-il que je sois bête! murmura-t-il. La vérité s'impose à moi... Elle me crève les yeux!

## CHAPITRE XXV

### *Suicide ou assassinat?*

Je n'eus pas le temps de demander des explications à Poirot, car au même moment le capitaine Maitland nous appelait d'en bas et nous priait de le rejoindre immédiatement.

Nous descendîmes l'escalier quatre à quatre.

— Dites donc, Poirot, commença le capitaine, voici une nouvelle complication : le moine a disparu.

— Le père Lavigny?

— Oui. Jusqu'ici personne ne s'en était aperçu, quand, voilà un instant, quelqu'un remarqua qu'on ne l'avait pas vu et nous allâmes dans sa chambre. Son lit n'a pas été défait et le moine n'a laissé aucune trace après lui.

Je croyais rêver : d'abord l'empoisonnement de Miss Johnson, puis la fuite du père Lavigny.

On appela les domestiques pour les interroger, mais ils ne purent donner aucun éclaircissement sur le mystère. Pour la dernière fois, on avait vu le père Lavigny la veille vers huit heures. Il avait dit à un de ses compagnons qu'il allait faire une petite promenade avant de se coucher.

Personne ne l'avait vu revenir.

Comme d'habitude, la porte cochère avait été fermée et verrouillée à neuf heures. Or, personne ne se rappelait l'avoir ouverte le matin. Chacun des deux jeunes domestiques croyait que son collègue s'était chargé de ce soin.

Le père Lavigny était-il rentré la veille au soir? Avait-il, au cours d'une récente promenade, découvert quelque indice et était-il sorti pour procéder à une nouvelle investigation? Fallait-il le considérer comme troisième victime?

Le capitaine se retourna au moment où le docteur Reilly s'approchait, accompagné de Mr. Mercado.

— Alors, Reilly, rien de neuf?

— Si fait. Je viens de vérifier les quantités avec Mercado. C'est bien de l'acide chlorhydrique provenant du laboratoire.

— Du laboratoire? Était-il fermé à clef?

Mr. Mercado secoua la tête. Ses mains tremblaient et son visage se contractait. On eût dit une épave humaine.

— Ce n'est pas dans nos habitudes, balbutia-t-il. Comprenez... ici tout le monde s'en sert à longueur de journée. Je... Personne ne se serait douté...

— Le ferme-t-on à clef pendant la nuit?

— Oui, ainsi que toutes les autres salles. Les clefs sont accrochées à un clou dans la salle commune.

— En sorte que celui qui garde la clef de cette salle peut prendre tout le trousseau?

— Oui.

— Est-ce une clef ordinaire?

— Tout à fait.

— Rien ne prouve que Miss Johnson n'ait pris elle-même le poison dans le laboratoire? demanda le capitaine Maitland.

— Elle ne l'a pas pris! m'écriai-je d'un ton nettement affirmatif.

Je sentis sur mon bras le contact d'une main. Poirot se tenait derrière moi.

A ce moment, un incident plutôt sinistre se produisit.

Non pas sinistre en lui-même... mais plutôt en raison de l'incongruité des circonstances actuelles.

Une automobile pénétra dans la cour et un petit homme, portant un casque colonial et un *trench-coat* court et épais, en descendit lestement.

Il alla droit vers le professeur Leidner, debout près du docteur Reilly, et lui serra chaleureusement la main.

— Vous voilà, mon cher! s'écria-t-il. Enchanté de vous voir. J'ai passé par ici samedi après-midi, me rendant chez les Italiens à Fugima. J'ai visité vos excavations, mais sans y rencontrer un seul Européen. Hélas! je ne connais pas la langue arabe et je n'ai pas eu le temps de pousser jusqu'à la maison. Ce matin à cinq heures j'ai quitté Fugima, je passerai deux heures ici en votre compagnie avant de rejoindre le convoi. Eh bien! comment vont les travaux?

C'était lugubre.

Le ton joyeux, les façons allègres de cet homme qui arrivait d'un monde normal blessèrent nos sentiments. Ignorant tout du drame, ce personnage nous tombait dessus avec une bonne humeur exubérante.

Rien d'étonnant si le professeur Leidner ne proféra qu'un son inarticulé et, se tournant vers le docteur Reilly, lui adressa du regard un appel suppliant.

Le docteur se montra à la hauteur des circonstances.

Il emmena le petit homme à l'écart et le mit au courant des événements.

J'appris par la suite que ce visiteur était un archéologue français nommé Verrier qui explorait les îles de la Grèce.

Verrier demeura terrifié. Lui-même avait séjourné quelque temps dans un chantier italien, loin de toute vie civilisée.

Il se prodigua en condoléances et en excuses et, s'élançant vers le professeur Leidner, lui serra chaleureusement les mains.

— Quelle tragédie! Mon Dieu, quelle tragédie! Les mots me manquent... Mon pauvre collègue!

Et, secouant la tête devant l'inutilité de ses efforts pour exprimer autrement sa pensée, le petit homme grimpa dans sa voiture et nous quitta.

Cet intermède comique, au milieu du chagrin général, nous parut plus cruel que le drame lui-même.

— Maintenant, proposa le docteur Reilly d'une voix ferme,

songeons au déjeuner. J'insiste. Leidner, il faut absolument vous sustenter.

Le pauvre homme n'était plus qu'une loque. Il nous accompagna à la salle à manger, où l'on nous servit un repas d'enterrement. Le café brûlant et les œufs frits nous firent du bien à tous, encore que personne ne se sentît l'envie de manger. Le professeur Leidner avala quelques gorgées de café et grignota son pain. Son visage, couleur de cendre, était contracté par la douleur et la consternation.

Après ce petit déjeuner, le capitaine Maitland nous interrogea.

Je lui expliquai qu'un bruit m'ayant réveillée, j'étais accourue dans la chambre de Miss Johnson.

— Vous dites qu'un verre gisait à terre?

— Oui, elle a dû le lâcher après avoir bu.

— Était-il brisé?

— Non, il était tombé sur la descente de lit. J'ai ramassé le verre et l'ai posé sur la table.

— Je vous remercie de me fournir ces détails. Nous n'avons relevé que deux sortes d'empreintes, dont l'une appartient indiscutablement à Miss Johnson, et l'autre à vous.

Il garda le silence et me pria de continuer.

Je décrivis méticuleusement les soins que j'avais donnés à Miss Johnson, quêtant du regard l'approbation du docteur Reilly qui acquiesça de la tête.

— Personne, à votre place, n'aurait pu mieux faire, dit-il.

Malgré ma certitude de n'avoir rien négligé pour sauver cette femme, ces paroles m'apportèrent un vif soulagement.

— Saviez-vous ce qu'elle avait absorbé? me demanda le capitaine.

— Non... mais je discernais parfaitement qu'il s'agissait d'un acide corrosif.

— A votre avis, nurse, Miss Johnson aurait-elle avalé ce poison de son propre gré? me demanda gravement le capitaine Maitland.

— Oh! non! Cette pensée ne m'a jamais effleuré l'esprit.

Je ne sais pourquoi j'étais si affirmative. Peut-être avais-je été influencée par la phrase de M. Poirot : « L'assassinat devient une habitude. » En outre, on ne conçoit guère qu'une personne voulant en finir avec la vie choisisse une mort aussi douloureuse.

Je fis part de cette réflexion au capitaine et, jusqu'à un certain point, il déclara partager ma manière de voir.

— En effet, on ne choisit d'ordinaire pas un pareil moyen de se détruire, à moins que, dans une crise de désespoir, on ne trouve pas autre chose sous la main.

— Était-elle désespérée à ce point? demandai-je.

— Mrs. Mercado le prétend. Elle dit que Miss Johnson paraissait, hier soir, tout à fait bouleversée et qu'elle répondait à peine quand on lui adressait la parole. Mrs. Mercado affirme qu'elle était hantée par des idées noires et que, déjà, la pensée du suicide lui était venue à l'esprit.

— Eh bien, je n'en crois pas un mot! dis-je brutalement. Ah! cette Mrs. Mercado! Quelle affreuse vipère!

— Alors, exposez-moi votre point de vue.

— Selon moi, elle a été empoisonnée.

Maitland posa la question suivante d'un ton sévère, comme s'il l'adressait à l'un de ses hommes :

— Quelle raison vous porte à le croire?

— Je ne vois pas d'autre solution.

— C'est votre opinion personnelle. Pourquoi aurait-on assassiné cette femme? Je n'en discerne pas le mobile.

— Pardon. Il y en a un. Miss Johnson a soulevé un coin du voile.

— Qu'a-t-elle donc découvert?

Je répétai, mot pour mot, notre entretien sur la terrasse.

— Elle refusa de vous donner des précisions?

— Oui, elle voulait, disait-elle, réfléchir avant de parler.

— Paraissait-elle agitée?

— Oui.

— *Un moyen de s'introduire ici de l'extérieur*, répéta-t-il perplexe, le front plissé. Où voulait-elle en venir?

— Je l'ignore. Je me suis en vain creusé la tête.

— Et vous, monsieur Poirot, qu'en pensez-vous? demanda le capitaine.

Poirot répondit :

— Vous possédez là, ce me semble, un mobile suffisant.

— Pour commettre un crime?

— Pour commettre un crime.

Le capitaine Maitland fronça davantage le sourcil.

— A-t-elle pu parler avant de mourir?

— Oui. Elle est parvenue à articuler deux mots.

— Lesquels?

— *La fenêtre...*

— La fenêtre? répéta le capitaine Maitland. Et avez-vous compris à quoi elle faisait allusion?

Je hochai la tête.

— Combien y avait-il de fenêtres dans sa chambre à coucher?

— Une seule.

— Elle donne sur la cour?

— Oui.

— Était-elle ouverte ou fermée? Ouverte, si je me souviens bien. Mais peut-être quelqu'un d'entre vous l'a ouverte?

— Non, elle est restée tout le temps ouverte. Je me demande... Je m'interrompis...

— Continuez, nurse!

— J'ai examiné la fenêtre et n'ai rien remarqué d'anormal. Je me demande s'il n'y a pas eu substitution de verres par cette ouverture.

— Substitution de verres?

— Oui. Miss Johnson avait l'habitude de se préparer un verre d'eau pour la nuit. On a dû enlever ce verre et mettre à sa place un verre d'acide chlorhydrique.

— Qu'en dites-vous, Reilly?

— S'il y a eu meurtre, l'assassin s'y est certainement pris de cette façon. Personne, à l'état de veille, ne boirait du poison à la place d'eau. Mais si on a coutume d'avaler un verre d'eau au milieu de la nuit, instinctivement on tendra le bras, on trouvera le verre à l'endroit où on l'a mis, et, dans le demi-sommeil, on en absorbera une quantité suffisante avant même de se rendre compte de son geste fatal.

Le capitaine Maitland réfléchit un instant.

— Je retournerai examiner cette fenêtre. A quelle distance se trouve-t-elle de la tête du lit?

— En allongeant le bras, on atteint la petite table placée au chevet.

— La table sur laquelle était posé le verre d'eau?

— Oui.

— La porte était-elle fermée à clef?

— Non.

— Alors, on pouvait aussi bien entrer par là pour effectuer la substitution?

— Certainement.

— Mais on courait un plus grand risque, observa le docteur Reilly. Quelqu'un profondément endormi se réveille parfois au moindre bruit de pas. Si l'assassin a pu perpétrer son crime en passant le bras par la fenêtre, c'était, sans conteste, le moyen le plus sûr.

— Je ne pense pas seulement au verre, prononça d'un ton distrait le capitaine Maitland.

Se ressaisissant, il s'adressa à moi de nouveau :

— Selon vous, cette pauvre femme, se sentant mourir, aurait cherché à vous faire comprendre qu'on avait substitué, par la fenêtre ouverte, un verre d'acide à son verre d'eau? A mon sens, le nom du criminel eût été préférable.

— Peut-être n'a-t-elle pas reconnu son visiteur nocturne, remarquai-je.

— Peut-être eût-il mieux valu qu'elle eût essayé de vous faire comprendre ce qu'elle avait découvert la veille.

Le docteur Reilly observa :

— A l'article de la mort, Maitland, on perd parfois le sens exact des proportions. Le fait qu'une main criminelle se soit avancée par la fenêtre ouverte a pu hanter l'esprit de cette femme à son dernier moment. Pour elle, l'important était de le faire savoir aux autres. A mon avis, elle avait raison : ce fait est de la plus haute importance. Elle se révoltait à l'idée qu'on pût conclure au suicide. Si elle avait eu le libre usage de sa langue, sans doute aurait-elle prononcé ces paroles : « Je n'ai pas voulu me suicider. Ce n'est pas moi qui me suis versé ce poison. On l'a placé près de mon lit par la *fenêtre*. »

Sans répondre, le capitaine Maitland tambourina un instant sur la table, puis il dit :

— Je vois deux manières d'envisager cette mort : suicide ou assassinat. Quelle est la plus probable, professeur Leidner?

Après quelques secondes de réflexion, le professeur répondit d'un ton calme et décisif :

— L'assassinat. Anna Johnson n'était point femme à se détruire.

— Non, admit le capitaine... pas en temps normal. Mais en certaines circonstances, le suicide devient une porte de sortie bien commode.

— Expliquez-vous.

Le capitaine Maitland se pencha pour ramasser un paquet que je l'avais vu déposer au pied de sa chaise. Il le jeta sur la table avec quelque effort.

— Vous ignorez probablement tous ce que contient ce paquet, que nous avons trouvé sous son lit.

Il défit le nœud de l'emballage, ouvrit la toile et mit au jour une lourde meule à main.

Cette trouvaille n'offrait en soi rien de sensationnel. Nous avions découvert une douzaine de pierres de ce genre au cours de nos excavations.

Mais sur ce spécimen une tache sombre et quelques cheveux collés retinrent notre attention.

— A vous de déterminer la nature de cette tache, Reilly, dit le capitaine. Mais, pour moi, cela ne fait aucun doute : cette pierre est l'instrument qui a servi à tuer Mrs. Leidner !


## CHAPITRE XXVI

## *A mon tour, la prochaine fois*


Quel horrible spectacle ! Le professeur Leidner semblait être prêt à défaillir et moi-même j'en étais écœurée.

Avec une curiosité toute professionnelle, le docteur Reilly examina cette pièce à conviction.

— Pas d'empreintes ? demanda-t-il au capitaine.

— Aucune.

Le docteur Reilly prit une pince et commença son examen.

— Hum... Voici une parcelle de chair humaine... des cheveux... blonds... Telle est la constatation qui frappe à première vue. Avant de conclure, je vais me livrer à une étude plus approfondie du sang... Mais le résultat ne fait pas de doute en mon esprit. On a trouvé cette meule sous le lit de Miss Johnson ? Ah ! voilà le mystère dévoilé. Elle a commis le crime, puis, — que Dieu ait son âme ! — dévorée de remords, elle a mis fin à ses jours. Cette hypothèse tient debout.

Le professeur Leidner accablé hocha la tête en murmurant :

— Non, non ! Ce n'est pas Anne !

— Où donc avait-elle caché ce paquet auparavant ? dit le capitaine Maitland. Toutes les chambres ont été fouillées après la mort de Mrs. Leidner.

Je pensai à part moi : « Dans l'armoire à fournitures de papeterie ! » mais je m'abstins de parler.

— En tout cas, poursuivit le capitaine, Miss Johnson, n'étant pas très rassurée au sujet de sa première cachette, emporta la meule dans sa chambre qui avait déjà été perquisitionnée. Ou peut-être l'a-t-elle mise sous son lit, une fois sa décision prise de se donner la mort.

— Je n'en crois rien ! m'écriai-je.

Je ne pouvais m'imaginer la douce Miss Johnson brisant le crâne de Mrs. Leidner avec cette meule. Tout mon être se révoltait contre cette pensée. Et pourtant je me rappelais certaines coïncidences plutôt troublantes. Par exemple, sa crise de larmes la nuit précédente. Moi-même j'avais attribué ces sanglots au « remords », mais je ne pensais à ce moment-là qu'aux petites mesquineries dont elle s'était rendue coupable envers la défunte.

— Je ne sais qu'en déduire, dit le capitaine Maitland. Il faudra également tirer au clair la disparition du moine français. Mes hommes battent la région pour le cas où on l'aurait assommé et jeté dans un canal d'irrigation.

— Ah! je me souviens à présent... commençai-je.

Tous les yeux se tournèrent vers moi.

— Cela se passait hier après-midi, dis-je. Le père Lavigny me questionna au sujet de l'homme qui louchait et qui essaya de regarder par la fenêtre de Mrs. Leidner. Il voulut savoir à quel endroit exactement nous l'avions rencontré, puis il ajouta qu'il allait faire un tour de ce côté-là, précisant que, dans les romans policiers, le criminel laisse toujours tomber un objet compromettant.

— Je n'en dirai fichtre pas autant des criminels auxquels j'ai eu affaire, déclara le capitaine. C'était donc cela qui le préoccupait? Drôle de coïncidence si lui et Miss Johnson avaient réussi à découvrir en même temps un indice permettant d'établir l'identité du criminel!

Il ajouta, sur un ton irrité :

— L'homme qui louchait? L'homme qui louchait? Cette histoire de l'homme aux yeux bigles a plus de portée qu'on le suppose. Et dire que mes limiers n'arrivent pas à lui mettre le grappin dessus !

— Probablement parce qu'il ne louche pas du tout, répliqua Poirot imperturbable.

— Croyez-vous que ce strabisme soit simulé? Je ne savais pas qu'on pouvait imiter longtemps pareille difformité.

Poirot se contenta de répondre :

— Ce talent est précieux en certains cas.

— Parbleu! Je donnerais gros pour savoir où se cache cet individu, bigle ou pas bigle !

— Je parierais qu'il a déjà franchi la frontière syrienne, hasarda Poirot.

— Nous avons alerté Tell Kotchek et Abu Kemal... en un mot tous les postes frontières.

— Il a dû prendre les sentiers de la montagne, ou la route que suivent les camionnettes portant de la contrebande.

— Alors, grommela le capitaine, nous ferions bien de télégraphier à Deir ez Zor.

— C'est déjà fait. Hier, j'ai recommandé à ce poste de ne pas laisser passer une voiture avec deux hommes porteurs de passeports absolument impeccables.

Le capitaine Maitland le regarda avec insistance.

— Ah! vraiment! Vous avez fait cela? Deux hommes... hein?

Poirot acquiesça de la tête.

— Oui. Ils sont deux.

— Monsieur Poirot, il me semble que vous êtes un cachottier.

— Non, pas du tout, protesta-t-il. La vérité me fut révélée ce matin, alors que je contemplais le lever du soleil. Une aurore splendide!

Personne d'entre nous n'avait remarqué la présence de Mrs. Mercado dans la pièce. Elle avait dû s'y glisser au moment où tous nous étions consternés à la vue de la meule tachée de sang.

Soudain, sans le moindre avertissement, elle se mit à pousser des cris comme un cochon qu'on égorge.

— Mon Dieu, s'écria-t-elle. Je devine tout! A présent tout s'éclaire! C'est le père Lavigny. C'est un dément... atteint de folie mystique. Pour lui, toutes les femmes sont des créatures damnées. Il veut les tuer toutes. Il a commencé par Mrs. Leidner, puis ce fut le tour de Miss Johnson... la prochaine fois, ce sera le mien.

Avec un hurlement de fureur, elle se rua vers le docteur Reilly et s'accrocha au médecin.

— Je ne veux plus rester ici! Je ne reste pas un jour de plus. Il y a du danger... du danger partout! Le fou se cache quelque part... attendant l'heure de frapper. Il va bondir sur moi.

La bouche ouverte, elle se mit à crier de plus belle.

Je m'empressai vers le docteur Reilly qui maintenait la femme par les poignets. J'appliquai à celle-ci deux bonnes claques sur les joues et, avec l'aide du médecin, je la fis asseoir.

— Personne ne va vous tuer, lui dis-je. Nous veillerons sur vous. Restez tranquille sur cette chaise.

Elle cessa de crier, referma la bouche et me regarda d'un œil stupide et effaré.

Alors se produisit une nouvelle irruption. La porte s'ouvrit et Sheila Reilly entra.

Le visage pâle et l'air grave, elle se dirigea vers Poirot.

— De bonne·heure ce matin, je suis passée à la poste. Il y avait un télégramme pour vous et je vous l'apporte.

— Merci bien, mademoiselle.

Il le prit et l'ouvrit sous le regard observateur de la jeune fille.

Le visage impassible, Poirot lut le télégramme, le replia soigneusement et le glissa dans sa poche.

Mrs. Mercado le regardait faire. Elle demanda d'une voix étouffée :

— D'où vient-il?... D'Amérique?

Il hocha la tête :

— Non, madame... Il vient de Tunis.

Elle le considéra un instant comme si elle n'avait pas bien compris. Puis, poussant un long soupir, elle se renversa sur le dossier de la chaise.

— Le père Lavigny! dit-elle. Je savais bien que j'étais dans le vrai. J'ai toujours jugé cet homme un peu bizarre. Un jour, il m'a raconté des choses... Il doit avoir un grain.

Elle fit une pause, puis ajouta :

— Je me tiendrai tranquille. Mais je veux absolument quitter cette maison. Joseph et moi nous préférons aller coucher à l'auberge.

— Patience, madame. Tout à l'heure j'expliquerai tout, dit Poirot.

Le capitaine Maitland le regarda d'un œil interrogateur.

— Ainsi, vous croyez tenir le nœud de l'affaire? lui demanda-t-il.

Poirot s'inclina profondément, comme un acteur sur la scène, ce qui eut le don d'irriter le capitaine.

— En ce cas, monsieur, parlez!

Mais Hercule Poirot ne l'entendait pas de cette oreille. Je le soupçonnais de vouloir faire des embarras. Savait-il la vérité, ou était-ce simplement du bluff?

Il se tourna vers le docteur Reilly.

— Auriez-vous l'obligeance d'appeler tout le monde, docteur?

Le médecin s'empressa d'acquiescer au désir du détective. Une minute plus tard, les autres membres de l'expédition faisaient leur entrée dans la pièce. D'abord, Reiter et Emmott, puis Bill Coleman; ensuite Richard Carey et, enfin, Mr. Mercado.

Ce dernier, pâle comme la mort, craignait sans doute d'être accusé d'homicide par imprudence pour avoir laissé traîner à la portée de tous de dangereux produits chimiques.

Chacun prit place autour de la table, comme le jour de l'arrivée de M. Poirot. Bill Coleman et David Emmott hésitèrent avant de s'asseoir et jetèrent un regard du côté de Sheila Reilly. Debout devant la fenêtre, elle leur tournait le dos.

— Voulez-vous un siège, Sheila? lui demanda Bill.

Et David Emmott dit de sa voix agréable et lente :

— Vous ne désirez pas vous asseoir?

Elle se retourna et regarda les deux jeunes gens. L'un et l'autre lui offraient une chaise. Je me demandais laquelle elle choisirait.

En fin de compte, elle n'en prit aucune.

— Merci. Je préfère m'asseoir ici, dit-elle d'un ton brusque.

Elle s'installa sur le coin d'une table, à proximité de la fenêtre.

— Si toutefois, ajouta-t-elle, le capitaine n'y voit aucun inconvénient.

J'ignore quelle eût été la réponse du capitaine si Poirot ne l'avait devancé.

— Je vous en prie, mademoiselle, restez. Il est même indispensable que vous assistiez à nos débats.

Elle leva les sourcils.

— Indispensable?

— Je n'ai pas employé d'autre mot, mademoiselle. J'ai certaines questions à vous poser.

De nouveau, elle leva les sourcils, mais garda le silence. Elle regarda par la fenêtre, comme pour témoigner son indifférence à ce qui se passait dans la salle.

— A présent, dit le capitaine, nous allons enfin savoir la vérité!

Homme d'action avant tout, il parlait avec une certaine impatience. À ce moment même, je suis persuadée que l'envie le démangeait de sortir pour aller à la recherche du père Lavigny ou pour envoyer des hommes à ses trousses.

Il décocha vers Poirot un regard rien moins qu'amène.

— Si ce bougre a quelque chose à dire, que ne parle-t-il pas? Je devinais ces mots sur le bout de sa langue.

Poirot nous regarda tour à tour d'un air approbateur, puis se leva.

Certes, je m'attendais, de la part du petit Belge, à un discours pour le moins dramatique, mais pas à cette sentence en langue arabe.

Parfaitement, il nous servit de l'arabe. D'une voix lente et solennelle, presque religieuse, il prononça ces mots :

— *Bismillahi ar rahman ar rahim.*

Puis il nous en donna la traduction :

« Au nom d'Allah, le Compatissant et le Miséricordieux! »

CHAPITRE XXVII

*Au début d'un voyage*

*Bismillahi ar rahman ar rahim.* Telle est la phrase rituelle qu'on répète ici avant de se mettre en voyage. Eh bien! nous aussi nous allons entreprendre un voyage... un voyage dans le passé... dans les régions inconnues de l'âme humaine.

Jusqu'ici, je n'avais encore pas ressenti ce qu'on a coutume d'appeler « le charme de l'Orient ». Ce qui m'avait particulièrement frappée, c'était la crasse partout étalée. Mais les paroles de M. Poirot firent surgir une vision devant mon esprit, évoquèrent des noms de villes comme Samarcande et Ispahan... les marchands aux longues barbes... les chameaux agenouillés... les porteurs vacillant sous le poids d'énormes ballots retenus sur leur dos par une courroie de tête... les femmes à la chevelure teinte au henné, au visage tatoué, lavant leur linge à genoux au bord du Tigre. Je percevais leurs chants plaintifs mêlés au grincement lointain de la noria...

J'avais entendu et vu toutes ces choses sans en faire grand cas. Maintenant, elles me paraissaient différentes... tel un vieux morceau d'étoffe mis à la lumière du jour et qui, soudain, révèle les riches couleurs d'une broderie ancienne.

Puis je jetai un coup d'œil autour de la pièce où nous étions assis, et j'eus la curieuse impression que M. Poirot venait de dire vrai : nous nous mettions en route pour un voyage. Tous réunis pour le moment, bientôt chacun prendrait une voie différente.

J'observais mes compagnons l'un après l'autre, comme si je les voyais pour la première fois... et aussi pour la dernière... ce qui peut paraître stupide ; néanmoins, telle était mon impression.

Mr. Mercado tordait nerveusement ses doigts et ses yeux clairs fixaient Poirot de leurs prunelles dilatées. Mrs. Mercado couvait du regard son mari, comme une tigresse prête à bondir. Le professeur Leidner, ramassé sur lui-même, semblait abattu par ce dernier coup. On eût juré qu'il n'était pas du tout dans la pièce, mais que sa pensée errait dans une contrée connue de lui seul. Les yeux exorbités, l'air idiot, Mr. Coleman regardait Poirot bouche bée. Je ne distinguais pas nettement le visage de Mr. Emmott, car il considérait la pointe de ses souliers. Mr. Reiter, faisant la moue, avançait les lèvres et ressemblait plus que jamais à un petit goret bien propre. Miss Reilly, toujours à la fenêtre, nous tournait le dos et il eût été difficile de deviner ses sentiments. Puis j'observai Mr. Carey : son expression me fit peine à voir et je détournai la tête. Nous étions tous présents en ce moment, mais je ne pus m'empêcher de songer que lorsque Poirot aurait terminé son discours, nous nous trouverions séparés...

Sensation des plus troublantes...

Poirot continuait de sa voix calme, comme un fleuve coulant entre ses berges... jusqu'à la mer :

— Dès le début, j'ai senti que, pour comprendre cette affaire, il ne fallait point s'attacher aux signes ou indices extérieurs, mais à d'autres, plus réels, mettant en relief les conflits entre les personnes ici présentes et les secrets de leur cœur.

« Bien que je sois maintenant arrivé à ce que je considère comme la véritable solution du mystère, *je n'en possède point la preuve matérielle.* Je sais que cela est ainsi parce que cela doit être ainsi, parce que d'aucune autre façon nul détail ne trouverait la place qui lui est raisonnablement assignée.

« Selon moi, c'est la seule solution satisfaisante.

Après une pause, il continua :

— Je commencerai mon voyage au moment où je fus amené à me charger de l'enquête... lorsqu'on me plaça devant le fait accompli. A mon avis, chaque affaire criminelle présente une forme et un aspect particuliers. Celle-ci tourne autour de la personnalité de Mrs. Leidner. Tant que j'ignorerais quel genre de femme était Mrs. Leidner, je serais incapable de découvrir l'assassin et le mobile de son acte.

« Mon point de départ consistait donc à approfondir le caractère de Mrs. Leidner.

« Un autre point psychologique retint mon attention : l'atmosphère tendue régnant parmi les membres de l'expédition... Plusieurs personnes — quelques-unes même étrangères à cette maison — attestèrent ce fait et je pris note de ne pas le perdre de vue au cours de mes investigations.

« De l'avis général, ce malaise était dû à l'influence de Mrs. Leidner, mais, pour des raisons que j'exposerai par la suite, cette hypothèse ne me donna pas toute satisfaction.

« D'abord, j'essayai d'analyser la personnalité de Mrs. Leidner et les moyens ne me firent point défaut. J'étudiai les réactions produites par elle sur les habitants de cette maison, tous de caractères et de tempéraments nettement différents; ajoutez à cela mes propres observations, il va de soi, assez restreintes. Cependant, certains faits ne m'échappèrent point.

« Mrs. Leidner possédait des goûts simples, voire austères, et ne recherchait nullement le luxe. En outre, elle consacrait une bonne partie de son temps à des broderies fines et délicates, ce qui indique un tempérament artiste et épris de beauté. Les livres de sa petite bibliothèque m'apprirent que c'était une femme cultivée et aussi, je suppose, une individualiste absolue.

« On m'a laissé entendre que Mrs. Leidner se plaisait à attirer les hommages des hommes et qu'elle était, en réalité, une femme sensuelle. J'ai peine à le croire.

« Dans sa chambre, sur une étagère, je relevai les volumes suivants : *Qui étaient les Grecs? Introduction à la Relativité, La Vie de Lady*

*Hester Stanhope, Le Retour à Mathusalem, Linda Condom, Le Train de Crewe.*

« Elle s'intéressait à la culture et à la science modernes... preuve d'un goût intellectuel très marqué. Quant aux romans, *Linda Condom* et *Le Train de Crewe*, à un moindre degré, ils témoigneraient que Mrs. Leidner réservait sa sympathie à la femme indépendante... affranchie des entraves masculines. De toute évidence, elle s'intéressait au caractère de Lady Stanhope. *Linda Condom* est l'étude exquise d'une femme amoureuse de sa propre beauté. Et *Le Train de Crewe*, l'observation approfondie d'une individualiste passionnée. *Le Retour à Mathusalem* a trait au côté intellectuel de la vie plutôt qu'à son côté émotionnel. Je commençais à comprendre la psychologie de la défunte.

« J'analysai ensuite l'opinion que se formait d'elle son entourage immédiat, et l'image de Mrs. Leidner se précisa davantage en mon esprit.

« D'après les dires du docteur Reilly et des autres, je conclus que Mrs. Leidner était une de ces femmes douées par la nature, non seulement d'une grande beauté, mais d'une puissance fatale. De telles créatures sèment sur leur passage le drame et les catastrophes... qui, souvent, atteignent les autres... mais dont elles-mêmes tombent parfois victimes.

« Je fus dès lors convaincu que Mrs. Leidner avait un amour excessif de sa personne et que, par-dessus tout, elle savourait la joie de dominer. En quelque lieu où elle se trouvât, elle voulait être le centre de l'univers. Autour d'elle, chacun — homme ou femme — devait reconnaître sa puissance. Certains ne lui opposaient aucune résistance. Miss Leatheran, par exemple, nature généreuse, à l'imagination romanesque, fut immédiatement conquise et lui prodigua sans réserve son admiration. Mais Mrs. Leidner exerçait son influence d'une autre façon : la peur. Lorsqu'elle triomphait trop facilement, elle donnait libre cours à ses instincts cruels. Entendez bien qu'il ne s'agissait pas d'une cruauté consciente, mais tout à fait instinctive, comme celle du chat jouant avec la souris. Dans ses actes réfléchis, au contraire, elle était foncièrement bonne et se mettait en quatre pour obliger autrui.

« Or, le problème des lettres anonymes était le plus important à résoudre. Qui les avait écrites et dans quel dessein ? Mrs. Leidner se les était-elles écrites à *elle-même* ?

« Pour répondre à cette question, il est indispensable de remonter loin en arrière... jusqu'au premier mariage de Mrs. Leidner. Ici commence réellement notre voyage... le voyage dans la vie de Mrs. Leidner.

« Tout d'abord, ne perdons pas de vue que la Louise Leidner du passé est essentiellement la même que celle que vous avez connue.

« A cette époque, elle était jeune, remarquablement belle, de cette beauté ensorceleuse qui frappe l'esprit et les sens d'un homme et, de plus, elle était déjà égoïste.

« De telles femmes se révoltent à l'idée du mariage. Elles peuvent être attirées vers les hommes, mais ne veulent appartenir à personne. Cependant, Mrs. Leidner se maria... Nous ne nous tromperons guère en affirmant que son mari était un homme d'une certaine force de caractère.

« Lorsqu'elle apprend qu'il se livre à l'espionnage pour le compte d'une nation étrangère, Mrs. Leidner le dénonce au gouvernement, suivant ses révélations faites à Miss Leatheran.

« J'admets qu'il y ait eu dans sa détermination une cause psychologique. N'a-t-elle pas confié à Miss Leatheran que, pleine d'ardeur à cette époque, seule son exaltation patriotique l'avait guidée en la circonstance? Mais nous cherchons tous, en général, à justifier nos actes et, instinctivement, nous leur prêtons les mobiles les plus nobles. Mrs. Leidner peut elle-même avoir cru n'obéir qu'à des sentiments patriotiques, alors qu'elle était, à mon sens, poussée par le désir inavoué de se débarrasser de son époux! Elle haïssait la domination masculine, ne pouvait supporter d'appartenir à quelqu'un et de jouer un rôle de second plan. Pour reconquérir sa liberté, elle se rabat sur son patriotisme.

« Mais au tréfonds d'elle-même subsistait un certain remords qui devait, par la suite, influencer profondément sa vie.

« Nous arrivons à la question des lettres. Mrs. Leidner tournait la tête aux hommes et, en plusieurs occasions, elle-même se laissa attirer par eux... mais chaque fois une lettre de menace lui parvenait, anéantissant tout espoir.

« Qui écrivait ces lettres? Frederick Bosner, ou son frère William, ou *Mrs. Leidner elle-même?*

« L'une ou l'autre de ces hypothèses peuvent fort bien se soutenir. Mrs Leidner me semble avoir été une de ces femmes capables d'inspirer à un homme une passion dévorante, capable de dégénérer en obsession. Je crois volontiers à l'existence d'un Frederick Bosner pour qui Louise, sa femme, importait par-dessus tout! Elle l'avait dénoncé une fois et il n'osait reparaître devant elle, mais il s'était juré qu'elle ne serait qu'à lui, ou à personne. Il la tuerait plutôt que de la voir appartenir à un autre.

« D'autre part, si Mrs. Leidner éprouvait une telle répugnance pour les liens du mariage, il est possible qu'elle se servît de ce moyen en vue d'éloigner les prétendants. Cette Diane chasseresse, une fois sa proie atteinte, la repoussait dédaigneusèment. S'enveloppant d'une atmosphère de drame dont elle raffolait, elle ressuscitait un mari, s'opposant à toute nouvelle union et faisait figure d'héroïne tragique.

« Cet état de choses subsista pendant plusieurs années. A chaque demande en mariage, une lettre de menace arrivait.

« Nous touchons maintenant à une phase troublante. Le professeur Leidner entre en scène... et cette fois aucune lettre ne s'oppose à ce qu'elle devienne Mrs. Leidner. Elle en reçoit bien une, mais après le mariage.

« Aussitôt, nous nous demandons : « Pourquoi? »

« Étudions, l'une après l'autre, chacune des trois hypothèses.

« Si Mrs. Leidner a écrit elle-même ces lettres, le problème se résout de lui-même : Mrs. Leidner désirait épouser le professeur Leidner et elle est parvenue à ses fins. *Alors, pourquoi se serait-elle écrit une lettre ensuite*? Son amour du romanesque était-il à ce point violent? Et pourquoi seulement deux lettres? Ensuite, pendant un an et demi, elle n'en reçut point.

« Abordons à présent l'autre hypothèse : Si les lettres étaient l'œuvre de Frederick Bosner (ou de son frère), pourquoi la lettre de menace apparaît-elle après le mariage? Selon toute apparence, Frederick Bosner ne consentait point à l'union de Louise avec Leidner. Alors, pourquoi ne l'a-t-il pas empêchée par le procédé qui lui avait si bien réussi jusqu'ici? Et pourquoi, *ayant laissé le mariage s'accomplir*, continue-t-il ses menaces?

« Mr. Bosner se trouvait sans doute dans l'impossibilité matérielle de protester plus tôt, soit qu'il fût en prison ou qu'il voyageât à l'étranger? Cette explication ne me satisfait point.

« Considérons ensuite la tentative d'asphyxie par le gaz. On ne peut vraisemblablement en accuser une personne du dehors. J'attribue cette mise en scène à Mr. ou Mrs. Leidner. Or, Mr. Leidner n'ayant aucune raison valable d'agir ainsi, nous sommes amenés à conclure que Mrs. Leidner a conçu et monté de toutes pièces cette comédie.

« Pourquoi? Toujours par amour du drame.

« Après quoi, Mr. et Mrs. Leidner voyagent à l'étranger et, pendant dix-huit mois, vivent heureux sans qu'aucune menace de mort ne vienne assombrir leur horizon. Ils se félicitent d'avoir réussi à égarer leur ennemi. Mais une telle supposition est absurde, surtout dans le cas des Leidner.

« Comment un directeur d'expédition archéologique parviendrait-il à faire perdre sa trace? En s'adressant à n'importe quel musée d'une ville américaine, Frederick Bosner pouvait se procurer l'adresse exacte du savant. Si même ses moyens financiers le mettaient dans l'incapacité de harceler lui-même le couple, rien ne l'empêchait de continuer l'envoi de lettres anonymes. Un homme dévoré d'une telle obsession ne se serait pas, ce me semble, arrêté en si beau chemin.

« Au contraire, on n'entend parler de lui que deux ans après. Alors, Mrs. Leidner est l'objet de nouvelles menaces anonymes.

« Et pourquoi ces lettres recommencent-elles d'arriver?

« Question difficile à résoudre... Il serait trop aisé de prétendre que Mrs. Leidner cherchait encore à se rendre intéressante. Cette tactique, trop vulgaire pour une femme fine et distinguée comme Mrs. Leidner, a suffisamment duré.

« Après réflexion, je conçus trois façons d'envisager cette affaire des lettres anonymes : 1° elles ont été écrites par Mrs. Leidner elle-même; 2° par Frederick Bosner (ou le jeune William Bosner); 3° au début, par Mrs. Leidner ou son premier mari, mais à présent elles n'étaient que des *faux*... autrement dit, elles étaient forgées par une tierce personne au courant des lettres précédentes.

« Cela nous conduit à étudier l'entourage immédiat de la victime.

« Quelle possibilité matérielle avait chaque membre de l'expédition pour commettre ce crime?

« Tout d'abord, aucun d'eux ne peut avoir commis le crime (si l'on s'en tient aux possibilités matérielles) à l'exception de trois.

« Mr. Leidner, d'après les témoignages indiscutables, n'a pas quitté la terrasse. Mr. Carey surveillait le chantier et Mr. Coleman s'était rendu à Hassanieh.

« Mais ces alibis, mes amis, ne sont pas aussi puissants qu'ils en ont l'air. J'excepte celui du professeur Leidner. Sans aucun doute il était sur la terrasse et n'en redescendit qu'une heure et quart après l'assassinat de sa femme.

« Mais Mr. Carey n'a-t-il pas quitté le chantier?

« Et Mr. Coleman se trouvait-il réellement à Hassanieh à l'heure où le meurtre fut commis?

Bill Coleman rougit, ouvrit la bouche, la referma et jeta un regard embarrassé autour de lui.

Mr. Carey ne changea point d'expression.

Poirot reprit tranquillement :

— Je songeai également à une autre personne qui, j'en suis convaincu, aurait été capable de commettre le crime, *si elle avait eu un motif suffisant*. Miss Reilly, douée de courage et d'intelligence, possède aussi un tempérament violent. Quand elle me parla de la morte, je lui demandai, en manière de plaisanterie, si elle avait un alibi. Miss Reilly en cet instant se rendit compte qu'elle avait éprouvé au fond d'elle-même le désir de tuer. Quoi qu'il en soit, elle proféra un mensonge bien inutile. Elle me dit qu'elle avait joué au tennis au club cet après-midi-là. Or, le lendemain, au cours d'une conversation avec Miss Johnson, j'appris que Miss Reilly s'était promenée à proximité de la maison à l'heure du crime. Il me vint à la pensée que Miss Reilly, si elle-même avait la conscience tranquille, pourrait me révéler d'intéressants détails.

Il fit une pause, puis demanda à la jeune fille :

— Miss Reilly, voulez-vous nous dire ce dont vous avez été témoin cet après-midi-là?

Elle ne répondit pas tout de suite. Elle regardait toujours par la fenêtre et, sans tourner la tête, elle s'exprima d'une voix nette et mesurée :

— Après le déjeuner, je suis allée aux fouilles et j'y arrivai vers deux heures moins le quart.

— Y avez-vous trouvé vos amis?

— Non. Je n'ai vu personne que le contremaître arabe.

— Pas même Mr. Carey?

— Non.

— Curieux, dit Poirot. M. Verrier ne l'a pas rencontré non plus lorsqu'il s'est rendu à cheval au chantier ce même après-midi.

Du regard, il invitait Mr. Carey à s'expliquer, mais celui-ci demeurait silencieux et impassible.

— Pouvez-vous nous fournir quelque explication, monsieur Carey?

— Ne voyant rien apparaître d'intéressant sous la pioche des terrassiers, je suis allé faire un tour.

— Dans quelle direction?

— Vers le fleuve.

— Pas du côté de la maison?

— Non.

— Vous attendiez sans doute quelqu'un qui n'est pas venu? demanda Miss Reilly.

Il la regarda sans répondre.

Poirot n'insista pas, mais interrogea de nouveau la jeune fille.

— Avez-vous vu autre chose, mademoiselle?

— Oui. A proximité de la maison, j'ai remarqué la camionnette de l'expédition rangée dans un *wadi*. Cela me parut plutôt bizarre. Alors, je vis Mr. Coleman, marchant la tête baissée, comme s'il cherchait quelque objet à terre.

— Attendez! s'écria Mr. Coleman, je...

Poirot l'interrompit d'un geste autoritaire :

— Patience. Lui avez-vous adressé la parole, Miss Reilly?

— Non, monsieur.

— Pourquoi?

La jeune fille répondit lentement :

— Parce que de temps à autre il jetait autour de lui un regard furtif, tout à fait désagréable. Je fis tourner mon cheval et m'éloignai. Je ne crois pas qu'il m'ait vue. Je ne me suis pas approchée, et lui-même était trop absorbé dans ses recherches.

Mr. Coleman ne put résister à l'envie de se justifier.

— Écoutez-moi. Je puis vous donner une explication des plus plausibles pour un acte qui, à vos yeux, paraît un peu louche. La veille, j'avais fourré un magnifique sceau cylindrique dans la poche de ma veste et oublié tout à fait de l'apporter à la salle des antiquités. Plus tard, je m'aperçus que je ne l'avais plus sur moi... J'avais dû le laisser tomber quelque part. Afin d'éviter des histoires, je résolus de n'en point parler et de le chercher tout seul sur le chemin du chantier. J'expédiai mes courses à Hassanieh, envoyai un *walad* faire quelques commissions et retournai de bonne heure. Je rangeai la camionnette à l'abri des regards et, pendant plus d'une heure, je fouillai le chemin dans tous les coins. Peine perdue! Enfin, je remontai dans ma voiture et rentrai à la maison. Tous crurent que je venais directement d'Hassanieh.

— Et vous ne les avez pas détrompés? s'enquit Poirot d'une voix suave.

— Étant donné les circonstances, je préférai m'abstenir.

— Il eût été plus simple d'avouer, à mon avis.

— Allons, allons, pourquoi ces complications? Vous ne me prendrez pas en défaut, tenez-vous-le pour dit. Je n'ai pas pénétré dans la cour et je vous défie de trouver un témoin qui m'y ait vu.

— Cette question soulève, en effet, quelques difficultés, dit Poirot. D'après le témoignage des domestiques, *personne n'est entré dans la cour*. Mais à la réflexion, cette déposition n'est pas complète. Ils ont juré qu'*aucune personne étrangère à la maison* n'était entrée. On ne leur a pas demandé de préciser s'ils avaient vu passer *un membre de l'expédition*.

— Questionnez-les encore! dit Coleman. Je parie tout ce que vous voudrez qu'aucun d'eux n'a vu Carey ou moi-même.

— Ah! ce point ne manque pas, en effet, d'intérêt. Certes, ils auraient remarqué un étranger, mais leur attention eût-elle été attirée par un membre de l'expédition? Le personnel circule à tout instant de la journée et les domestiques finissent par ne plus s'apercevoir des allées et venues. Il est donc possible que Mr. Carey ou Mr. Coleman ait franchi le seuil sans que les domestiques en gardent le moindre souvenir.

— Quelle niaiserie!

Poirot reprit, imperturbable :

— Et de vous deux, Mr. Carey est celui qui aurait le plus facilement passé inaperçu. Mr. Coleman étant parti pour Hassanieh en voiture, on s'attendait à le voir revenir dans ce véhicule. Son entrée à pied aurait surpris les domestiques.

— Évidemment!

Richard Carey leva la tête et vrilla sur Poirot ses yeux d'un bleu profond.

— Monsieur Poirot, m'accuseriez-vous d'assassinat?

Son extérieur demeurait calme, mais sa voix renfermait un ton menaçant.

Poirot inclina la tête.

— Pour le moment, je vous emmène tous faire un voyage... un voyage vers la vérité. Tout d'abord, j'ai voulu démontrer un fait : tous les membres de l'expédition, y compris l'infirmière, Miss Leatheran, ont eu la possibilité de commettre le meurtre. Je ne m'attarde pas pour le moment à considérer si quelques-uns d'entre vous sont au-dessus de tout soupçon : cette question passe au second plan.

« J'ai examiné pour chacun les moyens et l'occasion d'agir. Ensuite, le mobile. J'en ai conclu que tous vous aviez un mobile suffisant!

— Oh! protestai-je, pas moi! Voyons, monsieur Poirot, je viens d'arriver dans la maison!

— Eh bien! ma sœur, n'était-ce pas précisément là ce que redoutait Mrs. Leidner? Une personne étrangère venant du dehors?

— Mais... moi... Le docteur Reilly me connaissait fort bien. C'est lui-même qui m'a recommandée.

— Que savait-il de vous au juste? *Ce que vous lui avez raconté!* Ce n'est pas la première fois que des imposteurs revêtent l'uniforme d'infirmière!

— Vous pouvez écrire à l'hôpital Saint-Christophe!

— Pour l'instant, veuillez garder le silence, ma sœur. Impossible de poursuivre mon enquête si vous m'interrompez ainsi. Je ne dis pas que je vous suspecte, mais qui me prouve que vous ne cachez pas une autre personnalité? Beaucoup d'hommes excellent à se déguiser en femmes. Qui sait si le jeune William Bosner ne serait pas de ce nombre!

J'allais lui servir un plat à ma façon. Moi, un homme déguisé en infirmière? Mais M. Poirot éleva la voix et précipita son discours avec une telle véhémence que je préférai garder ma langue.

— Je vais maintenant vous parler en toute franchise... brutalement même! Il est nécessaire que j'étale au grand jour les dessous de cette maison!

« J'ai étudié l'âme de chacun de vous. Commençons par le professeur Leidner. Je n'ai pas tardé à me convaincre que l'amour qu'il professait pour sa femme était sa seule raison de vivre. C'est un homme torturé et miné par la douleur.

« Quant à Miss Leatheran, je viens de vous en parler. S'il s'agit d'une simulation, reconnaissons qu'elle a joué admirablement son rôle, mais tout me porte à croire qu'elle répond assez à ce qu'elle prétend être... une infirmière d'hôpital tout à fait compétente.

— Merci du compliment! lançai-je.

— Ensuite mon attention fut attirée vers Mr. et Mrs. Mercado qui, tous deux, montraient des signes d'inquiétude et d'agitation. Je me demandai d'abord si Mrs. Mercado était capable d'avoir commis ce meurtre et pour quel motif.

« A première vue, Mrs. Mercado ne me sembla pas douée de la force nécessaire pour frapper une femme comme Mrs. Leidner à l'aide de cette lourde meule de pierre. Toutefois, si Mrs. Leidner s'était agenouillée à cet instant, la chose devenait *physiquement possible*. Une femme peut, par certaines ruses, en amener une autre à s'agenouiller. Oh! pas par des moyens émotifs, mais, par exemple, en lui demandant de piquer une épingle à l'ourlet de sa jupe qu'elle est en train de recoudre et l'autre, sans méfiance, se met tout simplement à genoux.

« Mais le mobile? Miss Leatheran m'a parlé des regards haineux que Mrs. Mercado dardait sur Mrs. Leidner. De toute évidence, Mr. Mercado s'était laissé prendre aux charmes de la sirène. Toutefois, je ne voyais pas la solution de l'énigme dans la jalousie. J'étais persuadé que Mrs. Leidner ne portait aucun intérêt réel à Mr. Mercado... et que Mrs. Mercado le savait pertinemment. Peut-être lui en a-t-elle voulu sur le moment, mais il faut une provocation beaucoup plus grave pour pousser une femme au meurtre. Mrs. Mercado vouait à son mari des sentiments essentiellement maternels. De la façon dont elle le couvait des yeux, je compris tout de suite que non seulement elle l'aimait, mais qu'elle l'eût défendu comme une tigresse et, en outre, qu'elle envisageait la possibilité d'avoir à le faire. Constamment sur ses gardes, elle s'alarmait, non pour elle, mais pour lui. En observant de près Mr. Mercado, je ne fus pas long à deviner où le bât le blessait. J'employai une petite ruse pour confirmer l'exactitude de mes présomptions. Mr. Mercado s'adonnait aux stupéfiants... à un degré très avancé.

« Inutile d'insister auprès de vous tous sur le fait qu'un long usage de la drogue finit par émousser le sens moral.

« Sous l'influence du poison, un homme commet des actes auxquels il n'aurait jamais songé avant de sombrer dans ce vice. Il peut aller jusqu'à l'assassinat et on ne saurait affirmer si oui ou non il en est responsable. Sur ce point, les lois diffèrent d'un pays à l'autre. Un des traits caractéristiques de l'opiomane est sa confiance inouïe en sa propre habileté.

« Existait-il, dans le passé de Mr. Mercado, un scandale, peut-être un crime, que sa femme était parvenue jusqu'ici à dissimuler aux yeux du monde? En ce cas, sa carrière était très compromise. Si cet incident venait à être connu, c'en était fait de Mr. Mercado! Son épouse se tenait constamment aux aguets, mais il fallait compter avec Mrs. Leidner. Cette femme intelligente et à l'esprit dominateur pouvait capter la confiance de cette pauvre loque humaine. Quelle joie pour elle de s'approprier un secret dont la divulgation provoquerait peut-être une catastrophe!

« Voilà donc, pour Mr. et Mrs. Mercado, un mobile plausible de meurtre. Afin de protéger son mari, Mrs. Mercado ne reculerait devant rien! Au cours de ces dix minutes où la cour se trouvait déserte, ils avaient eu tout le temps nécessaire pour agir.

Mrs. Mercado s'écria :

— C'est faux!

Mr. Mercado continuait de regarder Poirot comme si de rien n'était.

— J'étudiai ensuite le cas de Miss Johnson. Était-elle capable de commettre un meurtre?

« J'opinai pour l'affirmative. Comme toutes les personnes douées d'une forte volonté et d'une grande maîtrise d'elles-mêmes, elle refoulait ses sentiments, mais un jour la digue se rompt! Si Miss Johnson avait commis cet assassinat, ce ne pouvait être que pour un motif concernant le professeur Leidner. Si pour une cause ou pour une autre elle était convaincue que Mrs. Leidner gâchait la vie de son mari, la jalousie sourde qui couvait en elle avait pu se donner libre cours sous le prétexte le plus justifié aux yeux de sa conscience.

« Oui, Miss Johnson était une criminelle possible!

« Viennent ensuite les trois jeunes hommes.

« D'abord, Carl Reiter. Si par hasard un membre de l'expédition était William Bosner, Reiter était bien celui-là. En ce cas, quel parfait comédien! Mais, s'il était simplement lui-même, quelle raison avait-il de supprimer la femme de son patron?

« Du point de vue de Mrs. Leidner, Carl Reiter était une conquête trop facile à son gré. Il se serait tout de suite prosterné à ses genoux. L'adoration aveugle d'un homme et son attitude de paillasson ne manquent jamais d'éveiller chez une femme les instincts les plus vils. Elle avait témoigné à ce jeune homme une cruauté voulue : un coup de griffe par ici, un coup de dent par là. Elle avait transformé la vie du malheureux garçon en un véritable enfer.

Poirot s'interrompit soudain et s'adressa au jeune Reiter sur un ton protecteur et confidentiel :

— Mon jeune ami, que cela vous serve de leçon. Vous êtes un homme : conduisez-vous en homme ! Il est contraire à la nature de l'homme de s'aplatir. Les femmes et la nature ont à peu près les mêmes réactions. Souvenez-vous qu'il vaut mieux lancer une assiette à la tête d'une femme que de se tortiller comme un ver lorsqu'elle daigne jeter ses regards vers vous !

Abandonnant son ton paternel, il reprit son style de conférencier.

— Carl Reiter pouvait-il avoir été tourmenté au point de vouloir se venger par le crime ? La souffrance exerce parfois une influence étrange sur un homme. Là, je ne pouvais rien affirmer.

« Maintenant, au tour de William Coleman. Son comportement, d'après les dires de Miss Reilly, ne laisse pas d'être suspect. S'il était l'assassin, sa personnalité joviale masquait donc celle de William Bosner. Je ne crois pas que William Coleman, en tant que William Coleman, possède le tempérament d'un meurtrier. Il peut avoir d'autres défauts. Et peut-être Miss Leatheran pourrait-elle nous renseigner à ce sujet ?

Comment pouvait-il lire en ma pensée ? J'étais pourtant certaine que mon visage ne trahissait aucun de mes sentiments.

— Oh ! cela ne tire à aucune conséquence, dis-je, hésitante. Cependant, si on ne doit rien omettre de la vérité, Mr. Coleman s'est vanté un jour devant moi de ses aptitudes à imiter des documents aussi bien qu'un faussaire de profession.

— Excellent, dit M. Poirot. En d'autres termes, s'il avait trouvé une de ces lettres anonymes, il aurait fort bien pu en imiter l'écriture.

— Holà ! holà ! holà ! s'écria Mr. Coleman. Cette fois vous dépassez les limites, monsieur Poirot !

Le détective continua, sans se démonter :

— Il est très difficile de vérifier si, oui ou non, il est William Bosner. Coleman nous a parlé d'un *tuteur*... non pas d'un père... rien ne nous empêche donc de le considérer comme William Bosner.

— Quelle ineptie! Je me demande pourquoi nous écoutons depuis si longtemps ce bavard!

— Des trois jeunes gens, reste Mr. Emmott. Lui aussi pourrait cacher l'identité de William Bosner. S'il avait des raisons personnelles de supprimer Mrs. Leidner, je compris dès le début que je ne tirerais rien de lui. Il gardait un sang-froid imperturbable et ne me fournit jamais l'occasion de le provoquer ou de l'amener, par un artifice quelconque, à se trahir. De tous les membres de l'expédition, David Emmott a donné sur Mrs. Leidner une appréciation tout à fait impartiale. Il l'estimait à sa juste valeur, mais, quant à savoir l'influence qu'elle exerça sur lui, je fus incapable de la découvrir. J'imagine que par son attitude glaciale il se rendit antipathique à Mrs. Leidner.

« Parmi vous, *de par son tempérament et ses possibilités*, Mr. Emmott me semble le plus qualifié pour exécuter un crime de main de maître.

Pour la première fois, Mr. Emmott détacha les yeux de la pointe de ses souliers.

— Merci bien, dit-il.

On put discerner dans sa voix une nuance d'amusement.

— Les deux derniers de la liste sont Richard Carey et le père Lavigny.

« Suivant le témoignage de Miss Leatheran et des autres, Mr. Carey et Mrs. Leidner se détestaient cordialement et se montraient tout juste polis l'un envers l'autre. Une autre personne, Miss Reilly, m'a exposé une version tout à fait différente de leur attitude glaciale devant le monde,

« Je ne tardai pas à croire que Miss Reilly avait vu clair. J'acquis cette certitude en incitant Mr. Carey à parler sans méfiance. Ce fut très simple. Je me rendis immédiatement compte de... de l'état de prostration nerveuse dans lequel il se trouvait... et se trouve encore aujourd'hui. Un homme ayant atteint les extrêmes limites de la souffrance demeure incapable de se défendre.

« Bientôt à bout de résistance, il m'avoua, avec une sincérité évidente, qu'il haïssait Mrs. Leidner. Oui, il la détestait! Mais pourquoi?

« Tout à l'heure, j'ai dit un mot des femmes fatales, mais certains hommes disposent de ce même pouvoir magique et, sans le moindre effort de leur part, attirent à eux les femmes. Ce don que, de nos jours, on nomme le *sex appeal*, Mr. Carey le possédait à un degré extraordinaire. Dévoué envers son ami et patron, il se montrait indifférent aux charmes de Mrs. Leidner. Celle-ci s'en offusqua. Il lui fallait dominer à tout prix : elle se mit en tête de conqué-

rir le cœur de Richard Carey. Mais ici un incident tout à fait
imprévu se produisit. Elle-même, pour la première fois de sa vie,
fut victime d'une violente passion et s'éprit, pour de bon, de
Richard Carey.

« Lui... ne put résister. Et voici comment s'explique cet état de
tension nerveuse dont il souffre si cruellement. Cet homme était
déchiré par deux passions contraires : il aimait et haïssait à la fois
Louise Leidner. Il la haïssait pour avoir attenté à sa loyauté envers
son ami. Je ne connais pas de haine plus forte que celle d'un
homme que le destin a poussé à aimer une femme contre son
propre gré.

« Ce motif n'était-il pas suffisant? A certains moments, j'en suis
convaincu, Richard Carey a dû être tenté de frapper de toute la
force de son bras le rayonnant visage qui l'avait ensorcelé.

« Je n'ai jamais cessé de croire que l'assassinat de Louise Leidner
était un crime passionnel. En Mr. Carey, je trouvais le type idéal
pour ce genre de crime.

« Reste un dernier candidat au titre d'assassin : le père Lavigny.
Ce brave moine retint tout de suite mon attention pour une contradiction flagrante entre le signalement donné par lui de l'homme qui
regardait par la fenêtre et celui qu'en fournit Miss Leatheran.
Toutes les dépositions de témoins renferment en général de légères
variantes, mais cette fois ça crevait les yeux. Le père Lavigny
insista particulièrement sur une infirmité caractéristique de l'individu : une loucherie qui devait faciliter l'identification.

« Mais bientôt il m'apparut que, si le signalement apporté par
Miss Leatheran était substantiellement exact, il en allait tout
autrement de celui du père Lavigny. J'eus l'impression que le
père Lavigny égarait sciemment nos recherches... comme s'il eût
voulu protéger cet homme.

« En ce cas, il devait savoir qui était ce curieux individu. On
l'avait bien vu lui parler, mais lui seul nous avait appris l'objet de
leur conversation.

« Que faisait cet Irakien lorsque le virent Miss Leatheran et
Miss Leidner? Il essayait de plonger le regard par la fenêtre... La
fenêtre de Mrs. Leidner, crurent-elles, mais je me plaçai à l'endroit où se trouvaient ces femmes et je me rendis compte qu'il
pouvait aussi bien s'agir de la fenêtre de la salle des antiquités.

« La nuit suivante, l'alarme fut donnée. Quelqu'un se trouvait
dans la salle des antiquités. Rien, pourtant, ne semblait avoir été
dérobé. Lorsque le professeur Leidner arriva, il y trouva le père
Lavigny qui l'avait devancé. Le moine lui raconta qu'il avait vu
une lumière, mais, encore une fois, nous n'avons que sa parole.

« Le père Lavigny commençait à m'intriguer. L'autre jour, lorsque je me risquai à supposer que le père Lavigny pouvait être Frederick Bosner, le professeur Leidner poussa les hauts cris. D'après lui, le père Lavigny était un savant très connu. Pourquoi Frederick Bosner, qui avait devant lui près de vingt années pour se créer une nouvelle carrière sous un faux nom, ne serait-il point ce célèbre paléographe ? Cependant, j'ai peine à croire que Bosner ait passé tout ce temps-là dans un monastère. Une solution bien simple se présenta à mon esprit.

« Un des membres de l'expédition connaissait-il de vue le père Lavigny avant son arrivée ici ? Non, n'est-ce pas ? Alors, pourquoi ne serait-ce pas quelqu'un d'autre se faisant passer pour le bon père ? Je découvris qu'un télégramme avait été envoyé à Carthage, le docteur Byrd, qui devait participer à l'expédition, étant tombé brusquement malade. Quoi de plus facile que d'intercepter une dépêche ? Quant au travail proprement dit, le père Lavigny devait être le seul paléographe attaché à l'expédition. Grâce à une connaissance superficielle, un homme intelligent pouvait sauver la face. Jusqu'ici, un nombre très restreint de tablettes ont été mises au jour et je crois savoir que les interprétations du brave moine ont été jugées quelque peu fantaisistes.

« Le père Lavigny ne tarda point à faire, à mes yeux, figure d'imposteur.

« Mais était-il Frederick Bosner ?

« Je conservais des doutes à ce sujet. Il fallait chercher ailleurs la vérité.

« J'eus une longue conversation avec le père Lavigny. Étant moi-même catholique pratiquant, je connais quantité de prêtres et plusieurs membres de communautés religieuses. Le père Lavigny ne me parut pas tout à fait dans son élément. Mais sa personnalité me semblait familière pour d'autres raisons. J'ai souvent eu affaire à des individus de son acabit, mais ceux-ci n'appartenaient point à des institutions religieuses... loin de là !

« Je me mis dès lors à envoyer télégramme sur télégramme.

« Et, à son insu, Miss Latheran me procura un précieux renseignement. Nous étions en train d'admirer les ornements en or dans la salle des antiquités lorsqu'elle me parla d'une tache de cire découverte sur une coupe. Moi, je dis : « De la cire ? » et le père Lavigny répéta : « De la cire ? » Le ton de sa voix me suffit ! En un clin d'œil, je devinai la raison de sa présence dans la maison.

Poirot fit une pause et s'adressa directement au professeur Leidner.

— Je regrette de devoir vous apprendre, monsieur, que la coupe en or, le poignard en or, les diadèmes en or, et différents autres objets précieux de la salle d'antiquités, *ne sont pas les spécimens authentiques* trouvés par vous, mais des copies habilement exécutées au moyen de l'électrotype. Ce télégramme que je viens de recevoir m'apprend que le père Lavigny n'est autre que Raoul Menier, un fameux escroc recherché par la police française. Spécialisé dans les vols d'objets d'art et de pièces de musée, il s'est associé avec Ali Yassouf, un demi-Turc, ouvrier joaillier d'une adresse consommée. Nous avons fait connaissance avec Menier lors de la découverte de faux au musée du Louvre. A chacune de ces substitutions, on constate que d'éminents archéologues, inconnus de vue du conservateur, avaient demandé, la veille, la permission d'examiner ces objets d'art, au cours de leur visite au Louvre. L'enquête démontra qu'aucun de ces savants ne s'était rendu au musée ce jour-là.

« J'appris que Menier se préparait à commettre un vol au monastère de Tunis au moment où arriva votre télégramme. Le père Lavigny, dont la santé laissait à désirer, se vit obligé de refuser votre offre, mais Menier réussit à intercepter la dépêche du père et la remplaça par une d'acceptation. Il ne risquait rien en agissant ainsi. En admettant que les moines connussent par un journal la nouvelle que le père Lavigny se trouvait en Irak (éventualité d'ailleurs peu probable), ils en déduiraient simplement que la presse est mal renseignée, ce qui arrive parfois.

« Menier et son complice arrivent. On aperçoit celui-ci pour la première fois au moment où il repère du dehors la salle des antiquités. Le rôle du père Lavigny consiste à prendre des moulages à la cire, d'après lesquels Ali exécute de merveilleuses imitations. Les collectionneurs ne manquent pas qui acceptent de payer un bon prix pour des objets anciens authentiques, sans poser des questions embarrassantes au vendeur. Le père Lavigny doit faire la substitution du faux pour le vrai, la nuit de préférence.

« Voilà réellement ce à quoi il s'occupait lorsque Mrs. Leidner, l'ayant entendu, donna l'alarme. Quel parti prendre? Il inventa aussitôt une histoire de lumière aperçue dans la salle des antiquités.

« Cela prit à merveille. Mais Mrs. Leidner n'est pas dupe. Elle se rappelle la trace de cire remarquée par elle et en tire ses conclusions. Alors, que fait-elle? N'entre-t-il pas dans son caractère d'attendre et de glisser certaines allusions pour jouir de la confusion du père Lavigny? Elle lui fera comprendre qu'elle le suspecte... sans lui dire carrément qu'elle est au courant de la vérité. C'est là un jeu fort dangereux, mais elle adore le risque.

« D'autre part, elle a pu pousser les choses trop loin. Le père Lavigny devine son manège et la tue par surprise.

« Le faux père Lavigny est Raoul Menier... un voleur. Est-il également un assassin ?

Poirot arpenta la pièce. Il tira son mouchoir de sa poche et s'épongea le front avant de poursuivre :

— Tel était, ce matin, le bilan de mes recherches. Je discernais huit meurtriers éventuels, mais lequel était le véritable ?

« Mais l'assassinat devient une habitude. Qui a tué tuera !

« Et le second meurtre mit l'assassin à ma merci.

« Pas un instant je ne perdis de vue que quelqu'un parmi vous me cachait ce qu'il savait... concernant le meurtrier.

« En ce cas, cette personne courait un danger.

« J'entourai Miss Leatheran d'une sollicitude particulière. Douée d'une personnalité très marquée et d'un esprit curieux, je craignais qu'elle n'en apprît plus qu'il n'en fallait pour sa propre sécurité.

« Comme vous le savez tous, un deuxième crime eut lieu. La victime ne fut pas Miss Leatheran, mais Miss Johnson.

« Je me plais à croire que j'aurais trouvé le mot de l'énigme par mon propre raisonnement, mais il n'en demeure pas moins certain que la mort tragique de Miss Johnson m'aida à la résoudre plus rapidement.

« D'abord, une personne suspecte fut du coup rayée de ma liste : Miss Johnson elle-même... car pas un instant je n'admis l'hypothèse du suicide.

« Examinons, maintenant, les faits relatifs au deuxième assassinat.

« Premièrement : dimanche soir, Miss Leatheran trouve Miss Johnson en larmes, et dans la soirée Miss Johnson brûle le fragment d'une lettre que l'infirmière croit être de la même écriture que les lettres anonymes.

« Deuxièmement : le soir précédant sa mort, Miss Johnson est surprise par Miss Leatheran sur la terrasse dans un état qu'elle qualifie d' « indicible horreur ». Questionnée par l'infirmière, elle répond : « J'ai vu comment on pouvait entrer du dehors... sans se faire voir. » Elle n'en dit pas davantage. Le père Lavigny traverse la cour en ce moment et Mr. Reiter se tient sur le seuil de l'atelier de photographie.

« Troisièmement : Miss Johnson, sur le point de rendre l'âme, ne peut articuler que deux mots... *la fenêtre... la fenêtre...*

« Tels sont les faits, et voici les problèmes à résoudre :

« Qui a écrit les lettres ?

« Qu'a vu Miss Johnson de la terrasse?

« Qu'a-t-elle voulu dire par : « la fenêtre... la fenêtre »?

« Eh bien! envisageons la deuxième question comme étant la plus simple. En compagnie de Miss Leatheran, je montai sur la terrasse et me plaçai à l'endroit même où se tenait Miss Johnson. De là, elle voyait la cour, la porte voûtée, le côté nord de la maison et deux membres du personnel. Ses paroles visaient-elles Mr. Reiter ou le père Lavigny?

« Presque aussitôt, une explication plausible jaillit dans mon esprit. Si un étranger avait pénétré ici de l'extérieur, ce ne pouvait être que sous un déguisement. Et il n'existait qu'une seule personne dont l'accoutrement se prêtait à une telle tactique : le père Lavigny! Coiffé d'un casque colonial, portant des lunettes noires pour le préserver du soleil, une barbe noire et une longue robe de bure, un inconnu pouvait s'introduire par la porte sans éveiller l'attention des domestiques.

« Était-ce cela qu'avait voulu dire Miss Johnson? Ou bien, allant plus loin, avait-elle deviné que le père Lavigny n'était qu'un imposteur sous l'habit monastique?

« Avec tout ce que je savais déjà sur le compte du père Lavigny, Raoul Menier était l'assassin. Il a tué Mrs. Leidner pour la réduire au silence. Ensuite, une autre personne lui laisse entendre qu'elle a pénétré son secret : celle-là aussi doit disparaître.

« Ainsi tout s'explique! Le second meurtre, la fuite du père Lavigny, sans son froc ni sa barbe (lui et son complice se rendent en Syrie munis de passeports en règle, comme deux honnêtes voyageurs de commerce), et la découverte de la meule tachée de sang sous le lit de Miss Johnson.

« Comme je vous le dis, j'étais presque satisfait... mais une solution parfaite doit tout expliquer... et ce n'était pas le cas.

« Par exemple, elle n'explique pas les paroles de Miss Johnson : « *La fenêtre, la fenêtre* », au moment de mourir, ni sa crise de larmes, ni son attitude énigmatique sur la terrasse et son refus de révéler à Miss Leatheran ce qu'elle soupçonnait ou savait.

« Cette solution réglait les faits superficiels, mais laissait dans l'ombre la question psychologique.

« Et, comme je me tenais sur la terrasse, ruminant ces trois points : les lettres, la terrasse, la fenêtre, je vis... comme Miss Johnson avait vu!

« *Et cette fois tout s'expliquait à mes yeux.* »

## CHAPITRE XXVIII

## Terme du voyage

Poirot promena son regard autour de lui. Tous les yeux étaient rivés sur le petit détective belge. Il s'était produit dans l'assemblée une légère détente. Mais les esprits se tendirent à nouveau.

Un coup de théâtre allait éclater.

Monotone et dénuée de passion, la voix de Poirot continua :

— Les lettres, la terrasse, *la fenêtre*... oui, tout s'expliquait, tout reprenait sa place.

« J'ai dit tout à l'heure que trois hommes possédaient un alibi pour l'heure du crime. J'ai démontré la faiblesse de deux de ces alibis. Maintenant, je reconnais mon erreur... le troisième alibi ne vaut guère mieux. Non seulement le professeur Leidner peut avoir tué sa femme, mais je suis certain de sa culpabilité.

Un silence impressionnant s'établit, le professeur Leidner ne disait mot. Il semblait encore perdu dans un monde lointain. Cependant, David Emmott s'agita, mal à l'aise, et prit la parole :

— Qu'insinuez-vous par là, monsieur Poirot? Ne vous ai-je pas dit que le professeur Leidner n'a pas quitté la terrasse avant trois heures moins un quart? Je le répète : c'est la stricte vérité. Je ne mens pas, je le jure! Je l'aurais tout de même bien vu descendre!

Poirot inclina la tête.

— Je ne mets pas votre parole en doute. Le professeur Leidner n'a pas quitté la terrasse : ce fait demeure acquis. Mais ce que je saisis et ce qu'avait deviné Miss Johnson, *c'est que le docteur Leidner pouvait avoir tué sa femme sans quitter la terrasse!*

Tous nous ouvrîmes de grands yeux.

— La *fenêtre!* s'écria Poirot. La fenêtre de Mrs. Leidner! Voilà ce que je compris... à l'instar de Miss Johnson. Sa fenêtre se trouvait directement au-dessous, non pas du côté de la cour, mais prenant vue sur l'extérieur. Et le professeur Leidner attendait seul là-haut sans personne pour épier ses actes. Les grosses meules de pierre étaient là, à portée de sa main... Tout paraissait si simple... à condition que l'assassin eût le temps de changer le cadavre de place, avant qu'on l'eût remarqué... Oh! c'est magnifique... d'une simplicité inconcevable!

« Écoutez... voici comment le meurtre s'accomplit :

« Le professeur Leidner travaille sur la terrasse à classer ses poteries. Il vous appelle, monsieur Emmott, et tandis qu'il s'entretient avec vous, il observe que, selon son habitude, le petit *boy* profite de votre absence pour interrompre son travail et sortir de la cour. Il vous retient une dizaine de minutes, puis vous laisse descendre, et, dès que vous êtes en bas, en train d'appeler le gamin, il met son plan à exécution.

« Il tire de sa poche le masque de plasticine avec lequel il a déjà effrayé sa femme et le balance par-dessus la balustrade jusqu'à ce qu'il vienne frapper sa fenêtre.

« Cette fenêtre, souvenez-vous-en, donne sur la campagne et non sur la cour.

« Mrs. Leidner est étendue sur son lit, à demi endormie, paisible et heureuse. Tout à coup le masque commence à heurter la fenêtre et attire son attention. Mais en ce moment il ne fait pas sombre. C'est le plein jour. Elle ne s'en effraie nullement. Elle voit ce dont il s'agit : une plaisanterie de mauvais goût. Indignée, ainsi que l'aurait fait toute autre femme à sa place, elle bondit de son lit, ouvre la fenêtre, passe sa tête entre les barreaux et regarde la balustrade pour reconnaître celui qui lui joue ce tour.

« Le professeur attend l'instant opportun. Il tient à la main, prêt à frapper, une lourde meule. A la seconde précise, il la lâche...

« Poussant un faible cri (entendu par Miss Johnson), Mrs. Leidner s'effondre sur la peau de chèvre placée devant la fenêtre.

« Dans le trou de la meule il avait au préalable passé une corde. Il lui reste maintenant à tirer la corde pour ramener la pierre. Il la replace, en ayant soin de mettre le côté taché de sang en dessous, parmi les autres objets de ce genre rangés sur la terrasse.

« Il continue son travail pendant une bonne heure, jusqu'à ce qu'il juge le moment venu d'accomplir son second geste. Il descend l'escalier, échange quelques mots avec Mr. Emmott et Miss Leatheran, traverse la cour et entre chez sa femme. Et voici, d'après lui, ce qu'il a fait dans la chambre.

« *Je vis le corps de ma femme affaissé comme une masse au pied du lit. Pendant un moment, je demeurai paralysé et incapable de bouger. Je m'agenouillai près d'elle et pris sa tête entre mes mains. Je constatai qu'elle était morte... Enfin, je me relevai... Je me sentis étourdi, comme si j'avais bu. Je réussis enfin à gagner la porte et j'appelai de toutes mes forces.* »

« Récit tout à fait plausible de la part d'un homme accablé par la douleur. A présent, je vais vous dire ce que je soupçonne être la vérité. Le professeur pénètre dans la chambre, court vers la fenêtre et, ayant enfilé une paire de gants, ferme cette fenêtre, puis ramasse le cadavre de sa femme pour le déposer entre le lit et la porte. Alors, il remarque une légère tache de sang sur la peau de chèvre à côté de la fenêtre. Il ne peut pas la substituer à l'autre natte, car elles sont de dimensions différentes; mais il s'y prend autrement et place la peau tachée devant la table de toilette et celle de la toilette sous la fenêtre. Si on remarque la tache, on pensera à la table de toilette, et non à la fenêtre... point très important. A tout prix, rien ne doit révéler que la fenêtre a joué un rôle essentiel dans le drame. Ensuite, il va à la porte et affecte l'apparence du mari éploré : ce qui lui est facile, car il aime réellement sa femme.

— Mon cher monsieur Poirot, s'écria le docteur Reilly avec impatience, s'il aime sa femme, pourquoi l'a-t-il tuée? Pour quel motif? Allons, défendez-vous, Leidner! Dites à cet homme qu'il est devenu fou!

Le professeur Leidner ne répliqua point et ne remua pas un cil. Poirot reprit :

— Ne vous ai-je pas dit, dès le début, qu'il s'agissait ici d'un crime passionnel ? Pourquoi son premier mari menaçait-il Mrs. Leidner de mort? Parce qu'il l'aimait... et, voyez-vous, il a tenu sa promesse...

« Mais oui... mais oui... Dès que je compris que le professeur Leidner était l'assassin, tout reprit sa place...

« Pour la seconde fois, je reprends mon voyage au début... Le premier mariage de Mrs. Leidner, les lettres de menaces, son second mariage. Les lettres l'empêchent d'unir sa vie à celle d'un autre homme, mais elles ne viennent nullement troubler son mariage avec le professeur Leidner. Comme tout se simplifie... si le professeur Leidner est, effectivement, Frederick Bosner.

« Recommençons notre voyage... mais, cette fois, en compagnie de Frederick Bosner.

« D'abord, il aime Louise d'une passion dévorante, telle qu'une femme de ce genre peut en inspirer. Elle le dénonce comme espion. Condamné à mort, il réussit à s'enfuir. Compté par erreur au nombre des victimes d'un accident de chemin de fer, il reparaît avec une nouvelle identité; il devient un jeune archéologue suédois, Eric Leidner. Le vrai Leidner, lui, tout à fait défiguré par l'accident, sera enterré sous le nom de Frederick Bosner.

« Quelle est l'attitude de ce nouvel Eric Leidner envers la femme qui n'hésita pas à l'envoyer au poteau? D'abord, point capital, il l'aime toujours; il s'acharne à se refaire une nouvelle vie. Cet homme, d'une intelligence supérieure, exerce une profession à son goût et y réussit pleinement. Mais il n'oublie point la grande passion de sa vie. Il se tient au courant des faits et gestes de sa femme. Il a pris une inébranlable détermination (souvenez-vous des confidences de Mrs. Leidner à Miss Leatheran : « Il est bon et doux, mais violent. ») : *elle n'appartiendra jamais à un autre homme que lui!* Chaque fois qu'il le juge nécessaire, il lui adresse une lettre. Il va même jusqu'à imiter certains signes particuliers de l'écriture de sa femme pour le cas où celle-ci songerait à communiquer ces lettres à la police. Les femmes qui s'écrivent à elles-mêmes des lettres anonymes sont si nombreuses que la police ne manquerait pas de l'accuser, vu la similitude des écritures. En même temps, il laisse subsister des doutes sur la réalité de sa mort.

« En fin de compte, après de longues années, il estime que son heure a sonné : il reparaît dans la vie de Louise. Tout marche à souhait; sa femme ne soupçonne point sa véritable identité. Il est célèbre : le jeune homme svelte et beau de jadis est à présent un homme d'âge mûr aux épaules voûtées et porte une barbe. Et l'histoire se répète. Comme auparavant, Frederick exerce un grand ascendant sur Louise. Pour la seconde fois, elle consent à l'épouser... *et aucune lettre ne vient interdire les bans.*

« Mais par la suite elle reçoit une lettre. Pourquoi?

« Le professeur Leidner veut — parbleu! — écarter tout risque d'être reconnu. L'intimité de leur union peut réveiller de vieux souvenirs. Une fois pour toutes, il désire que sa femme sache qu'Eric Leidner et Frederick Bosner sont deux êtres tout à fait différents. Cela est si vrai qu'une lettre arrive du premier, écrite censément par le second. Suit cette puérile simulation d'asphyxie par le gaz... montée par le professeur Leidner en personne... toujours dans la même intention.

« Après quoi, satisfait, il juge inutile d'envoyer d'autres lettres. Leur union peut désormais s'épanouir sous le signe du parfait bonheur.

« Puis, deux ans après environ, *les lettres reparaissent.*

« *Pourquoi? Eh bien! je crois en connaître la raison. Parce que les menaces que contenaient ces lettres n'étaient pas de la frime.* (Voilà qui explique les craintes continuelles de Mrs. Leidner : *elle connaissait* le tempérament doux, mais barbare, de son Frederick.) *Si elle appartient à un autre homme que lui, il la tuera. Et n'était-elle pas la maîtresse de Richard Carey?*

« Ayant découvert l'infidélité de son épouse, le professeur Leidner, froidement et calmement, prémédite l'assassinat.

« Comprenez-vous maintenant l'importance du rôle joué par Miss Leatheran? L'idée plutôt saugrenue du professeur Leidner d'engager une infirmière pour sa femme m'a d'abord surprise.

Il était essentiel qu'un témoin professionnel sérieux pût certifier de façon péremptoire que Mrs. Leidner était morte depuis plus d'une heure au moment où on constata son décès... En d'autres termes, elle avait été tuée à un moment où tout le monde pouvait affirmer sous serment que son mari travaillait sur la terrasse. On aurait pu le soupçonner d'avoir tué sa femme au moment où il entrait dans la chambre et découvrait le cadavre... Mais sa culpabilité était hors de question si une infirmière qualifiée affirmait positivement que le décès de Mrs. Leidner remontait à une heure.

« Je m'explique maintenant l'atmosphère de tension et de contrainte qui pesait cette année sur les membres de l'expédition. Pas une minute je ne l'ai attribuée à l'influence seule de Mrs. Leidner. Pendant plusieurs années, une bonne camaraderie avait régné entre les membres de l'expédition. A mon sens, l'état d'esprit d'une communauté est toujours dû, directement, à l'ascendant de son chef. Le professeur Leidner, avec toute sa douceur, possède une forte personnalité. Grâce à son tact, à son jugement, à sa façon intelligente de diriger ses hommes, cette atmosphère n'avait jusque-là cessé d'être heureuse.

« Si donc un changement s'était produit, la faute en incombait au chef, autrement dit au professeur Leidner. Le professeur Leidner et non Mrs. Leidner était responsable de ce malaise. Rien d'étonnant que le personnel en ait subi le contrecoup sans en connaître la cause exacte. L'aimable et bon Mr. Leidner, toujours le même en apparence, ne faisait que jouer son rôle. Au fond, c'était un fanatique obsédé par l'idée du meurtre.

« Maintenant, arrivons au second crime, celui de Miss Johnson. En rangeant dans le bureau les papiers du professeur Leidner (tâche qu'elle s'était imposée pour occuper son temps), elle dut découvrir par hasard le brouillon d'une lettre anonyme non achevée.

« Cette trouvaille la bouleversa au plus haut point. Ainsi, le professeur Leidner avait sciemment terrorisé sa femme! Elle ne peut en croire ses yeux... mais la pauvre fille en demeure effarée. C'est à ce moment que Miss Leatheran la surprend en larmes.

« Je ne crois pas qu'à cet instant elle soupçonnait le professeur Leidner d'être l'assassin, mais les expériences que je fis dans la chambre de Mrs. Leidner et du père Lavigny ne demeurent point lettre morte pour elle. Elle se rend compte que, si elle a entendu vraiment crier Mrs. Leidner, c'est que la fenêtre de celle-ci avait été ouverte. Elle n'attache pas à ce fait une importance capitale, mais elle s'en souviendra.

« Son esprit continue de travailler... à la recherche de la vérité. Peut-être a-t-elle touché un mot au professeur Leidner au sujet des lettres. Celui-ci comprend et change d'attitude envers elle sous l'empire de la peur.

« Mais le professeur ne peut avoir assassiné sa femme. Il n'a pas quitté la terrasse!

« Et un soir où elle se trouve seule sur la terrasse, en train de méditer, la vérité lui apparaît en un éclair : Mrs. Leidner a été tuée de la terrasse, par la fenêtre ouverte.

« A cette minute précise, arrive Miss Leatheran.

« Immédiatement, la vieille affection de Miss Johnson pour le mari reprend le dessus. Elle songe à sauver la face. Il ne faut, sous aucun prétexte, que l'infirmière devine l'horrible découverte qu'elle vient de faire.

« Regardant avec intention dans la direction opposée (vers la cour), elle émet une remarque qui lui est suggérée par l'apparition du père Lavigny au moment où le moine traverse la cour.

« Elle se refuse à en dire davantage et demande à réfléchir.

« Et le professeur Leidner, qui n'a cessé de l'épier avec inquiétude, se rend compte qu'elle connaît la vérité. Elle n'est point femme à lui cacher longtemps son horreur et son angoisse.

« Il est vrai que, jusqu'ici, elle ne l'a pas dénoncé... mais jusqu'à quand peut-il compter sur sa discrétion?

« L'assassinat devient une habitude. Cette nuit-là, il substitue un verre d'acide au verre d'eau de Miss Johnson, espérant qu'on croira au suicide de la vieille demoiselle. Il y a même une possibilité qu'on l'accuse du premier assassinat et que sa fin tragique soit attribuée au remords. Pour donner plus de vraisemblance à cette dernière idée, il descend la meule de la terrasse et la glisse sous le lit de Miss Johnson.

« Rien de surprenant si la malheureuse, dans son agonie, a désespérément essayé de communiquer ses renseignements chèrement acquis : Par *la fenêtre*, voilà comment Mrs. Leidner a trouvé la mort, non point par la porte, mais par *la fenêtre*.

« Ainsi, tout s'explique... tout reprend sa place. Du point de vue psychologique, ce crime est parfait.

« Mais les preuves manquent... elles nous font défaut...

Personne ne bronchait. L'horreur de ce drame nous submergeait tous. Pas seulement l'horreur... Mais aussi la pitié.

L'air fatigué et vieilli, le professeur Leidner n'avait pas remué ni prononcé une parole. Enfin, il bougea légèrement et regarda Poirot de ses yeux las et doux.

— Non, jusqu'ici vous ne possédez aucune preuve, dit-il. Mais peu importe. Vous savez pertinemment que je ne nierai pas. Je n'ai jamais reculé devant la vérité. Je crois... même... que je suis maintenant soulagé... Je suis las...

Puis il ajouta simplement :

— Je me reproche la mort d'Anne. J'ai commis là un ignoble et stupide forfait, mais je n'étais plus maître de moi! Pauvre femme! Ce qu'elle a dû souffrir! Je n'étais plus moi-même... mais un homme aveuglé par la peur.

Un triste sourire effleura ses lèvres tordues par la douleur.

— Vous auriez fait un archéologue hors ligne, monsieur Poirot. Vous possédez le don de recréer le passé.

— Peuh... je m'y suis appliqué de mon mieux.

— J'aimais Louise et je l'ai tuée... Si vous l'aviez connue, vous me comprendriez... Peut-être même, m'avez-vous compris...

## CHAPITRE XXIX

### *Epilogue*

Il nous reste peu de chose à dire maintenant sur ce drame.

Le père Lavigny et son complice furent appréhendés à Beyrouth au moment où ils montaient à bord d'un paquebot.

Sheila Reilly épousa le jeune Emmott. C'est bien le mari qu'il fallait à cette péronnelle. Lui, du moins, n'a rien du paillasson : il saura la mater. Elle aurait tourné en bourrique le pauvre Bill Coleman.

A propos, j'ai soigné Bill l'an dernier, alors qu'on l'opérait de l'appendicite. Je me pris d'affection pour ce brave garçon. Après la convalescence, sa famille l'a envoyé faire de la culture extensive dans le Sud de l'Afrique.

Je ne suis pas retournée en Orient. C'est bizarre... je me prends parfois à regretter ce pays. J'évoque le bruit de la noria, je revois les laveuses au bord du Tigre et le regard dédaigneux des chameaux... j'en éprouve presque de la nostalgie! Somme toute, la saleté n'est peut-être pas aussi malsaine qu'on vous le fait croire!

Le docteur Reilly me rend parfois visite lorsqu'il se trouve en Angleterre. Comme je l'explique au début, c'est lui, indirectement, le responsable de ce récit. « C'est à prendre ou à laisser, lui ai-je dit. Je sais qu'il fourmille de fautes de grammaire, que le style n'en est guère élégant, mais, tel quel, lisez-le si bon vous semble. »

Et il emporta mon manuscrit, sans la moindre hésitation. Si jamais on le publie, j'en serai la première étonnée.

M. Poirot gagna la Syrie et, la semaine suivante, revint en Angleterre par l'Orient-Express. A cette occasion, il dut démêler une autre affaire criminelle passablement embrouillée. Je ne nie point sa grande habileté, mais je ne lui pardonnerai pas de si tôt de s'être gaussé de moi à ce point. Dire qu'il a osé me soupçonner de l'assassinat de Mrs. Leidner et mettre en doute ma qualité d'infirmière d'hôpital !

Messrs. les médecins ne se font pas non plus faute de plaisanter à vos dépens, sans tenir compte de vos susceptibilités !

Bien souvent, il m'arrive de penser à Mrs. Leidner et de me demander ce qu'elle était en réalité... Tantôt, je vois en elle une femme terrible... et, tantôt, je me souviens de sa gentillesse envers moi, de sa voix pleine de douceur... de ses beaux cheveux blonds... et alors elle m'inspire une profonde pitié...

Malgré moi, je m'apitoie également sur le sort du professeur Leidner. Je sais pertinemment qu'il a deux assassinats sur la conscience, mais m'appartient-il de le juger ? Il aimait tellement sa femme ! Que c'est donc terrible d'aimer un être à ce point !

Plus je prends de l'âge, plus je rencontre de gens tristes et malades, et plus je deviens indulgente envers mes semblables. Que sont donc devenus les principes rigides dans lesquels ma tante m'a élevée ? Cette femme, religieuse et austère, connaissait les moindres défauts de nos voisins...

Dieu ! lorsqu'on commence à écrire, on ne sait plus quand s'arrêter. Si seulement je pouvais terminer sur une belle phrase !

Je demanderai au docteur Reilly de m'apprendre une expression arabe consacrée, un peu dans le genre de celle dont se servit M. Poirot.

Au nom d'Allah, le Miséricordieux, le Compatissant...

Quelque chose dans ce goût-là.

# TABLE DES MATIÈRES

*Ce volume*
*des œuvres complètes*
*d'Agatha Christie*
*a été réalisé*
*d'après la maquette typographique*
*de Pierre Faucheux / Dedalus*

*Edition produite par*
*Edito-Service S.A., à Genève*

*Imprimé en France*